新　潮　文　庫

津山三十人殺し

日本犯罪史上空前の惨劇

筑　波　昭著

新　潮　社　版

7768

津山三十人殺し・目次

凡例

一、引用にあたっては、旧かな遣を新かな遣に改めたほか、句読点を補うなど、必要と思われるときは表記に若干の手を加えた。
一、事件関係者の名前は、必要と思われる場合、仮名にした。
一、年齢はすべて数え年である。
一、〔 〕内は著者による注である。

津山三十人殺し

日本犯罪史上空前の惨劇

本作品内で引用した検事調書、供述調書、その他当時の社会時評の中には、今日の観点からみると差別的表現ととられかねない箇所が散見しますが、そのような意図はなく、事件の真相、また当時の関係者の考えを明らかにする資料であるという事情に鑑み、原文通りとしました。

（著者）

第一部　事件

青葉と渓谷美とを縫って、因美線が初夏の日光を乗客に満喫せしめ、中国山脈の脊梁が行く手に迫ろうとするこの世ながらの絶対平和境、岡山県苫田《とまだ》郡西加茂村大字行重《ゆきしげ》部落において、宿痾の肺患と結婚難、かてて加えて過度の勉強からきた極度の神経衰弱に、すっかり歪められた厭世的絶望感から、僅か二十二歳の青年都井《とい》睦雄《むつお》によって、なんと驚くなかれ二十九名というわが国近世における記録的殺人の一大悲劇が繰りひろげられ、瞬間にして阿鼻叫喚この世ながらの修羅場が実現、被害者は同部落二十三戸中十二戸におよび、これまた記録的悲惨事が展開、さいわい犯人は捜査圏内で自殺し果てたものの、世界的殺人魔ブルーベヤードの上を行くこの鬼畜の悪業は、全県民を恐怖のどん底に叩き込んだ。

二十一日午前一時四十分ごろ、苫田郡西加茂村大字行重部落、農業都井睦雄（二十二年）は、かねて同人を邪魔扱いにする部落民を殺害しようと、黒詰襟にゲートル、猛獣狩用口径十二番九連発の猟銃を手にし、日本刀を腰にさし、そのうえ短刀をポケットに入れ、用意周到に同部落の電線を断ち切り、部落全体を暗黒にしたうえ、自分はナショナルランプを腹に、頭に懐中電灯二個をくりつけ、さながら阿修羅の扮装で、まず自分の祖母いね（七十五年）の首を手斧ではねて即死せしめ、身体にはめちゃくちゃに銃弾を射ち込み、続いて隣家の丹羽イト（四十七年）方に侵入、就寝中のイトに瀕死の重傷を負わせ、昏倒するのを見澄まして（イトは同日朝死亡）、かたわらに寝ていた同人娘つる代（二十一年）を日本刀と猟銃で殺害、続いて寺井政一の一家五人、寺井好二方の一家を全滅せしめたうえ、返り血を浴び悪鬼のごとく荒れ狂い、深い眠りに落ちていた附近民家を片っ端から襲い、二十九名を射殺または斬り殺し、血まみれとなり附近の山林間に逃走したが、急報により県刑事課から国富課長ら、津山署より山本署長以下全員出動、附近消防組、青年団約千五百名の協力を得て、大々的な山狩りを行い捜査中のところ、同日午前十時半ごろ同村青山の荒坂峠附近山中で、猟銃で自殺している犯人を捜索隊が発見した。（事件の第一報）

（『大阪朝日新聞』昭和十三年五月二十一日付夕刊）

西加茂村付近図

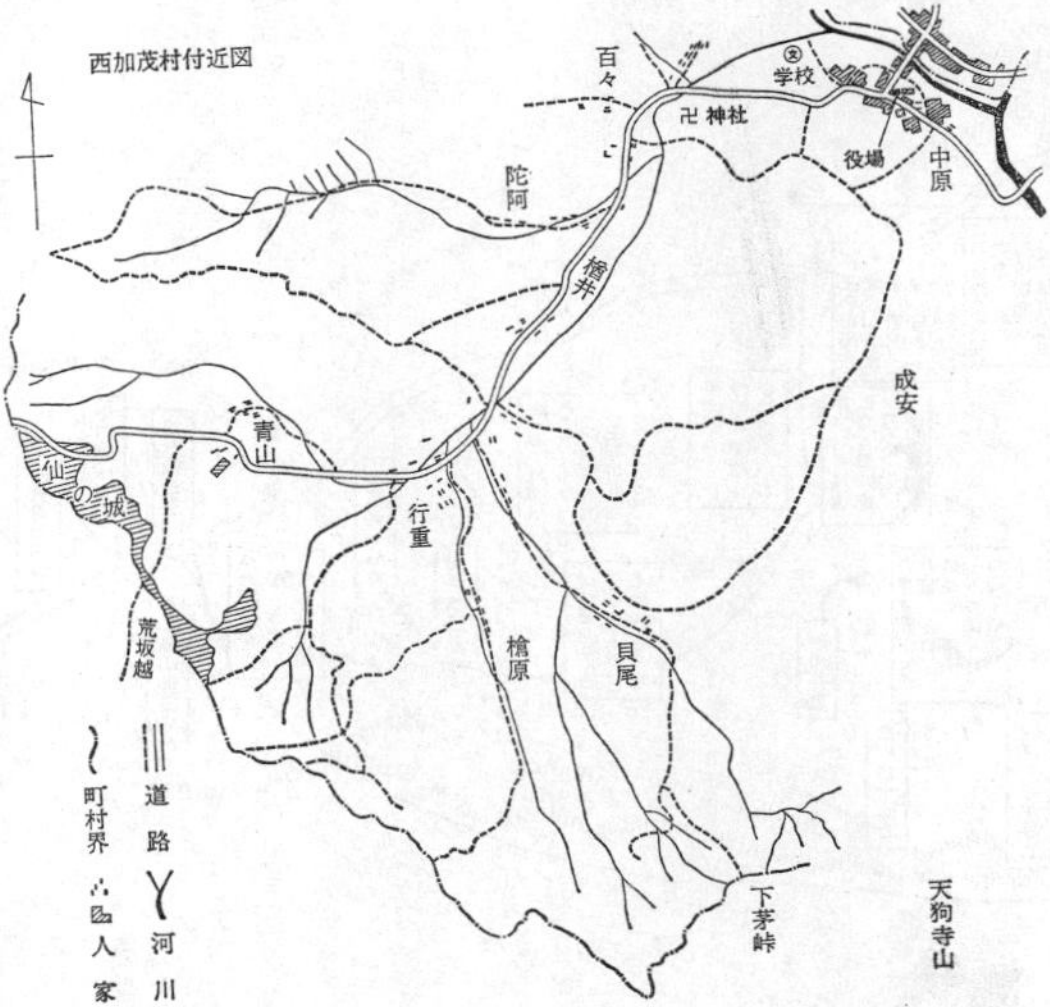

被害現場見取図

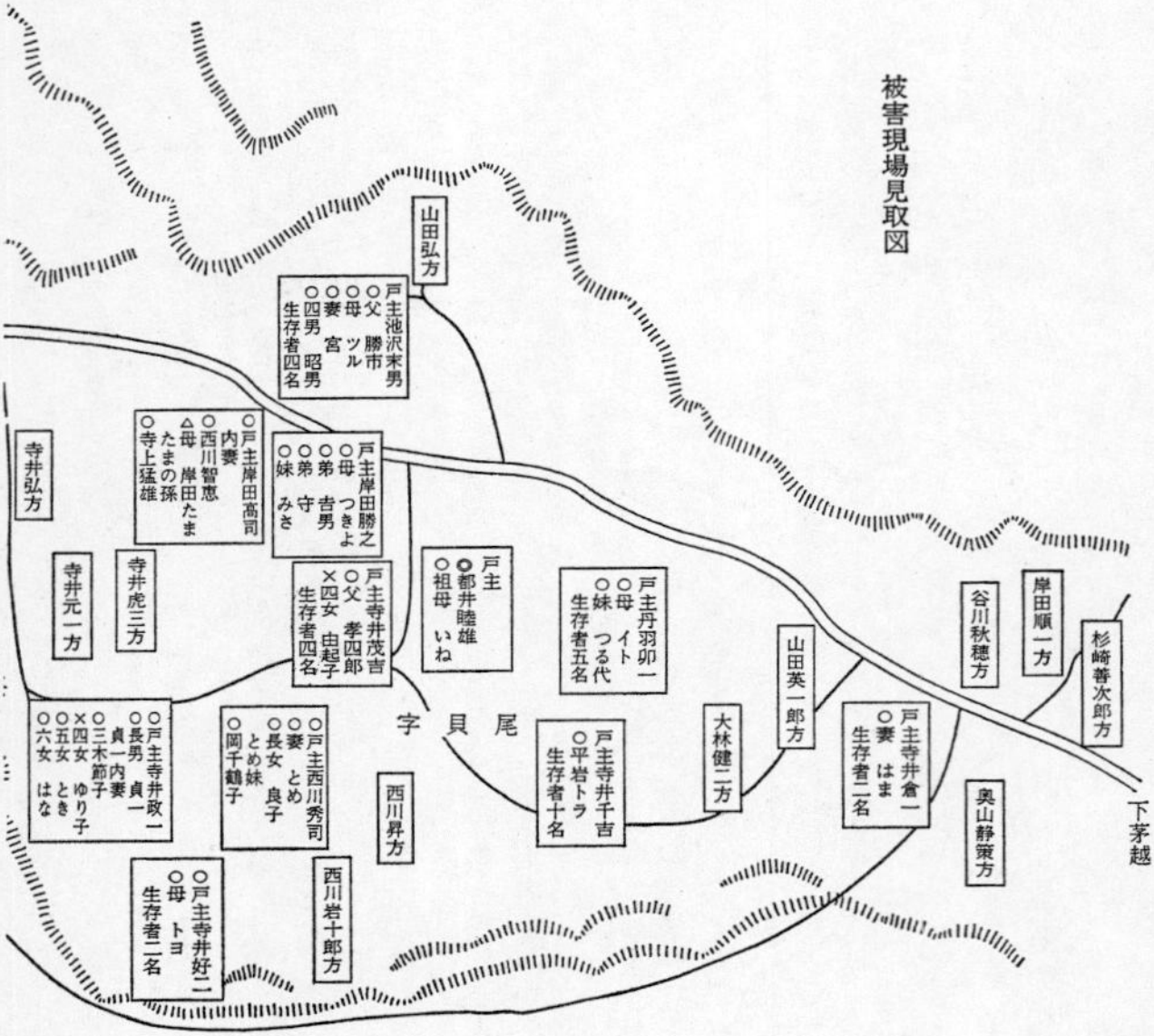

注　岸田みさ、丹羽つる代は寺井千吉方で死亡。

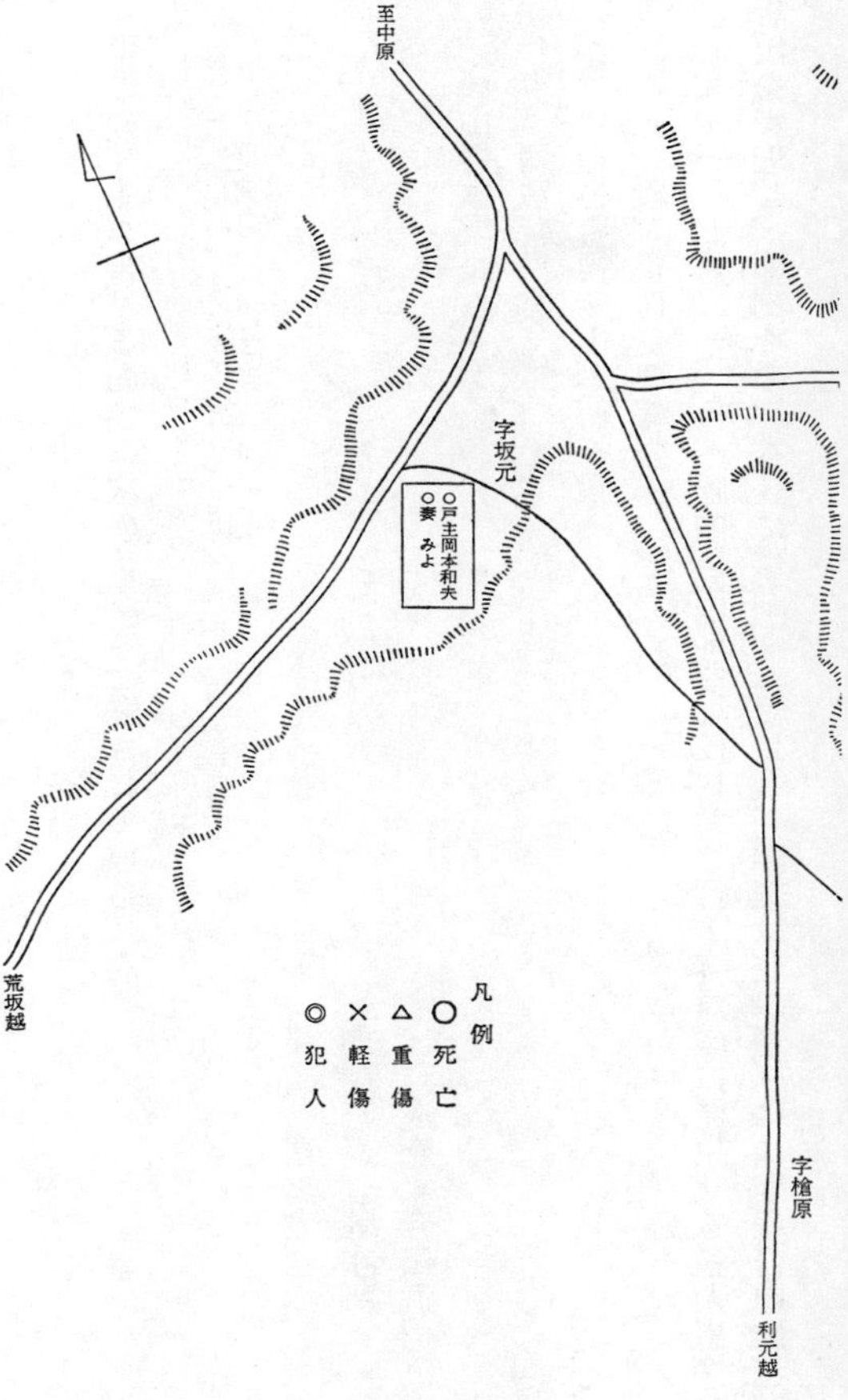

至中原
字坂元
○戸主岡本和夫
○妻　みよ
荒坂越
字槍原
利元越
凡例
○死亡
△重傷
×軽傷
◎犯人

第一章　惨劇

事件の発生を告げる届出は次のように記録されている。

昭和十三年五月二十一日

津山警察署勤務
加茂町巡査駐在所
巡査　今田武司

津山警察署長
司法警察官
地方警視　山本徳一殿
殺人事件受理報告書
昭和十三年五月二十一日、管内苫田郡西加茂村大字行重字貝尾に発生せる殺人事件の訴出を受理し、即刻その旨本署に電話即報せしも、詳細は左の通りにつき報告申候也。

記

一、訴出の状況

本日午前二時四十分頃本職が駐在所住居にて就寝中、丹羽卯一が突然来訪、「大変です、私の母が殺されました。すぐ行って下さい」と息をはずませながら殺人事件の発生を告げたので、本職は早速同人を駐在所内に招じ入れ、落着を取戻させて事件の内容を手早く聴取したところ、「私は母と二人で居宅に寝ていたのですが、たったいま近所の都井睦雄が侵入し、母を鉄砲で撃ち殺したので、夢中で家を飛び出し、西加茂の駐在所には駐在さんがおらないので、ここまで御届けに上ったのです。詳しいことは判りませんが、銃声が聞こえましたから、他にも何人か殺しているように思います」と事件の覚知及び訴出までの状況を申述候。

二、事件発見日時及び場所並びに関係者の住居、職業、氏名、年齢

(一) 発見日時、場所

(イ) 昭和十三年五月二十一日午前二時二十分頃

(ロ) 苫田郡西加茂村大字行重字貝尾七六三番地　農業　丹羽卯一方居宅納屋内

(二) 被害者

右卯一母　丹羽イト（当四十七年）

(三) 加害者

苫田郡西加茂村大字行重字貝尾七七九番地　農業　都井睦雄（当二十二年）

(四) 訴出人

苫田郡西加茂村大字行重字貝尾七六三番地　農業　丹羽卯一（当二十八年）

三、訴出受理後の処置

即刻本署宿直の北村警部補に電話報告をなし、現場保存並びに犯人逮捕の為訴出人同道現場に急行せり。

丹羽卯一がわざわざ隣町の加茂町駐在所までやってきたのは、西加茂村駐在所の巡査が出征して欠員中だったからである。

凶器が銃砲であり、被害者が複数らしいと聞いた今田巡査は、本署の他に隣接の東加茂村駐在所の米沢巡査と、町の消防組にも協力出動を依頼、さらにあとに残る妻に、医者の手配と、町役場に連絡して半鐘を鳴らさせるようにいいつけて出発した。この日、県警察部では長瀬謹治警部が宿直を勤めていた。

その夜も近府県からの手配について、その取扱方の二、三を電命したのち、暁近くあてどもなく追うていた夢を破る電鈴。時計を見れば午前五時。受話器をとれば耳朶《じだ》を打つもの、それは「西加茂村の貝尾部落、都井睦雄（当二十二年）が、午前二時ごろ附近住民七人を殺害し、数名の負傷者ある模様、凶器は拳銃らしく、犯人は逃走中、原因は発作的精神異常と認められる」との情報である。

七名の即死、数名負傷、犯人の逃走の報は、さすがの変質的事件慢性症にも、ドキンと胸を突かれるものがある。かつて同地所轄署に勤務した経験からみれば、その犯罪地が極めて交通不便な山村であることも直感されたが、すでにして事件の発生が午前二時ごろだというのに、本庁への情報は三時間を経過しているではないか。逃走する気になれば、少くとも三里は現場から遠ざかっているはずである。交通不便の地というも、自転車を利用すれば、すでに相当の距離ができているように思われる。しまった、犯人を逃走させたかもわからぬぞ。

聞けば署員も司法主任も現場に急行している。署員は非常召集して警戒に従事させている。一部消防組も出動させてあるとのことであったが、犯人の足取り、被害の模様など一切不明であるという。いやしくも精神異常者が殺傷事件を敢行して、拳銃を携えたまま逃走したとあれば、山林続きの同地方のこと、第二の鬼熊事件〔第二部に詳記〕の如き態様を想像され戦慄を覚える。かほどの重大事件を、届出が遅れたのか手配を怠ったのか、追及せざるを得ない。しかし当の責任者は現場に急行しているので、中間取次の者には他の状況は一切判明せぬ。いずれにしても、事件は寸刻を争うよほどの重大性がある。社会の不安があるばかりでなく、今後幾人の犠牲者が出るかわからぬ。普通手段では到底駄目である。犯罪地方に連絡のある通路は、一斉警戒の必要が迫られる。しかし山林の峯続きの作州路に、五十人や七十人の警察官を動員したとて、なにをすることもできまい。いきおい消防組の応援も需《もと》めなくてはなるまいが、隣接各署に対しては、徹底した張込警戒、足取捜査方を上司から厳命された。そして北位に隣接する鳥取県に対しては、地理的関係からみて、どうしてもお手数をわずらわさぬわけにはいかない。かくして三十分を出《い》でぬうちに、犯罪地を中心にした、水も洩らさぬ包囲線は確立したのであった。

顧みるにこの事件は、犯人逮捕によほどの危険性がともなう重大事である。万が一にも警察官が犠牲に斃《たお》れることがありとて止むを得ざるにしても、警戒に応援の消防組員に犠牲者を出すようなことはないか。犯人の今後の凶暴の状況によれば県下警察官の非常召集も考えねばならない。待たれるのは第二報である。

時は刻々進むが二報はない。督促しても判明せぬ。如何《いか》に不便な土地柄とはいえ、事件の性質に鑑《かんが》みれば、これらの情報には特命者を置いて扱わせても当然ではないか。待つこと久し午前七時に至り、「犯人いまだ発見せず、死者十八名、負傷者三名、なお他に被害ある見込み、凶器は五連発猟銃なり」との報告がとびこんだ。意外、被害は死者七名が十八名となる。事態はますます重大である。果して死者は何人なのか、犯行は寝込みを襲撃したのか、集団を殺《や》ったのか、制止に来たものを次々に殺ったのか、大人か小人か、男か女か、詳細は一切不明である。

泉警察部長の厳命はそのまま現地には命令されながら、求むる資料はもたらされない。従って第二段の捜査の方法も樹《た》てられず、指揮もできず、もちろん事件の見通しなどは思いもよらぬことである。相次ぐ犠牲者を出しているのではないのか、犯人を発見し得ず、遠くへ落ち延びさすような失敗ができているのではないか。しかし別のところからの報告がないところをみれば、犯人は逃走後別のところで凶行を演じているとは考えられない等々、情報の不充分のために、色々と不安は不安を生んで、本庁としては一方ならぬ焦燥にかられる。

その後また約二時間にして、被害者は即死二十八名、重傷二名、軽傷一名、計三十一名であるが、氏名や年齢は調査中であるとの情報があった。いったい被害の状況というのはどうなのであろうか。死者七名が十八名に訂正されたのみでなく、いままた二十八名に報告されているではないか。しかも犯行後すでに七時間。どんなに不便な土地であろうと、即死している者の数である。そう報告の都度数字の変ってくるのは何故なのか。果してどのくらい死んでいそうなのか。どういう方法なのか。追及しても中間取次の者にはそれ以上なにも判明せぬ。

しかるにその時刻に新聞紙の号外は、事件の概要と共に被害者の氏名年齢等詳細を極め、かつ犯人は附近山林中に逃走していると報道しているではないか。

被害者数が一報毎に増加してくること自体からみれば、現地は狼狽して適正な措置を誤っているのではないか、とも思われる。かくまで即死しているのなれば、生きている被害者もあろうが、その救助は如何にしてあるのか。犯罪の手段方法が判明せぬため、これらの状況の督促とも指令ともわからぬ電話の連絡は、不安と焦燥を交えてかなりの応援であった。もちろん現地では、犯人逮捕に向って全力を挙げているとは想像されるが、それならそれとして、犯人逃走の模様、足取りの状況の情報があってしかるべきはずである。それにもかかわらず、その状況すらなんの情報もない。犯人は逃走する見通しがあるのか、あるいは自殺する様子でもあるのか、求めてもなんの得るところもない。事態の重大性は、県下警察官の非常召集も計画され、犯人逃走の状況によっては、何時でも発令し得られる準備はできているが、それとて待機の態勢を持して爾後《じご》の情報を待ち、一触即発の緊張である。

かくするうち午前九時ごろか、「犯人は貝尾部落より西方に当る坂元部落の西端に居を有する武元市松方に、午前三時ごろ突如として異様の服装で立ち寄り、猟銃を突きつけ『いま人を殺して来たが、鉛筆と紙を出せ。早くせぬとあとから追人が来るかもしれぬ』というから、古雑記帖と鉛筆一本与えたら、それを持って西方に立ち去った。まだそのとき弾丸も持っていた様子であったと聞き込み、進んで捜査中雨後の路面に、犯人のものと覚しき足跡を発見してこれを追跡中」との情報があった。ここに初めて犯人の足取りができたわけだが、それによれば県外に脱出しておらぬことだけは確信されるに至ったが、進路はやはり山林中である。

しかも凶行後の犯人が、そのままの服装で追人を怖れ逃走中、鉛筆と紙とを求めたのはなにを意味するのか。恐らく犯人は自殺を決意しているのであろうことを想像することができた。されば再応犯人の生死を確かめねば、新手の応援隊の派遣も意義をなさない。現地の模様を聞けば、村内及び隣接町村の消防組の応援で、山狩りをしているということ。しかも犯人は自殺している見込みだとのことである。

この情報に接して、犯人に次の犯行はなかるまいと考えられ、この点に対する不安はいくぶん薄らいできたとはいうものの、残るは追跡隊と衝突した刹那《せつな》の不安である。犯人を発見したさい、それが自殺していればそれまでであるが、生存していれば、必ず弾丸の続く限り抵抗するものと覚悟せねばならぬ。しかも武元市松の証言は、弾丸を所持していたということである。警察官たるもの撃たれればとて飛び込んで行くにちがいないが、できれば殺したくはない。犠牲をなくして犯人を逮捕させたい。そのころの不安と焦燥は、ただこの一点ばかりであった。

それからまた二時間、それがとても一日千秋の思いである。「犯人らしい男を発見して、首実検中である」との情報を受話器から聞いたとき、いままでの緊張の反動のためか、それとも一人の犠牲者も出さずした安堵のための気の弛《ゆる》みか、呆然たらざるを得なかった。あたかも暗夜に一道の光明を得たかのような気持と、残る不安、ほんとうに自殺しているのであろうか、と疑念を持つ気持との錯綜は、いまでも思い出の種である。しかもその情報に泉警察部長が、「そうか、違わなければいいがね」と洩らされた一言は、終生忘れ得ない印象であろう。

そののち三十分、自殺屍体は犯人都井睦雄に相違ないとの詳報があって、当面の急務は解消したのであった。

（昭和十四年、岡山地方裁判所検事局作成『津山事件報告書』所載

「警察部を通じて観た捜査の経過は何を物語る」）

主任検事として現場で捜査を指揮した岡山地方裁判所津山支部検事局の遠山茂検事は、次のように報告している。

徐州陥落の捷報《しょうほう》ありたる翌日、五月二十一日のまだ明けきらぬ早暁、けたたましき電鈴の音に電話口に出てみると、津山警察署からの殺人の速報であった。その要旨は苫田郡西加茂村地内で昨夜数名の者が殺されたが、詳細は不明だということであった。朝餉《あさげ》をしたためている時分に第二報が来た。その要旨は死者三十名重傷者一名で、凶器は猛

獣用の猟銃であり、犯人は同村大字行重の都井睦雄と思料せらるるが、同人は附近の山林中に逃げ込んだらしいので、目下捜索中だというのである。私はこれを聞いて愕然とした。これは稀有の大事件だ。とにかく現場へ行ってみねばならぬと思い、直ちに登庁、予審判事に出張を求め、また屍体検案のため医師をも伴うこととし、共に現場へ急行した。

その途すがら橋畔《きょうはん》とか岐路とかには、消防組員の多数たむろしているのが見受けられた。逃走した犯人出て来らば、これを取押えんがための手配だとうなずかれた。さて現場に到着してみると、所轄の署長、司法主任、刑事係の諸氏はもとより、県の刑事課長、隣接各署の署長、司法主任等が来り集うていた。いずれも緊張した面持である。捜査に万全を期し、懸命な努力をしようとの、意気込み溢るるばかりなのを感知した。間もなく犯人は、二十町ばかり距《へだ》てる山中にて、凶行に使用したと思わるる銃器を用いて、自殺していることが発見されたとの報が出たので、さしもの緊張もいささか弛んだのであったが、所轄署員はまだまだ犯行に至るまでの動機とか、犯行当時の情況とかの捜査に奔走しており、我等一行はとにかく一応の検証と検案をせねばならぬので、同署司法主任の嚮導《きょうどう》のもとに、凶行現場へおもむいたのである。

平素は静寂なりし平和なる山村に、一夜にしてかようなる不祥事が起こったのである。時あたかも春蚕の飼養季であり、農事もいよいよ繁忙を来す時期であるのに、被害者の家の大部分は働き人を失ったのである。中には軍務に服して入営中に、または修学旅行中にしかも伊勢神宮に参拝におもむいた留守中に、家人が鏖殺《おうさつ》されたといういとも悲惨な家もあるのである。被害者の家の事情はとりどりで、一様でないことはもちろんだが、いずれも痛ましき限りである。

検証と検案を次々にやっていったが、何処《どこ》に行ってみても、その現場のありさまや屍体を見たときには、いずれも凄惨を極め正視するに忍びなかったのである。屍体の多くは胸部を射たれていたが、中には背部、臀部等を射たれたものもあった。寝床に寝たまま死んでいたものもある。犯人は侵入するや間髪を容れず、胸部に銃口をあてがって殺害の目的を達し、または逃走せんとしたのを追撃し、もしくは邀撃《ようげき》して殺害の目的を達したものと思われた。屍体における創口と、屍体の附近に落ち散っていた空のケースの形状より推して、警察よりの報告の通り、猛獣用の猟銃で射殺したものと認められたが、創傷の部位より推して、犯人は平素よりいわゆる急所を狙うことを心掛けていたものであり、極めて敏捷に短時間内に犯行を成し遂げたものだと思った。

検証検案の順序として犯人の宅にも立ち寄った。そこには犯人の祖母が首を斬られて死んでいるのを認め、思わず慄然とした。その創傷の形状と、裏口に斧が立てかけてあって血痕の洗い落されたらしい形跡のあることから推して、その斧をもって殺害したということは、容易に首肯することができた。

犯人はいったい如何なる動機から、こんな大それたことをしたのか、ということは、速報を受けた当時から私の脳裡に徂徠《そらい》していたのだが、目前に展開される現場の情状を逐次見ていって、一層その念を深くした。まだ捜査の途上にあった犯行後間もない時であったので、もちろん詳細なことはわからなかったのであるが、犯人は近来行状不良であって、婦人との関係については色々の取沙汰があった。自分がいんぎんを通じていた女性に背かれたことを憤ったり、自分の行状につき忠言する者に恨みを呑んだりした。しかも遂には部落の者全部が、自分に好意を有せぬように思えて仕方なく、その中で平素ことに憤りを感じ、恨みを呑んでいた者に対して、凶行に及んだものだろうという推測もあった。それにしてもあまりに多数の人を殺《あや》めている。徳義人情の常道からすれば、かようなことは出来得ることではないのだ。そこで犯人の平素の精神状態、犯行当時のそれなどが今後話題に上るわけであり、法律的にみても学問上よりみても、かなり大きな問題として取扱う価値のある案件だと思い思い、現場を引揚げたのである。

（前掲書所載「現場に赴きて」）

検視は同日午前十時から行われ、終了したのは午後六時三十分であった。〔以下、抜粋〕

一、池沢末男方
同家居宅は間口五間半奥行三間半木造茅葺《かやぶき》二階建にして、被害者を順次検するに、
池沢勝市（当七十四年）は、居宅八畳の奥の間の縁の南側軒下に、莫大小襯衣《メリヤスシャツ》一枚着け、頭部を西にし仰臥《ぎょうが》し居り、左肩胛骨《けんこうこつ》部背面より乳部を貫く径約一寸の弾創ありて、肺露出し、左上肢肘関節部其《その》他全身数箇所に創傷あるを認む。

池沢ツル（当七十二年）は、居宅六畳の中の間の略《ほぼ》中央部の炬燵《こたつ》の北側に、蒲団《ふとん》を掛け居たるを以て、これを除去すれば、裸体のまま頭部を北に東向に横臥し、左肩胛骨部に径約一寸の貫通銃創ありて、創傷の附近及同人下部の蒲団に多量の血液浸潤し居れり。

池沢宮（当三十四年）は、居宅六畳の納戸の北西隅に近き箇所に、頭部を西に蒲団の上に仰臥し、心臓部に径約一寸の貫通銃創あり。

池沢昭男（当五年）は同間の右、宮の南側に、宮と同様蒲団の中に、木綿袷《あわせ》の着物を着したるまま仰臥、右上膊《じょうはく》部及び腹部に弾創ありて、肝臓及び腸露出し居れり。
二、寺井倉一方
同家居宅は間口五間奥行三間半木造茅葺二階建にして、被害者たる寺井はま（当五十六年）は、居宅上端の六畳の間の南東隅に、頭部を東にし蒲団の中に仰臥し、右肘関節部に繃帯《ほうたい》を施し居りて、重態の模様なり。〔十二時間後死亡〕
三、寺井千吉方

同家居宅の西側に木造枌葺《そぎぶき》二階建の納屋あり、其東部に十畳の養蚕室存す。平岩トラ（当六十五年）は、前記養蚕室の南側縁に、頭部を西にし木綿袷を着して仰臥し、臍部《せいぶ》下に径約八分の貫通銃創、及び右臀部左大腿部等に相当大なる創傷ありたり。丹羽つる代（当二十一年）は、同養蚕室の内側の南側に近き場所に頭部を西にし木綿袷を着したるまま仰臥し、其上に掛けありたる蒲団を除去すれば、右腸骨節隆起上方に径約八分の弾創あり。其他右横腹部にも同様円形をなせる弾創あるを認む。岸田みさ（当十九年）は、同室の北側に木綿袷を着し黒の猿股を穿き、頭部を東方に向け東向に横臥し居り、左前頸部に弾創と覚しき不整形なる創傷あるを認む。

四、丹羽卯一方

同家居宅の北西に間口四間半奥行二間半の木造茅葺平屋建納屋あり、同納屋の西端に十畳の養蚕室存す。しかして被害者たる丹羽イト（当四十七年）は前記養蚕室の中央部よりやや西に寄りたる養蚕棚に近き場所に、木綿袷を着し頭部を南にして仰臥し居り、下肢は殆ど原形を止めぬまでに潰滅し、其附近には夥しき血液流出し居れり。

五、寺井好二方

同家居宅は間口五間半奥行三間半の木造茅葺平屋建にして、然して被害者たる寺井好二（当二十一年）は、右居宅の四畳の中の間の中央部に、頭部を西北にし蒲団上に仰臥し、木綿袷の着物を振乱し、右肩部に径約一寸の弾創及び左腕中関節部に大なる弾創ありて、其創面は恰《あたか》も海綿の如くなり。屍体下の畳上には多量の血液流出し居れり。尚蒲団に弾丸の貫通せるものと覚しき跡残存し、蒲団の下に弾丸のケース一箇あり。

寺井トヨ（当四十五年）は、同家居宅納戸六畳の間の中央に、木綿の単衣《ひとえ》を着用し頭部を東南に仰向けとなりて倒れ、頸部より左下方に長さ約二寸幅約一寸の弾創あり。頸部より約一尺五寸下部の脊髄の両側各一箇所には、大豆大の表皮剝離せる箇所ありて、右創傷より多量の出血ありたるものの如く、畳上に流出し居れり。

六、西川秀司方
同家居宅は間口六間半奥行三間半の木造茅葺平屋建にして、西川秀司（当五十年）は、居宅の四畳の中の間の炬燵の右側に、木綿単衣を着し俯《うつぶ》せとなり頭を北にし、蔽える蒲団を剝いで検するに、左乳下約三寸の箇所（心臓部）に約二銭銅貨大の弾創ありて、其背面なる頭部に貫通したるものの如し。

西川良子（当二十二年）は、同間の同炬燵の北側に頭部を北にし、木綿寝衣を着し蒲団の上に仰臥したるまま、左肩胛骨部前部、背面、左頸部下に二銭銅貨大の貫通銃創あり。また両乳房の中間に長さ約一寸の創傷あるを認む。

岡千鶴子（当二十二年）は右良子と同様に並びて、頭部を北にし仰向けとなり、木綿袷を着用し居りたるを以て、これを除去し検するに、左乳房の横より左腋窩《えきか》に至る箇所に径約三寸の貫通銃創あり。また左腕関節上方には、約五寸の表皮損壊せる創傷を認む。

西川とめ（当四十三年）は、同間の西側の四畳の間の東南隅に、木綿単衣をまとい、頭部を北にし下肢を南方にし仰臥し居り、着衣を除去したるに、臍部上方一寸の箇所に鶏卵大の盲管銃創ありて、内臓露出す。

七、寺井政一方

同家居宅は間口六間半奥行三間半木造茅葺平屋建にして、各被害者を順次検するに、寺井政一（当六十年）は、同居宅台所の間の南西隅に、木綿袷を着し頭部を西に仰臥し、右乳下に長さ約二寸幅約一寸の盲管銃創あり。

寺井貞一（当十九年）は、同居宅六畳の納戸の外側軒下に、紺絣の着物を着け其下に莫大小襯衣を着、左乳部下（心臓部）より背部に、約二銭銅貨大の貫通銃創あり。

三木節子（当二十二年）は、同居宅八畳の奥の間の縁の南東部の雨戸を締切りたる隅に、ネル寝衣を着し上半身を右隅にもたらせ、下肢を前方に出し上肢を膝上にて合せたるまま、両乳房中間に二銭銅貨大の貫通銃創あり。

寺井とき（当十五年）は、右節子の反対側（南西部）の縁に、木綿袷の上に木綿羽織を着け、頭部を南西方にし大の字となりて仰臥し、左乳部下二寸の点に約一銭銅貨大の貫通銃創二箇所あり。

寺井はな（当十二年）は、同縁の南側軒下に頭部を南西にし、木綿袷を着し仰臥し居りて、同人の右乳房下部に長さ約二寸五分幅約一寸五分の弾創あり。其傍に鶏卵大の表皮剝離せる一箇所ありて、該箇所より皮下脂肪組織露出せるを認む。また其形状恰も柘榴《ざくろ》を踏潰したるが如くなり。

寺井ゆり子（当二十二年）は、同家八畳の間に坐し居り、同人の前頸部を検するに、真横に長さ約一寸の擦過傷を認めたり。

八、寺井茂吉方

同家居宅の南側に木造瓦葺平屋建間口五間奥行三間の納屋あり。同納屋の東部に四畳半の座敷二間ありて、被害者たる寺井孝四郎（当八十六年）は、其東側の四畳半の間の東側の柱聯《ちゆうれん》窓に近き場所に、頭部を北西にし半ば東向に仰臥し居りて、両乳部下約三寸の箇所（左右二箇所）に、径一寸八分の盲管銃創ありて、殊に左側弾創箇所よりは内臓露出せるを認む。而して同人の横臥せる附近には、血沫飛散し居れり。

寺井由起子（当二十一年）は、同家居宅中の間に坐し居り、同人の大腿部を検するに、右大腿部横面（外側）膝関節部より上方五寸の箇所に、大豆大に赤色を帯び、表皮剝離せるを認む。

九、岸田勝之方

同家居宅は間口六間奥行三間半木造茅葺平屋建にして、岸田つきよ（当五十年）は、同居宅六畳の納戸に頭部を東にし蒲団の上に仰臥し、木綿袷を着け居れり。而して同人の頸部に真横に長さ約三寸五分幅七分の切創、及び左乳房上に長さ約三寸五分幅一寸五分の背部に貫通せる切創あり。尚顎骨大破し居れり。

岸田吉男（当十四年）は、同間の右つきよの反対側の蒲団の上に、木綿袷を着け頭部を西に横臥せるまま、前頸部より後頭部に突抜けたる切創ありて、頸骨切断され左右表皮僅かに存す。

岸田守（当十一年）は、同間の右吉男の南側に吉男と並びて、頭部を南西にし木綿袷を着し仰臥し居りて、左耳下より左頬前に向い三角形の切創あり。尚其下方及び左前肩胛骨部等に、無数の創傷あるを認む。

同間の各屍体の附近には、多量の血液飛散し浸潤し居たり。
十、岸田高司方
同家居宅は木造草葺平屋建の間口五間半奥行三間半にして、各被害者を順次検するに、寺上猛雄（当十八年）は、同居宅奥八畳の間の南東部の寝床上に、木綿袷を着し頭部を東に仰臥せるまま、下顎骨微塵に粉砕せり。附近の畳上に骨片等散乱し、尚左肩胛骨部に径約八分の弾創あり。

岸田高司（当二十二年）は、右八畳の間の西側の六畳の納戸に、後記西川智恵と共に、頭部を西にし同寝床上に並びて仰臥し、着し居りたる寝衣を除去すれば、心臓部に二銭銅貨大の貫通銃創ありて、創傷部に多量の血液潤溜し居たり。（岸田たまは重傷で万袋《ばんだい》病院に入院）

西川智恵（当二十年）は、右高司と並びて同寝床上に仰臥し、着衣を脱し検するに、腹部に二銭銅貨大の貫通銃創あり。同人の寝床上に夥しき血液流出し居たり。

十一、岡本和夫方

同家居宅は間口六間半奥行三間半の木造茅葺平屋建にして、被害者たる岡本和夫（当五十一年）は、同家六畳の間の北東隅に頭部を南にし木綿の袷を着したるまま仰臥し、着衣上より胸部に二銭銅貨大の弾創三箇所及び上半身に数箇所の創傷あるを認む。

岡本みよ（当三十二年）は同居宅六畳の納戸の西側の縁に、頭部を南にし俯せとなりて倒れ居り、着衣を脱し検するに、左肩胛骨部二箇所に二銭銅貨大の弾創あり。縁上に多量な血液流出し凝固せり。

十二、被疑者都井睦雄方

同家居宅は間口八間半奥行四間木造茅葺平屋建にして、被害者都井いね（当七十六年）は、居宅六畳の中の間の寝床に南向に横臥し、頸部は切断され、頭部は身体より約一尺五寸を距てたる西方の障子の側に転げ居りて、畳上に血液多量に流出し居たり。

同間の南側なる八畳の奥の間に入りて検するに、同間の南部に床あり、其前に炬燵を置き、其上に茣蓙《ござ》を畳みて載せ、其上に鉛筆にて書置と記せる白紙封筒二通を重ねて置きありたり。

尚裏出口の北側の壁に、柄の長さ二尺一寸五分、刃の長さ二寸七分、峰より刃迄の長さ六寸五分、峰の幅一寸八分、厚さ一寸一分なる斧を立掛け、僅かに血液と思しきもの附着し居たり。

検　案

一、池沢勝市、池沢ツル、池沢宮、池沢昭男、平岩トラ、丹羽つる代、岸田みさ、寺井好二、寺井トヨ、西川秀司、西川良子、岡千鶴子、西川とめ、寺井政一、寺井貞一、寺井とき、三木節子、寺井はな、寺井孝四郎、寺上猛雄、岸田高司、西川智恵、岡本和夫、岡本みよ

以上銃創に由り死亡す。

二、都井いねは刃器に由り頸部切断死亡す。

三、岸田つきよ、岸田吉男、岸田守は日本刀に由り刺創又は切創にて死亡す。

四、丹羽イトは銃創後出血多量の為死亡す。

五、寺井由起子、寺井はま〔後死亡〕、岸田たまは銃創に由り負傷す。

六、被害者は全部他人に由りて加えられたる他創なり。

結局被害者は即死二十八名、重傷後死亡二名、重傷一名、軽傷二名、計三十三名、被襲撃戸数は十二戸。襲われたのは岡本夫婦の坂元部落を除いて、すべて犯人都井の居住

する貝尾部落であり、この部落は二十二戸百十一人、また坂元部落は二十戸九十四人である。

犯人都井の自殺の状況は、検視調書に次のように記されている。

場所は苫田郡西加茂村大字楢井字仙の城一四八一番地山林中、此山林は同郡高田村荒坂越の山林続きにして、都井睦雄の居住部落と隣接し、凶行現場より西北に約一里余を距てたる山頂、眺望好き場所にして、小松雑木等繁茂する中間の約十坪位の雑草地を選び、所携のブローニング九連発の猟銃にて、左乳下心臓部を撃ち抜き自殺を為し居れり。死者は頭部を西方に向け、上向きとなり、両足は共に少し屈し、流血は着衣を濡らし居れり。

而して着衣は黒の詰襟洋服、アンダー襯衣《シャツ》、茶褐色の巻ゲートルを附け、地下足袋は傍に脱ぎ揃え、屍体の傍には円筒形小型の電燈二個、自転車用電燈一箇、日本刀一振、短刀二口、ブローニング猟銃、ズック製鞄入弾丸実包十四発（内一発散弾五発は銃に装塡し）を遺し居れり。

尚雑記帖に認《したた》めたる遺書一通あり。

都井の遺書は自宅に二通、自殺現場に一通、計三通が発見された。

(1)単に「書置」と上書きしたもの。

自分が此の度死するに望《ママ》み一筆書置きます。ああ思えば小学生時代は真細《ママ》目な児童として先生にも可愛がられた此の僕が現在の如き運命になろうとは、僕自身夢だに思わなかったことである。

卒業当時は若人の誰もが持つ楽しき未来の希望に胸おどらせながら社会に出立つした僕が先ず突きあたった障害は肋膜炎であった。医師は三ケ月程にて病気全快と言ったが、はか〲しくなく二年程ぶらぶら養生をしたが、これが為強固なりし僕の意志にも少しゆるみが来たのであった。其の後一年程農事に労働するうち、昭和十年十九歳の春再発ときた。これがそも〱僕の運命に百八拾度の転換を来した原因だった。

此の度の病気は以前のよりはずっと重く真の肺結核であろう。痰はどん〱出る、血線《ママ》はまじる、床につきながらとても再起は出来ぬかも知れんと考えた。こうしたことから自棄的気分も手伝いふとした事から西川とめの奴に大きな恥辱を受けたのだった。病気の為心の弱りしところにかような恥辱を受け心にとりかえしのつかぬ痛手を受けたのであった。それは僕も悪かった。だから僕はあやまった。両手をついて涙をだして。けれどかやつは僕を憎んだ。事々に僕につらくあたった。僕のあらゆる事について事実のない事まで造り出してののしった。

僕はそれが為世間の笑われ者になった。僕の信用と言うかはた徳と言うかとにかく人に敬せられていた点はことごとく消滅した。顔をよごされてしまった。僕はそれがため此の世に生きて行くべき希望を次第に失う様になった。病気はよくなくどちらかと言えば悪くなるくらいで、どうもはか〴〵しくなく昔から言う通りやはり不治の病ではないかと思う様になり、西川の奴はつめたい目をむけ、かげにて人にあうごとに悪口を言うため、それが耳に入るたびに心を痛め、日夜もん〳〵とすること一年、其の間絶望し死んでしまおうかと思った事も度々あった。

けれど年老いた祖母の事を思い先祖からの家の事を思う度に強く〳〵そして正しく生きて行かねばならぬと思いなおして居た。けれど病気は悪くなるばかりとても治らぬ様な気分になり世間の人の肺病者に対する嫌厭白眼視、とくに西川とめと言う女のつらくあたること、僕は遂にこの世に生くべき望み若人の持つすべての希望をすてた。そうして死んでしまおうと決心した時の悲しさは筆舌につくせない。僕は悲しんだ泣いた。幾日も幾日も、そうして悲しみのうちに芽生えて来たのはかやつ〔西川とめ〕に対する呪いであった。これ程迄にかくまでに、僕を苦しめにくむべき奴にさげすむかの女にどうせ治らぬ此の身なら、いっそ身をすてて思いしらせてやろう。かやつは以前はつらかったのだが、今は何不自由なく活《くら》して居るからおごりたかぶり僕等如き病める弱きものまでにくみさげすむのだろう。にくめべにくめ、よし必ず復讐をしてかやつを此の社会から消してしまおうと思うようになった。その外に僕が死のうと考える様になった原因がある。寺井弘の妻マツ子である。彼の女と僕は以前関係したことがある（かの女は誰にでも関係すると言う様な女で僕が知っているだけでも十指をこす）。それがため病気になる以前は親しくして、僕も親族が少いからお互に助けあって行こうと言っていたが、病気に僕がなってからは心がわりしてつらくあたるばかりだ。はらがたってたまらなかったがじっとこらえていた。あれほど深くしていた女でさえ、病気になったと言ったらすぐ心がわりがする。僕は人の心のつめたさをつく〴〵味わった。けれど之も病気なるが故にこの様なのだろう。病気さえ治ったら、あの女くらい見かえすぐらいになってやると思っていたが、病気は治るどころか悪くなるばかりに思えた。医師の診断も悪い。そうする中に一年たったある日マツ子がやってきた。僕は何時もにらみ合っていずに、少し笑顔で話してもよいがなと言ってやった。するとマツ子の奴は笑顔どころかにらみつけた上鼻笑いをし、さんざん僕の悪口を言った。故に自分もはらをたて、そう言うなら殺してやるぞとおどし気分で言った。ところがかやつは殺せるものなら殺して見ろ、お前等如き肺病患者に殺される者がおらんと言ってかえっていった。此の時の僕の怒り心中にえくりかえるとは此のことだろう。おのれと思って庭先に飛出したが、いかんせん弱っている僕は後が追えない。彼奴は逃げかえってしまった。僕は悲憤の涙にくれてしばし顔があがらなかった。そうして泣いたあげく、それ程迄に人をばかにするなら、ようし必ず殺してやろうと深く決心した。けれどその当時は僕は病床から少しもはなれることが出来ぬ位弱っていたから、きゃつが見くびったのも無理はなかった。一丁も歩けなかった僕だった。けれどもそれ以来とめの奴、マツ子の奴のしうちに深くうらみをいだき、その上病気の悪化なども手伝い全く自暴自棄になってしまった。その後は治ると言う考えをすててしまって養生した。それは養生したのは少しでも丈夫になってきゃつ等に復讐してやるためにだった。それからは前とは考えをちがえて丈夫になる様につとめた、そうして神様に祈った、どうか身体を丈夫にして下さいましてきゃつ等を殺さして下さい。きゃつらを殺しましたら其の場で命を神様にさしあげますと、全く復讐に生きる僕だった。ずいぶん無理をして起きもしまた歩きもした。ひたすらうらみにもえてどうきの高い心臓をおさえ、病気が出ていたむ胸をおさえて。ところが不思議に治るかんねんをすてたら、今迄の様な心配が無くなったせいか、少しも快方に向わなかったのが次第に良くなっていった。其の時のうれしさ、これなら西川のきゃつ等やマツ子の奴にも復讐出来ると思った。こういう考えが自分の心中にある故にか僕の動作に不審な点があったのか世間一般の人が疑惑の眼を持って見だした。親族の者も同様に時々祖母に注意するらしい。祖母が僕の動作に気をつける。僕はかくしにかくした。けれど一旦疑った世間の目はつめたい。俄に僕を憎み出した。それにつれて僕の感情も変ってとめの奴やマツ子ばかりでなく殺意を感じだしたのは多数の人にであった。しかしその間にも以前小学校時代先生皆の人に可愛がられて幸福に活して居た当時を思い起こしてなつかしい時もあった。そう言う時には小さい感情にとらわれず、人に対するにくしみをすてて真細目《ママ》なりし以前の様な僕になろうかと考えた事もあった。ああからださえ丈夫であったらこんな心にもならぬにとたんそくしたこともあった。けれど世間の人はぎわくそしてにくみへと次第につのっていった。僕もそれを見またかんじる時、よい方にたちかえると言うような考えを棄却していった。

そうして心をいよいよきめると、殺人に必要（この頃が昭和十二年の始め頃だっただろう）（此の頃にはからだは大分丈夫になってきていた）な道具を準備した。農工銀行より金を借用し銃砲を買い猟銃免許を受けて火薬を買った。そうして銃が悪いので又金を個人借用をして新品を神戸より買った。そうして刀を買い短刀を求めた。ようやくして大部分の品をととのえた。之までととのえるにも色々と苦心した。人に知られてはいけない、親族や祖母、姉等に知られてはいけない。そうして極力ひ密を守ったが、マツ子の奴はこれを感づき自分が殺されると思ったか、子供をつれて津山の方に逃げてしまった。こうしたことが原因になったか、世間の人も色々とうわさする様になったので、自分は評判が高くなって警察署に知れてはすべてが水のあわとなるから、なるべく早く決行すべきだと考えて居たやさき、ふとしたことから祖母のおそれるところとなり、姉は一宮の方に嫁《い》っとるので少しも知らなかったが、祖母が気附いたらしい。親族にはかったのだろう、一同の密告を受け其のすじの手入れをくらい、すべてのものをあげられてしまった。その時の僕の失意落たん実際何とも言えない。火薬は勿論のこと雷管一つも無いように、散弾の類まで全部とられてしまった。僕は泣いた。かほどまで苦心して準備をし今一歩で目的に向えるものをと。

けれども考えようではこの一度手入れを受けた事もよかったのかも知れん。その後は世間の人はどうか知らんが、祖母を始め親族の者は安心したようである。僕はまたすぐ活動をかいしした。加茂駐在所にて説諭を受けてかえると、そのあくる朝すぐ今田勇一氏を訪れ、金四円の礼にてマーヅ火薬一ケ、雷管付ケース百ケをば津山片山銃砲店より買ってきてもらった。銃も大阪に行き買った。刀は桑原伊藤歯科より買い、短刀を神戸より買った。之までの準備はごくひみつにひみつを重ねてしたのだからおそらく誰も知るまい。之で愈々西川とめ其の他うらみかさなる奴等に復讎が出来るのだ。こんな愉快なことはない。どうせ命はすててかかるのだ。けれどマツ子の奴一家が逃げたのは実際残念だ。きゃつは僕が一度手入れをくうや家に一旦かえり、家具少々を持って一家全部京都か東京の方面に逃げていってしまった。きゃつらをほかいて死ぬるのは情ないけれどしかたがない。自分としては外に何も思い残すことはないが、くれぐれもマツ子の奴等を残すことは情ない。

けれど考えて見れば小さい人間の感情から一人でも殺人をすると言うことは非常時下の日本国家に対してはすまぬわけだ。また僕の二歳の時に死別した父母様に対しても先祖代々の家をつぶすとは甚だすまぬわけである。此の点めいどとやらへ行ったら深くおわびする考えである。またたった一人の姉さんに何も言わずにこのまま死するのも心残りの様ではあるがさとられてはいけぬから会わずに死のう。つまらぬ弟を持ったとあきらめてもらうよりしかたがない。ああ思えば不幸なる僕の生がいではあった。実際体なりと丈夫にあったらこんなことにもならなかったのに、もしも生れかわれるものなればこんどは丈夫な丈夫なものに生れてきたい考えだ。ほんとうに病弱なのにはこり〲した。僕の家のこと姉のこと等を考えぬではないけれど、どうせこのまま活していたら肺病で自滅するより外はない。そうなると無念の涙を飲んだまま僕は死なねばならぬ。とめ等の奴は手をたたいてよろこぶべきだろう。そうなったら僕は浮ばれぬ。決して僕のうらみはそうなまやさしいものではないのである。

右が僕のざんげと言うかこうなった動機である。

五月十八日　記之

(早く決行せぬと身体の病気の為弱るばかりである)

僕が此の書物《かきもの》を残すのは自分が精神異常者ではなくて前持って覚悟の死であることを世の人に見てもらいたいためである。不治と思える病気を持っているものであるが近隣の圧迫冷酷に対しまたこの様に女とのいきさつもありして復讐のために死するのである。少しのことならいかにしいたげられてもこう心持ちを悪い方にかえぬけれど長年月の間ぎゃくたいされたこの僕の心はとても持ちかえることは出来ない。まして病気も治らぬのに、どうして真細目《ママ》になれよう、またなったとてどうなるものか。

寺井マツ子の奴は金を取って関係しておきながらそれと感づき逃げてしまった。あいつらを生かして居いて僕だけ死ぬるのは残念だがしかたがない。

(2)「姉上様」と上書きされたもの。

非常時局下の国民としてあらゆる方面に老若男女を問わずそれ〴〵の希望をいだき潑溂と活動している中に僕は一人幻滅の悲哀をいだき淋しく此の世を去って行きます。

姉上様何事も少しも御話しせず死んで行く睦雄、何卒御許し下さい。自分も強く正しく生きて行かねばならぬとは考えては居ましたけれども不治と思われる結核を病み大きな恥辱を受けて、加うるに近隣の冷酷圧迫に泣き遂に生きて行く希望を失ってしまいました。たった一人の姉さんにも生前は世話になるばかりで何一つ恩がえしもせずに死んで行く此の僕をどうか責めないで不幸なるものとして何卒御許し下さい。僕もよほど一人で何事もせずに死のうかと考えましたけれど取るに取れぬ恨みもあり周囲の者のあまりのしうちに遂に殺害を決意しました。病気になってからの僕の心は全く砂漠か敵地にいる様な感じでした。周囲の者は皆鬼の様なやつばかりでつらくあたるばかり病気は悪くなるばかり、僕は世の冷酷に自分の不幸な運命に毎日の様に泣いた。泣き悲しんで絶望の果僕は世の中を呪い病気を呪いそうして近隣の鬼の様な奴も。

僕は遂にかほどまでにつらくあたる近隣の者に身を捨てて少しではあるが財産をかけて復讐をしてやろうと思う様になった。それが発病後一年半もたっていた頃だろうか。それ以後の僕は全く復讐に生きとると言っても差支えない。そうしていろ〳〵と人知れぬ苦心をして今日までに至ったのだ。目的の日が近づいたのだ、僕は復讐を断行します。けれど後に残る姉さんの事を思うとあれが人殺しのきょうだいと世間のつめたい目のむけられることを思うと、考えがにぶる様ですが、しかしここまで来てしまえばしかたがない、どうか姉さん御ゆるしの程を。

僕は自分がこの様な死方をしたら、祖母も長らえては居ますまいから、ふ愍ながら同じ運命につれてゆきます。道徳上からいえば是は大罪でしょう。それで死後は姉さん、先祖や父母様の仏様を祭って下さい。祖母の死体は倉見の祖父のそばに葬ってあげて下さい。僕も父母のそばにゆきたいけれど、なにしろこんなことを行うのですから姉さんの考えなさる様でよろしい。けれども僕は出来れば父母のそばにゆきたい。そうして冥土とやらへいったら父母のへりでくらします。何しろ二、三歳で両親に死別しましたから、親は恋しいです。それから少しの田や家はしかるべく処分して下さい。尚簡易保険が二つ、五十銭ずつ毎月はるやつがあるのですが、もらえる様でしたらもらって下さい。おねがいします。

ああ僕も死にたくはないけれど、家のことを思わぬではないけれど、このまま活していたらどうせ結核にやられるべきだろう。そうしたら、近隣の鬼の様な奴等は喜ぼうけれど僕はとてもうかばれぬ。どうしてもかなり丈夫で居る今の間に、恨みをはらすべきです。復讎々々すべきです。では取急ぎ右死するに望《ママ》み一筆かきおきます。僕がこのような大事を行ったら、姉さんはおどろかれる事でしょう。すみませんがどうかおゆるし下さい。

こう言うことは日本国家の為、地下に居ます父母には甚だすまぬことではあるが、しかたがありません。兄さんにもよろしく。

五月十八日　記之

おなじ死んでもこれが戦死、国家のための戦死だったらよいのですけれども、やはり事情はどうでも大罪人と言うことになるでしょう。

（どうか姉さんは病気を一日も早く治して強く強く此の世を生きて下さい、僕は地下にて姉さんの多幸なるべきを常に祈って居ます）

(3)自殺現場にあったもの。

愈々《いよいよ》死するにあたり一筆書置申します、決行するにはしたが、うつべきをうたずうたいでもよいものをうった、時のはずみで、ああ祖母にはすみませぬ、まことにすまぬ、二歳の時からの育ての祖母、祖母は殺してはいけないのだけれど、後に残る不びんを考えてついああした事を行った、楽に死ねる様にと思ったらあまりみじめなことをした、まことにすみません、涙、涙、ただすまぬ涙が出るばかり、姉さんにもすまぬ、はなはだすみません、ゆるして下さい、つまらぬ弟でした、この様なことをしたから（たとい自分のうらみからとは言いながら）決してはかをして下されなくてもよろしい、野にくされれば本望である、病気四年間の社会の冷胆《ママ》、圧迫にはまことに泣いた、親族が少く愛と言うものの僕の身にとって少いにも泣いた、社会もすこしみよりのないもの結核患者に同情すべきだ、実際弱いのにはこりた、今度は強い強い人に生れてこよう、実際僕も不幸な人生だった、今度は幸福に生れてこよう。

思う様にはゆかなかった、今日決行を思いついたのは、僕と以前関係のあった寺井ゆり子が貝尾に来たから、又西川良子も来たからである、しかし寺井ゆり子は逃した、又寺井倉一と言う奴、実際あれを生かしたのは情ない、ああ言うものは此の世からほうむるべきだ、あいつは金があるからと言って未亡人でたつものばかりねらって貝尾でも彼とかんけいせぬと言う者はほとんどいない、岸田順一もえい密猟ばかり、土地でも人気が悪い、彼等の如きも此の世からほうむるべきだ。

もはや夜明も近づいた、死にましょう。

・都井睦雄の実姉、中島みな子（当二十五年）の供述要旨（伏見検事聴取）

私は都井睦雄の実姉であります。私の家には姉弟二人よりありませんでした。父は都井振一郎、母は都井君代と申します。父は私が五つの時に死に、母もそれから二、三ケ月経って死んだように思います。いずれも感冒だったように聞いています。両親が亡くなってからは、父の母親にあたる都井いねと私達姉弟とで暮していました。

私も睦雄も苫田郡加茂町大字倉見で生まれました。私が七歳の時祖母は私達姉弟を連れて、同町大字小中原塔中《たっちゅう》へ移転し、九歳の夏までここに住みました。それから祖母と共に、祖母の里である苫田郡西加茂村大字行重字貝尾へ移り、最後までその家にいました。

私や弟は祖母が田や山を売ったり、僅かばかりの小作米を取って育ててくれたのであります。睦雄は小さい時分からおとなしい子供で、なにぶん姉弟二人きりであったものですから、仲もよくあまり喧嘩したこともありませんでした。睦雄は小学校一年の時腸が下って学校を休んだことがあり、その年は一学期間くらいより学校へ行っていません。小学校の成績は大変よく、本を読むことが好きで、他の子供がいたずらをしていても、一人で地理附図等を出して見ていました。小説のようなものが好きで、『少年倶楽部』等読んでいましたが、のちには『キング』等も私が与えると読んでおりました。西加茂尋常高等小学校を卒業したのですが、三年くらいからはいつも級長をしていました。高等小学校になってからは、級長は選挙で決るのでしたが、高等一年の時はやはり級長で、高等二年になると級長の他に総長ができて、総長の方が級長より上であり、睦雄は選挙の結果当選しましたが、同点者が二人あり、睦雄は生年月日が後であったため級長となり、総長にはなれませんでした。それで「自分は惜しいことをした」といって残念がっていました。こういうわけで学校の成績は良く、人からも憎まれているようなことはなく、むしろ選挙などしてもらうくらいの人望はあったのであります。

高等二年卒業の春に睦雄は肋膜に患り、三カ月ほどぶらぶらしているうちに治りました。別に寝るほどのことはありませんでした。その病気の時は西加茂村万袋医師や、加茂町只友医師にかかっていました。高等小学校を出たときは先生も、成績が良いのでこのまま百姓をするよりは、上の学校へでも行ってみんかといわれたのですが、男が一人ですから祖母がよう手離せず、そのまま家にいましたが、病気になってからは本人も、百姓をやることはできないと思っていたようです。別に何になろうとは決めていなかったようです。

昭和十年ごろと思いますが、睦雄は巡査か教員の試験を受けたいといい出し、勉強を続けているうち病気になったので、津山市の大谷病院で診てもらうと、たいしたことはないといわれたので、帰って勉強をしていたようであります。そのころは私はすでに嫁に行っており、睦雄とは別れて暮していました。睦雄は大谷医師に診てもらってからのちも、からだはよくならなかったのであります。大谷医師はあまり悪くないようにいわれましたが、睦雄はからだが悪いといい、中島医師に診てもらうと、肋膜が少し悪いがたいしたことはない、動かぬ方が良いといわれたのであります。睦雄は私方の親族の端になる同じ行重部落の寺井勲という人から、自然療法とかいう本を借りて読んでいました。これは同人が病気でやはり肋膜が悪いので、苫田郡の加茂町郵便局長さんから借りた本を、さらに睦雄が借りて読んでいたのであります。

睦雄は高等小学校を卒業すると、その学校内にある補習学校へ行きましたが、病気のため二年生のときは休みがちで、全部行ったかどうかは覚えていません。その後青年訓練所へもちょっと行っていたようでありますが、その期間は存じません。しかし青年訓練所の服を着て通うていたのは私も見ています。その時分はもちろん私がまだ嫁にゆかぬ時分でありますが、からだがえらいからというて、青年訓練所にはあまり熱心に行かなかったわけであります。

私は昭和九年の三月に只今の中島家へ嫁に来たのであります。昨年末ごろ睦雄が猟の免許を受けたということを聞いたので、里へ帰ったとき私が猟をしても阿呆らしい、買う方が安いではないかというと、睦雄は家にばかりいるわけにもゆかぬ、たのしみで運動のつもりでやっておるというてました。しかし私は睦雄が山に行ったのは見ませんでした。銃はありました。何処で買ったものかは聞いていません。私は睦雄が獲物を持って帰っているのを見たことはありません。本年早々だったと思いますが、祖母の許に寄ると、睦雄が山で兎をとってきて喜んだということでした。その兎をどうしたかは聞いていません。

本年三月ごろの午後三時ごろに、私方へ寺井勲が電話をかけてきて、ちょっと来てくれと祖母がいっておるというので、私は翌日実家へ帰りました。すると睦雄は家におりましたが、警察で取調べを受けたとのことでした。そのとき祖母の話では、えらい臭い匂いのする薬を、睦雄が飲んでみんかというたとのことでした。それは祖母が寝られぬというたときに、睦雄がよく寝られるからこれを飲んでみよ、というて出したとのことであります。私が睦雄にその薬を出してみよというと、睦雄は麻酔剤とかなんとか書いてあった白い粉末の薬を私に見せました。小さい瓶に入っておりり、睦雄はこれは何処でも売っておる薬だといっていました。何処で買ったかということは聞きませんでした。睦雄の話では駐在所で調べられたけれども、叱られはせなんだ、叱られるわけはないというてました。

睦雄は平素眠れぬというたことはあまりありません。私が嫁に行ってからのち帰ったときに、眠れぬというたことがあります。それは昭和十一年の春ごろと思います。しかし不眠症というほどのことではなく、たいしたことではありませんでした。

本年春ごろ、貝尾部落から京都へ移住した寺井弘の嫁さんのマツ子という人の家へ、睦雄が遊びに行くということを聞いたことがあります。私が聞いたのは昨年でしたが、いつ聞いたかは判然覚えません。私が睦雄に対して、どういうわけで遊びに行くのかと聞くと、親類だから行くのだといっていました。それ以外には女のいる家へよく遊びに行くというようなことは聞いたことはありません。

睦雄は特に宗教心が強いというわけではありませんでしたが、稀には両親の位牌の前に御燈明を上げて拝んでいたようなことは見うけました。しかし宗教に一心になっていたというようなことはありません。祖母いねも別に宗教にはあまり熱心というほどではありませんでした。家は天台宗で仏壇は倉見の家にあり、貝尾には持っていっていなかったのであります。私が婚家先から里へ帰る時に御土産を持ってゆくと、位牌のある所へ据えたりするのは見たことはあります。睦雄は私に対しては、関係している女があるというようなことは、もちろん何もいうたことはありません。私は睦雄が他の女と関係したという事実も、また女のあとを追うというような評判もあること等は、誰からも聞いたことはありません。

私の親戚や先祖に肺病や精神病者があるというようなことはないと思います。睦雄は自分で肺病じゃといっていました。睦雄は病気になってから特に性格が変ったように思いませんでした。部落の人があれは肺病だというて嫌うていたというのは事実でありました。しかし私に対しては睦雄は、部落から除け者にされているというような不服は、話してはいませんでした。

五月二十一日に睦雄が部落の人を多数殺害した事を当時聞いて、私も非常に驚いたのですが、あの事件があってのち私も家の整理に行きましたが、睦雄の所持品は大部分焼いてしまい、睦雄が学校時代使っていた雑記帖や本等は残っていません。睦雄はめったに手紙も寄越さぬので同人の手紙は残っていません。数日前睦雄が住んでいた家から、ピストルや火薬を量る道具が出てきたということを聞きましたが、その道具やピストルを私は見ていません。また何処に隠してあったのかということも存じません。

睦雄の家には田地二反が以前からあったのですが、昨年末ごろこれを抵当に入れて、四百円ほど農工銀行から金を借りたということを、睦雄から聞きました。これも睦雄はなかなか私にいわなかったのですが、誰だったか忘れましたが私にいってくれたので、睦雄に尋ねると、最初は抵当などは入れておらぬと申していましたが、色々訊ねた結果、自分が病気のためいろいろ費用がいるし雑費も必要だから、田地を担保に入れたが、からだが良くなったら働いて返すといっていました。右の田地のほかに田地が一反ありますが、これは低利資金の融通を受けて買うたもので、私が嫁に行ったのちに睦雄が買うたものであります。その他に山林や畠等はありません。睦雄が死んでから、大字行重字槍原《うつきばら》の岡本音五郎さんという人から、六百円借りていたということを聞きましたが、この話は睦雄からは全然聞いていません。睦雄が住んでいた家は五十円で売ってしまいましたが、この金は岡本音五郎さん方への債務の内入に支払ってあります。担保に入れてある田地等は、将来どうするかということはまだ決っていませぬ。

・都井睦雄と情交関係があり、犯行当時京都に逃げて難を免れた寺井マツ子（当三十五年）の供述要旨（永田検事聴取）

私は岡山県苫田郡西加茂村大字行重池沢勝市の五女で、大正十二年一月八日二十歳で寺井弘と結婚しました。寺井の親族寺井千吉夫婦の媒妁で普通の結婚をしたのでありす。只今弘との間に長男正十五歳、次男万千男十一歳、三男久八歳、長女ミツ子一歳の四人がおり、弘が山仕事をして私や長男も手伝い、月に五、六十円から七、八十円の収入がありどうにか生活しております。

都井睦雄は私より十二、三歳も年下で、寺井の家と昔からの親族であるということで、子供の時から知っております。子供のころからからだが弱く、小学校へは九歳になって初めて上ったということです。落ちついた賢い黙った学校の出来の良い子だったと聞いております。姉と祖母と三人暮しで、多少資産があって楽に暮しており、高等小学校卒業後検定試験を受けて教員になるといっておりましたが、十六、七歳の時肋膜炎を患い、最近には女とさえ見れば関係させさせというと、世間で専ら評判になっておりました。

私は好んで睦雄と情交をしたことはありません。昭和十一年四、五月ごろ電燈の集金に睦雄方へ行ったとき、祖母が留守で睦雄一人宅におりましたが、病気でぶらぶらしているのに、六十五銭の電燈代を渡すと申し、私の側へ寄ってきて私の左肩にもたれかかって、関係してくれと何度もいいました。私は夫のある身であるからそのようなことはできぬと断りましたが、関係してくれねば殺すというふうに脅しました。私はそんな無茶なことができるものか、罪科《つみとが》もないのにというたら、殺してやるといっておりました。その日は逃げて帰りました。これは昭和十一年四、五月ごろの蕨《わらび》のころで、本年八歳の久が六歳のときで、それを背に負うておりました。これが最初でそれまでにはそんなことはなかったのです。その後田圃の帰りや私方で睦雄に会った時、私の側までついてきて、着物の上から私の尻の辺へ睦雄の前の方を付けて、もたれるようにしたことが三、四度あります。それで睦雄は得心がいったらしく、そのまま何処かへ行ってしまいました。睦雄がかようなことをするのは私だけではありません。岸田つきよ、同みさ、寺井ゆり子、寺井トヨ、西川とめ等に対しても、側へ寄りかかって気持よさそうにしたことがある、と本人たちから聞いたこともあり、またたびたび関係してくれといい寄られて、困っているという話も聞きました。村中で睦雄は色気狂いである、肺病の癖に側へ寄ると変なことをするから避けておれ、と皆がいい合っておりました。

私が睦雄と私の夫弘と情交する時のようなふうにして関係したことは二度あります。それもこれは夫に秘密にしてありますから、なにとぞそのおつもりで内聞に願います。それも無理矢理関係をつけられたので、恋愛関係等は絶対にありません。一度は昨昭和十二年五月ごろの午後一時ごろ田圃から私が帰って板の間におったら、睦雄が田圃の方から来て、板の間に腰掛けている私の前へ来て、私を倒し、私の前をまくって、無理矢理に自分のものを私の前へ当てました。私の方の中へは十分入らなかったと思います。当てたところくらいで気をやって、私の前の方を多少汚して、出来心ですまんことをした、堪《こら》えてくれ、というて帰りました。二度目はその年の七月ごろ田圃から帰って、午後二時ごろ昼寝をしておったら、座敷の上へ上ってきて、寝ている私の上に乗り、私の前を開いて自分の物を入れようとしました。この時も中に入らず、気をやって、その辺を汚してしまいました。私がこのようなことをして夫にもすまんと怒ったら、自分は時々こんな変な気になるので、すまんことをした、妻も貰わねばならんから、誰にもこのようなことはいわぬようにしてくれ、と謝りました。私はかようなことについて、お金や物を貰ったようなことは絶対にありません。睦雄が何か与えたように遺書に書いておるそうですが、そんなことは絶対にありません。〔中略〕

その後も寄り添ってきて、一人で得心しているようなことは時々あり、またやってるなあと気付いたことはありますが、弘が始終家にいるので関係をつけられるようなことはありませんでした。前述の岸田つきよが、昨夜も睦雄が来て自分の道具を突っ張って、関係を付けてくれといって困ったと、昨年七月十日ごろの一番草取りのころ婦人たちが草取りをした時に、多勢の前でいっておるのを私も聞きました。十円札の手の切れるようなものを押し付けて、これで関係してくれというたが、そんなことをするのなら、この金を祖母《ばば》さんのところへ持って行って話をするぞというたら、帰ったという話も聞きました。右のような次第でいつ関係を絶ったというようなこともなく、何故絶ったというこ ともありません。昨年十一月ごろ大根を持って睦雄方へ行ったとき、無理におさえつけて関係してくれというたのが、最後かと思います。このときもちょっと腰を使っただけで得心したもようでした。

私が津山に来て京都に来たのは、なにも睦雄が恐ろしいので逃げたのではありません。弘が前から京都の方へ働きに来ており、私も胸の神経痛で岡山の方では医師の都合も悪く、津山の簡易保険の医師に診てもらって、それから子供の学校が四月から都合がいいというので、只今いる藤田豊松が仕事をしに来てくれと頼みに来てくれたのを幸い、本年三月末ごろに津山からいったん郷里へ帰り、それから京都へ来たのであります。決して逃げてきたのではありません。

私が最近睦雄に、肺病患者に殺されるかいと、悪口をいったようなことはないかとのお尋ねですが、肺病患者とはいいませんが、前述した、最初に関係させなければ殺すといったとき、罪科もない者を殺せるかい、殺せるなら殺してみよといったことがあります。それをいうのではないでしょうか。かようなことをいったのはそのとき一回だけで、その後は自然と私のそばに弘がいるので、寄らぬようになっておったのです。睦雄が殺すというのは口癖で、西川とめにもさようなおどしをいったそうです。私は睦雄が無理無体なことをして、私を辱かしめておきながら、勝手に私を怨んで、何も知らぬ私の両親〔池沢勝市、ツル〕、嫂〔宮〕、甥〔昭男〕を殺して憎い奴だと思うております。毎日泣いておるのであります。

・被害者の一人寺井ゆり子（当二十二年）の供述要旨（守谷検事聴取）

一、自分は寺井政一の四女で、昭和十三年一月九日同部落の丹羽卯一と結婚したが、同年三月二十日離婚され、実家に戻った。その後同年五月五日苫田郡上加茂村大字物見の上村岩男に嫁し現在に至っている。

二、丹羽卯一と離婚した理由について、あるいは自分が犯人都井睦雄と情交関係があったためのようにいわれているようだが、自分は犯人が自分のことをどう思っていたか知らぬが、絶対に同人との間に情交関係はなく、かような理由で離婚となったものではないと信じている。自分は卯一と従兄妹同士であるが、同人方と自分方は祖父母の代から三代続いて血族結婚をしているので、結果がよくないだろうと卯一が心配した結果、合意の上で離婚したので、ほかに理由はない。

三、都井睦雄について私ども娘たちの仲間では、女癖の悪い奴だから気をつけろと戒め合い、私も警戒していたが、同人が肺病であるということは、事件前には少しも知らなかった。

四、自分はただいま申したように、五月五日に結婚し十二日に里帰りをし、一旦婚家に帰ったが、同月十五日に弟貞一（当十九年）が三木節子（当二十二年）と結婚式を挙げたので、また二十日に実家に帰って泊った。その晩夜中にこの災難に遭ったのである。

その夜自分は奥の間に、弟夫婦は納戸の間に寝ていたが、夜中突然二、三発の鈍い銃声や、自分方屋内における騒々しさに眼をさまし、非常に驚いて裏口から寝衣のままはだしで逃げ出したが、そのときとっさに鉄砲など持って暴れるのは都井睦雄にちがいないと気がつき、自分方横の都井の親族寺井虎三方へ行き、救けを求めたが起きてくれなかった。そのとき横手の本屋（寺井茂吉方）の戸が開いて呼んでくれたので、地獄に仏の思いがしてその中に走り込んだ。すると自分が入った戸を閉めるか閉めない間に、犯人がすぐそこへ来て、「開けろ、開けぬと射ちめぐぞ〔射ちまくるぞ〕」と怒鳴り、さらに裏口へ廻り戸の間から一発弾を射ち込んだが、その弾の破片で、表口で一心に戸をおさえていた同家の由起子さん（当二十一年）が怪我をされたのである。そして犯人が裏口を立去るには立去ったが、また来るかもしれぬというので、畳を上げ、女たちだけ三人が床下に潜り、騒ぎの静まるのを待ったようなわけである。

五、私が犯人は都井だととっさに気がついたわけは、同人は始終猟銃を持って山へ行っていたことや、同年三月ごろ警察から猟銃や弾をたくさん取り上げられたことを知っていたためだと思う。

六、本屋は別に犯人から恨まれる理由もないのに襲撃を受け、孝四郎（当八十六年）おじいさんが殺されたりしたのは、全く自分が同家に逃げて行ったためで、この点は大変申しわけないことをしたと思っている。

・寺井ゆり子の前夫で、辛くも難を逃れて駐在所に急報した丹羽卯一（当二十八年）の供述要旨（梅田検事聴取）

一、自分は昭和十二年末二十七歳で寺井ゆり子と結婚し、翌昭和十三年三月三日これを離別したが、その理由は自分方は祖父、父の二代にわたりいずれも従妹を妻に迎えており、もし自分がさらに母方の従妹に当るゆり子と結婚すれば、都合三代の血族結婚を重ねることとなり、かねてより優生学上の懸念を懐《いだ》いていたのみならず、同女に対しては格別の愛情を感じていなかったので、同棲僅か三カ月で協議の上離婚をしたのである。(その背後に隠れたる事情あるやも測られざれども、都井の事件に関しては、部落民はなるべくこれに触れざるようにしている旨、暗に自己もまた右以上に内情を吐露するを欲せざるかの如く諷示したるをもって、人情上強いて追及し得ず)

二、睦雄の素行については、同人は小学校就学前自分方の近所に移住してきた者で、小学校時代は身体が虚弱で一年間に三、四十日も欠席していたが、頭脳は明晰で常に一、二番を占め、高等二年卒業後は暫時農業に従事していた。その間部落青年の会合等に当っては、共に飲酒したことなどもあるが、そのころは素行は善良に見え、異性との関係はなかった模様である。

三、殺人事件の三年前から、小学校教員の検定試験を受けると称し、自宅に引きこもって自ら友達との交渉を絶つに至ったが、その半年ほどのちに肋膜に罹り、六カ月余病床にあり、自らも肋膜であることを口外していた。しかるに恢復後は依然として蟄居《ちっきょ》し、仕事は祖母、姉に一任しぶらぶらしていたが、俄然素行不良となり、夜間は家を空け、あるいは他家を覗き廻り、あるいは異性の家に出入りする等の風評があった。

四、寺井弘の妻で、他の女性よりも睦雄に対し、より密接な関係にあったと認められる寺井マツ子は、事件突発直前全戸を挙げ京都に移転したまま、まだ帰郷していない。

・被害者岡本和夫の兄岡本菊一（当六十二年）の供述要旨（伏見検事聴取）

私は岡本和夫の実兄であります。弟和夫は二十三くらいのとき初めて嫁をもらいましたが、昨年八月結婚したみよという女は、五度目の家内であります。弟には一人も子供はありませんでした。みよは苫田郡香々美北村に郷里があるのですが、西加茂村大字楢井に親族があってそこへ遊びに来るので、自然同村の弟とも知るようになったものと思います。

西加茂村に今田勇一という者がいますが、同人が昨年十月ごろ都井睦雄を連れて、弟方へ来て酒を飲んだことがあります。このときがみよと都井が話をした初めだと思います。その後みよと都井が親しくするので、弟が家内に都井と遊んではいかぬというて注意したことを、私は弟から聞きました。みよからは何も聞きません。弟の話では都井が来れば戸を締めてみよを匿してやったということです。弟が私にこういう話をしたのは、本年三月ごろのことであります。

都井は恐らく全部で三、四回くらいより弟の家へ来ていないと思います。五回とは来ていますまい。家へ上ったのは、今田勇一と来たときだけだと思います。私は都井とだいぶ年齢もちがいますので、顔は知りません。都井の性格についてもあまり聞いたことはありませんでした。

遠山主任検事は以上の事実と資料をとりまとめ、殺人事件捜査報告書（津山検事局発第一二五七号）を提出した。これを受けて岡山地方裁判所検事局は、「社会の耳目を聳動《しょうどう》したる」都井睦雄の尊属殺、殺人及び殺人未遂事件について、被疑者が「自殺を遂げ同人に対する公訴権は消滅に帰したるを以て本件は起訴せず」と不起訴処分の裁定を下した。

第二章 事後

事件そのものは不起訴処分によって結着したが、この狭い地域社会に突発した未曾有の大事件は、むしろ事後処理が大変だった。津山警察署長は七月十四日に、「三十余人殺傷事件をめぐる事後の状況に関する件」として、岡山県警察部長に次の通り報告した〔抜粋〕。

梗概

社会に及ぼしたる聳動の大なりしに比し、同村以外の地方に於ては各種会同、湯屋、理髪店等に於ける会談、他地方よりの入来者よりの質問等により、当時の情況を想起して語り合う程度にして、おおむね遺忘の度を深めつつあり。

部落に於ける恐怖の状態

前記の如く一般社会は遺忘への一途をたどり、不安解消に赴きつつあるも、同部落においては惨劇の跡を物語る建築物の銃弾、家具、什器《じゅうき》への血痕、部落内新墓標の目に映ずる等のほか、犯人の居宅をはじめ一家鏖殺《みなごろ》しの惨禍に遭いたる家屋の空家四軒を生じおれる等、一抹の寂漠は当時を想起するの環境に在り、爾来《じらい》夜間はいずれも戸を閉ざして施錠を為し、やむを得ざる用件のほか単身外出する者少なく、いまなお恐怖の状態を持続しつつあり。

被害者の田地耕作

寺井トヨ方（二名死亡）では岡山市に出稼中の次男健一（当十八年）が帰郷耕作、寺井政一方（五名死亡）では京都西陣に出稼中の次女が帰郷耕作、西川秀司方（四名死亡）では親族会議をなし措置を講ずべく考究中なるが、遺産について親族間に於て争いを生ずるおそれあり、村当局としてもこれが善処の方法を講じ、場合によりては調停の意嚮《いこう》あり。岸田つきよ方（四名死亡）では長男勝之が目下海軍に志願入営中にして、満期までは部落の者が分担して宛作《あてがいさく》、岸田高司方（三名死亡）では母たま（当七十年）のみが重傷を負い生存のため、親族間に遺産争いを生ずるおそれあり、これも村当局で調停の意嚮。

業務に対する反映

被害部落は純農にしておおむね生活は豊かなるも、当該事件により当時飼育中の春蚕は、大部分これを放棄するの余儀なきに至り、また挿秧《そうおう》〔田植のこと〕も若干遅延し、業務渋全家被害の家にありては、親族近隣の扶助によりおおむね予定の挿秧を完了し、業務渋帯は認めずといえども、同部落内に点々麦を刈り取りたるまま、これが措置を為さざるあるを認む。

痴情問題について

犯人都井睦雄が寺井弘妻マツ子及び岡本和夫妻みよと、情的交渉ありたることは村民の認むるところなるも、その他はおおむね遺書による風評に止まり、当時これを知りたる者なく、岡本一家鏖殺しは痴情関係をめぐる怨恨なること判然したるも、他は若干にても反感を有する者及びいわゆる傍杖《そばづえ》を食いたるものと認められ、村内全般に風紀著しく廃頽せりと認めらるる具体的事実なく、犯人の病的好色者たりしは、今日に於ても全部落民の異論なきところなり。

流言蜚語《ひご》による関係及びその情況

地元に於ては前記の如く恐怖の空気はいまなお存続するも、流言蜚語の発生地としてはかえって津山方面より、貝尾部落には幽霊が出るそうな、との流言の逆移入を見つつあり。本月上旬住所氏名不詳の祈禱者が来り、この部落には悪い狸が出て人心を眩惑せしめているので、その悪魔を払いのけてあげる云々、と称したる趣きなるも、相手にしたる者きわめて少なし。六月十日ごろ津山市より日蓮宗及び真言宗の托鉢僧二名来りて、三日間滞在し部落内を巡回しつつ読経を続け、要望する家に於ては祈禱をなしたる事実あり。犯行後四十九日相当日に、檀那寺住職を招して各戸別に逮夜《たいや》供養をなしたるさい、その住職は罹災者遺族に対し、人間は出生から死亡までの間出生の当初に於て、すでに神仏の力にて何事も予定されているので如何ともできぬ、これを仏道では因果応報というているので、皆なにかの前生の約束であろう云々と説き、罹災者遺家族もその説教に関心を持し、暫時諦めおれりという。

伝説の状況及びその関係

慶応二年当時の一大凶作のさい、同村大字行重字坂元の仁木直吉郎が首唱となり、当時津山城主に年貢米の減額を強訴したるさい、犯人都井睦雄の自決したる通称荒坂越に於て、一文字形に松明《たいまつ》を焚き、部落民はこれを合図に鐘鼓を鳴らして集合したるが、首唱者仁木直吉郎は投獄せられ、判決を受けずして牢死したる事実ありという。昭和十年ごろこれが義民碑建設の議起こりたるも遂にそのままとなりおれるため、これと今次事件とを結びつけんとするの説一部にあるも、何等因果関係の理由認め難くして根拠なし。

類似宗教をめぐる関係

同村大字中原通称大詰山に、本籍大阪市西区靱《うつぼ》北三丁目二九、住居前同、出生地苫田郡西加茂村大字西加茂、万年筆製造業、田中富三郎が、間口二間奥行三間半の木造社殿を造りこれを聖殿と称し、𢪸抬𢪸搯《さむはら》大神（古事記を調査するも発見せず）を祭祀し、諸衆をして参拝せしめ、災難厄除、弾丸除け等に霊感ありと宣伝し、当時約八十名の信徒を獲得し、他府県よりの参拝者も漸増の状況にありしを、昭和十一年中頃当初特高係の干渉により、類似宗教として右社殿を破棄、鳥居のみを現存せしめおれる事実あり。今次の惨劇を結びつけ、サムハラ大神の祟《たた》りなりと一部に風評するものあるも、地元部落に於てはこれに関心を有する者なし。

警察当局の措置の概要

惨禍の地を管轄する西加茂村巡査駐在所は、昭和十二年八月九日以来欠員中なりしものにして、隣接加茂町巡査駐在所今田巡査をして助力せしめつつありたるが、惨禍発生後の五月三十日黒田巡査を赴任せしめてこれを補塡し、不安一掃のため事情の許す限り惨禍部落の夜警を励行せしめ、昼間に於ては罹災者遺家族を歴訪せしめて慰問する等、専ら人心の安定に努力し、署長以下幹部に於ても機会あるごとに同部落を訪ね、罹災者遺家族はもちろん一般部落民の慰安をなし、さらに彼等の不平不満を聴き取り慰撫《いぶ》の機会を多からしめ、以て警察の信望回復に努めつつあり。

犯人都井の資産の処分

一家全滅となりたるため相続人なく、近親者間に於ても相続人を決定するの意思なく、廃家に至らしむるものの如くにして、その住居たりし家居は近親協議の結果、七月十三日勝田郡新野村高田康平に代価五十円をもって売却し、近々取払をなす趣なり。田畑宅地等はそれぞれ担保に供しおるをもって、債務に相殺零となるものの如し。

犯人の実姉に対する関係

都井の実姉は苫田郡一宮村中島一郎妻みな子なるが、目下妊娠臨月にして、事件以来家庭に不和を生じ、嫁入先に於ては分娩させぬ等との物議あるものの如くなるも、近隣並びに本人をめぐる者は同情感を抱く者多く、目下排斥または差別等の事実を認めず。

犯人の親族に対する関係

都井の従兄弟にあたる寺井元一一家九名は、いずれも被害を受けておらず、被害者遺族並びに一般部落民はこの点に関し、都井の計画を予め察知しながらも、これを秘しいたるものならずやとの疑点を有し、六月上旬ごろ部落民の面前に呼び出し、種々詰問し、排斥するの態度を示し、さらに七月上旬ごろ寺井元一の長男たる治（当十三年）が、犯人都井の遺品たる自転車に乗りいたるを認めたる、一家四名被害者池沢末男の長男肇（当十四年）は、石を以って該自転車を破損せしめたる事実あり。また犯人遺産たる田地を寺井元一が小作しおれるを、該田地の境畔を破損し、灌漑用水を流失せしめたる犯人不明の事実あり。さらに寺井元一の息子治（当十三年）、富夫（当十一年）、雄三（当八年）が小学校へ往復の途次、他の生徒より排斥的言動を受け、右三名の息子は共に元一に対して、「親に死なれるのは悲しいことであるが、お父さんさえ死んでいてくれたら、自分たちは乞食をしても生活して行きます」と訴え、父子相擁して号泣したる事実あり。七月三日岡山地検塩田検事一行が実情調査のため来村のさいも、同検事の面前に於て寺井元一の子息に対して、被害者遺家族の子弟が面罵を加えたる事実あり。七月上旬寺井元一は被害者遺家族に対し、香料名下に金一封を提示したるに、遺家族はこれを返戻《へんれい》したる事実あり。

六カ月たった十一月二十一日、津山警察署長は次の対策を講じたと岡山県警察部長に報告した。

凶器残火薬等の一斉調査

六月一日署内幹部八名（警部補四名、巡査部長四名）を以て管内を八班となし、幹部各主任となりて受持巡査を指揮して、凶器並びに残火薬の一斉調査を行い、火薬を各所持者毎に分割密包し当署に集収一括とし、火薬商をして保管せしむるの処置を講じたり。

重大犯罪発生の素因調査

外勤充実の署内詰替異動後、外勤巡査の監督を行うにさいし、戸口調査、昼夜間警邏、内偵等にさいし、防犯的見地に重点を置き、精神病者、犯罪常習者、その他怨恨関係、男女関係すべて犯罪の起因となるべき対象に対する視察取締りを励行し、犯罪発生の未然防止に努めたり。

事件発生部落に対する特別視察

事件発生後挿秧等を控え、被害部落の業務渋滞と精神的に受けたる打撃大なるに鑑み、視察取締りを督励し、積極的にこれが救護の方途を講じ、一面駐在巡査をして毎昼夜二回にわたり警邏を励行せしめ、流言蜚語の取締りをなさしめると共に、不安の一掃に努めたり。

村主催の被害者に対する慰霊祭執行の件

村当局を督励して、八月五日西加茂村主催のもとに遭難死者に対する合同慰霊祭を、同村真福寺に於て挙行、当署より本職出張、遭難者遺族を中心として、中塚村長以下村会議員、区長、婦人会、青年団、在郷軍人、小学児童等約四百名参列して慰霊祭執行。このあと本職列席して中塚村長司会のもとに、被害部落中心の部落民並びに村有力者、遺族等五十名を以て該事件に対する座談会を開催せしめ、隔意なき該事件に対する真相究明に努むることありたるが、これが発生原因が警民融和上遺憾の点ありたるを痛感、爾後特にこの点に留意し、治安維持の完璧に努力し来りたり。

加害者側よりの遭難者に対する慰霊祭執行の件

前項所載の如く、村主催の下に被害者に対する慰霊祭を執行したるに対し、加害者都井の遺族の提唱にて八月十四日にその居部落に於て、被害者側の遺族を招き慰霊祭を執行し、ために両者の間極めて和やかなる空気を醸成し、漸次不安も除去せられ、今日に於てはすでに該事実を遺忘し平静に帰しつつあり。

座談会記録（要旨）

村長　今日は幸い津山警察署長がご臨席下さいましたので、みなさまの方からなにかと相談なり懇談申し上げるならば、絶好の機会と存じます。

署長　夜間外出にさいし、恐怖を感ずるようなことはありませんか。

遺族　多少さような感がないとはいえませんが、だいたいに恐怖は去ったようです。

署長　当地には結核患者をことさらに嫌う風習がありますか。

寺井勝　さようなことはありません。

署長　犯人の遺書には、部落の人が結核に対する理解がないように書いておりましたね。

寺井勲　近所の者はみな結核と思うていなかったのに、都井は自分から結核であるというておったのです。

寺井勝　われわれは本人に対し非常に同情しておったので、新聞紙に報道されていたように、部落の者が嫌うたことはありません。
署長　都井の信教の状態は如何《いかが》ですか。
寺井勲　天台宗ですが信仰心はありませんでした。
署長　あの事件は全体的に怨恨と見られるがどうですか。
寺井勲　そうではありません。
署長　何故起こったと思いますか。
寺井勲　都井はだいたい普通人の考え方とちがい、いわば曲解で一方的な怨恨観念であったとしか思われません。
署長　都井は狩猟をしておったのですが、鳥を獲《と》ってきたことがありますか。
寺井勝　兎を二、三匹獲ったことがあります。
署長　都井は犬を飼っていたのですか。
西川昇　犬を飼っておりましたが、殺して食ったという話です。
署長　どの様な犬ですか。
寺井勝　中柄の白と黒の犬でした。
署長　家畜を愛するものは惨虐なことはやらぬというくらいで、愛犬を殺して食うというような者は少いようです。
西川昇　実際に殺して食ったのです。

署長　都井は百姓をして自給自足の生活をしておったのですか。
寺井勲　狩猟免許を受けて以来負債ができたらしいです。
署長　本人の迷信については如何ですか。
寺井勲　迷信はなかったと思います。
署長　都井の読書は如何でした。
寺井勲　小説や雑誌を読んでおりました。
署長　犯行の前に犯人が部落の消防用警鐘を降していたという話は事実ですか。
西川昇　さようなことはありません。実際に柱だけ残っている警鐘がありますが、それを見ていい出したのであると思います。
署長　田植や養蚕に対する打撃はどうでしたか。
寺井勝　多少はありましたがたいしたことはありません。
署長　事件後に祈禱者が来て、部落に狐がいるから祈ってやるとかいうてきたことがあると聞きましたが、事実ですか。
寺井勝　一回来たことがあります。部落の者は良い感じを以て迎え、別に悪い者とは思いませんでした。お布施等は取りませんでした。
署長　本件後に色々の流言はなかったですか。
寺井勝　火の玉が飛ぶとか色々なことをいうたものですが、他から逆輸入したもので、村内では流言はありません。

西川昇　昨日役場に四人の僧が来て、供養をさせと申しましたが、その僧は誕生寺の住職をはじめ布教師風体の人もありました。その僧のいうことには、犯人を加えて三十一名死んだのであるから、和歌の三十一文字にちなんで敷島地蔵というものを造り、村の教化材料にしたいとの話で、費用は土地で出来ねば向うがやると申しておりました。

村長　私はそれに反対です。あの事件を一日も早く忘れて、村民が一致して更生に向うことが最も必要と思います。

署長　部落の方はどうお考えですか。

遺族　村長と同意見ですが部落で相談中です。

寺井勲　私は新聞紙の報道について一言したいのですが、少くとも事実に相違したことを新聞に報ずることは不都合で、社会への影響が大でありますから、いま一層十分なる調査をして、正確な報道をしてもらいたいものです。

寺井勝　私もさように考えます。風紀問題その他について誤った報道は一番残念です。部落の将来を考えてみて、この部落はあのようなところかと社会から見られるわけです。

田外記者　なにぶん急な事件で、しかも速報するという使命の点から考えて、事実の真相を確かめてやることはよほど困難なことで、多少の手落はあったでしょう。

中塚組頭　当時合同新聞の国政君が、新聞記者はこの事件に対してはよほど考えねばならぬというておりました。

田外記者　十分なる調査を行う余裕がないのです。

中塚組頭　それは新聞記者がお互に先を争うて早く報道しようとするからです。

津山警察署長の報告は、次の十二月十六日付のもので終了した。

本年五月二十一日管内苫田郡西加茂村に於て発生したる稀代の殺人事件の犯人都井睦雄の居宅は、その後親族の間に於て、家屋は苫田郡高野村大字高野本郷、松浦登美三（当四十年）に代五十円にて売却し、同人はさらに家屋の屋根草のみを代十一円にて苫田郡西加茂村大字楢井一七一ノ二、山田武蔵（当六十一年）に売却し、本年十一月二十六日ごろより取り壊しに従事したるが、同月二十六日に現場附近に遊びに集いおりたる苫田郡西加茂村大字行重、寺井重臣（当十四年）同所西川芳則（当十五年）の両名は、好奇心より同家二階（都井の造った屋根裏部屋のこと）に上り隅々を探索中、表中の間天井裏の屋根側に於て火薬秤一個、火薬装塡用口巻器一個、ケース保護器一個を発見し、松浦登美三はこれを両名より受取り近親者寺井元一の妻トシ子に渡しおり、なお同月二十七日屋根草を買い受けたる山田は、同家裏手屋根取壊中に中央部のあたりにて、至極幼稚なる玩具の如き模擬拳銃一個（犯人の手細工にて作りたる発射機能なきもの）を発見したる事実あり。両事実はいずれもその後に於て受持黒田巡査が聞知《ぶんち》し、犯人都井の近親者寺井トシ子より任意提出せしめ候条此段及報告候也。

第三章　論　評

犯行の動機、原因などについては、当然のことながら各界の人たちからさまざまな説が出た。まず、岡山区裁判所守谷芳検事の意見はこうである。

私はこの事件の原因は、都井睦雄の先天的犯罪性格にありと断じたい。たとえ何時の時代、如何なる社会、また如何なる環境に彼が置かれたとしても、多少程度の差はありとせよ、彼は相当なこの種凶悪犯罪を敢行したであろう。

この事件の原因として諸家の挙げられる点、たとえば犯人に両親の愛が欠けていたこと、あるいは彼が村人からいわゆる他所者《よそもの》として擯斥《ひんせき》せられたこと、あるいは肺患者嫌忌の風習により虐げられたこと、あるいは村に淫らな風習の存在したこと、または彼が経済的に行詰ったこと等は、確かに彼の犯罪的性格に爆発の拍車をかけたことは否定できない。しかしながら、これらの拍車も、彼の犯罪的性格あって初めて大いに役立ったので、犯罪的性格を除いたならば、極めて平凡な日常茶飯事でしかないはずである。

私は両親に早く死別し他の肉親に育てられながらも、相当立派に成功している多くの人々を知っている。家庭的に恵まれぬことが、多く犯罪の原因となることは明らかであるが、これとこの凶悪残忍なる犯行との間に、特殊の因果関係ありとする見方には異論がある。

次に由来岡山県人は利己的排他的である、という非難を受けているが、都井の場合は貝尾部落に於て、他所者として排斥せらるる理由はない。同部落には、彼から手斧で首を切断惨殺された祖母いねの実家である寺井虎三あり、その他に相当濃い親族の寺井元一、寺井弘等がいる。彼の実姉中島みな子も、彼等が村人から他所者として迫害されたようなことはないといっている。また彼が肺患に罹ったことがあるのも恐らく事実であろう。しかしながら、西川昇（役場吏員）や被害者家族の一人寺井茂吉等の語るところによっても、当時彼はぶらぶら遊んでいたが、肉付きもよく顔色も良く、決して村人は彼を肺病として嫌悪したような事実はないということである。殊に西川などはその子供らが常に睦雄のところへ遊びに行っていたが自分としては少しも病気について心配したことはないといっている。ただこの病気の問題は、彼から淫らな行為をされた女性の間には、彼に対する悪口として口走られたことはあるかもしれないし、また肺患を嫌悪することは、都会と田舎とに於て差異はない。彼の遺書によれば、村人より肺患として嫌悪せられ、他所者として排斥せられたりと確信しているようであるが、彼が果してかく信じ、良心に従ってこの遺書を認《したた》めたりや否やさえも疑われる。ただ真実彼がかく信じ切っていたとすれば、これは彼の犯罪性格の爆発に対する大きな拍車であったことはまちがいなく、部落民にとっては天災である。新聞紙の報道等によると、この村は特に男女間の風儀が乱れているようにいわれているが、いったいに娯楽機関に恵まれぬこの種山村では、青年男女間の風儀が比較的ルーズであることは顕著な事実で、貝尾部落のみを特に責めるのは酷に失する嫌いがある。彼が犯行当時経済的に行詰っていたことは事実である。しかしながら彼は父祖譲りの財産を一部病気療養のため、あるいは関係した女の歓心を買うため等に使ったことはまちがいないが、残余はこの凶行準備のために使用している。経済的行詰りがこの事件の原因であると考える前に、この犯行までに財産をすっかり使ってしまう予定であった、とさえ推測できるのではあるまいか。

最後に犯罪原因の一つとして、警察取締りの失態を数えることも可能であるが、当時西加茂村を管轄していた隣町加茂町巡査駐在所詰の今田巡査は、都井に関する危険性を極力上司に報告している。この報告を軽視して最上の方策を講じなかった上司の責任は大きい。しかしたとえ今田巡査の報告があったとはいえ、犯人都井を未然に検挙し得る警察官がたくさんいるとしたならば、最近に於ける重大犯罪の過半は、みな未然に防止し得たはずだと思う。犯罪なきこの平和な山村に、この種凶悪犯人の存在したことは、この事件で責任を負わされた警察にとって、災難であったといえよう。

かく観じくるとき、この大事件の原因の大半は、犯人の異常性格にあることが首肯できると思う。彼は環境を誤解し、恨むべからざる者を憎悪し、極端な利己心のとりことなってしまったのである。社会が人間に及ぼす影響のうち、悪の方面のみを吸収し、かつこれを過大に信じこまねばならなかった彼の先天的性格は、まことに憐れむべきであるといえよう。

（『津山事件報告書』所載「津山事件に関する若干の考察」）

内務省警保局の和泉正雄警視は事件の翌日現場を視察して、長文の報告書「岡山県下に於ける大殺傷事件」を内務大臣に提出したが、その中で犯行の原因、動機について次のように分析している。

犯行原因（動機）を主観的方面よりみると

一、犯人の変質的性格

二、疾病よりの厭世観

三、離反せる女に対する復讐心

を最も大なるものとし考察され得るのである。犯人は小学校時代学業成績優秀にて卒業し、教師や村民からかなり将来を嘱望されたものであったが、十六歳のとき肋膜炎を患い、全快に至らざるうちに肺を侵され、十九歳のころは相当重態に陥った。こうして病に悩まされる一方、彼の心境に大いなる変化を与えたものは、婦人関係である。娯楽機関皆無の交通不便の山村が、男女間の道義著しく低級であることは、往々見受ける現象で同地方またこの例に洩れず、これは今回の事件を通して広く僻陬《へきすう》農村の教化上、鋭き示唆を与うるものがある。早熟の犯人が十七、八歳のころより、部落内の多くの女性と関係を持つに至ったが、女の操守《そうしゅ》薄きことと彼が結核なりとの理由等により、女は漸次離反し時には悪罵嘲笑を残して去って行く。こうした犯人に対する風儀上の風評が、部落の内外に噂さるるにつれ、祖母の下にわがままに育った彼に、強い反抗心が醸成されるに至ったのであろう。また一面両親を結核で失った彼が、己れの病気が結核だとの診断は、生命に対する危惧からいたく憂鬱となると共に、これにともなう女関係の破綻は、幼少時代明朗の彼の性格に大いなる変化を来し、憂鬱であるかと思うと昂奮状態になり、偏狭、執拗、猜疑、復讐心の旺盛等変質的徴候が現われ、かてて結核を不治なりとする理解なき村人が、犯人を疎んずれば疎んずるほど、彼と村人との間の溝は深まり、全く孤立の状態に至り、その変質性はいよいよ嵩じていった。そして余命いくばくもなしと妄信悲観した犯人が、社会を呪い村人等を呪い、日頃より含むところの者を殺害して、死の道連れとすべく決意したものと、ほぼ推察しうるところで、犯行二日前の五月十八日夜認めた長文の遺書に、この点こまごまと記されている。

「身体さえ丈夫であればこんな考えは起さぬであろう」「今度生れる時は丈夫な人間に生れたい」「此のまま暮して肺病で自滅すれば○○等は手を叩いて喜ぶだろう、そうなれば僕は浮ばれぬ、僕の恨みはそんななまやさしいものではない」等の遺書の一節に犯人の心境が窺われる。村人たちが犯人を嫌悪していたことは認めらるるも、僅かのことにも激怒やまざる犯人の病弱的な、変質性からくる偏見によるところの多いことは、想像されるところである。ともあれ、反国家思想を抱持する者の中に結核患者が多いように、不健康者が性格的（思想上）に及ぼす影響の大なるに考え及ぼすとき、身体と精神、保健問題と精神問題に不可分的関係を痛感する次第である。

次に客観的諸原因である。事件は各種の微妙なる原因の綜合により発生したものではあるが、主なものとして

一、風紀頽廃

二、部落民の自警心の欠けている点

三、凶器の種類及び入手の容易なる点

四、地理的関係（僻陬地たりし点）

などがあげられる。風紀の問題は前掲の通りである。

部落民の自警心の問題であるが、同地方が平和な山村なるため、平素戸締をなす家が稀な有様である。これらも犯人の侵入を容易ならしめ、惨害を大ならしめた直接原因で

あろう。犯人都井の不穏の気配は、うすうす部落民の感付いていたところでありながら、犯行前日電燈線を切断されたことをほぼ察しながら、うかつにも届出なかった不用心さは、いまさらながら恨事とするところである。去る三月犯人がかつて関係のあった女を、「殺してしまう」と放言したことが警察の耳に入り、津山署から司法主任等が出張して犯人を厳重戒めた夜、家宅内を捜索して所持の猟銃、日本刀、匕首《あいくち》、弾薬、狩猟免状に至るまで領置したので、部落民は一時安堵したものかとも思われるが、しかしなお不安の空気は潜在した事は想像されるのである。部落民と警察との間にいま少し積極的な連携があれば、未然に察知しこれを防止することを、必ずしも不可能とはしなかったであろう。

凶器は先に述べたように、銃、日本刀、及び斧である。犯人は昨年以来犯行を決意し、田地を抵当として資金を借り入れ、昨年十月には乙種狩猟免許を受け、百数十円を投じてこれらのものを購入し用意を整えていたところ、本年三月十二日その全部が警察に領置されたるも、執拗蛇の如き犯人の決意はなお強固となり、再び凶器入手に専念しているのである。用いた実包は極めて威力大なるものたりしことと、銃が精巧なる九連発銃なりし点が、共に被害を大ならしめた直接理由の一つとみられるが、これら凶器入手においては、火薬不正授受のほかいずれも適法に入手し得る点は、今後これら危険物に対する取締り、並びに一般警備、警戒上考慮すべき問題である。

犯行地が僻地であり、村には昨年以来駐在巡査が欠員で、最も近き加茂町駐在所に一里半、津山警察署に約六里距てている点等も、犯行を容易ならしめた客観的事象ともみられぬではないが、さりとて警察に近くまた巡査が在勤していたからとて、事前に察知しあるいは犯行を小さからしめたか否かは疑問である。一般的に犯罪を未然に察知して防止するためには、警察力の充実が欲求さるるのであるが、現在の警察機構に於てはこれ以上はやむを得ない実情にあり、ここに現存の警察力に於てなお一層耳目の活用が要求さるると共に、一般民衆に於ても警察の外廓となり、あるいは民衆自身の警防のための活動が要求され来るのである。

以上の状況よりこれを考察するに、彼の遺書中には「国家非常の際まことに申訳なし」との意を洩らしており、現在までの調査に於ては、彼の精神状態に異常認めず、正常意識の下になされたと認めらるる点等は、社会的に本事件が一層大なる波紋を投げ与えているゆえんである。犯罪防止等の警察問題はもとより、風教刷新、保健、衛生問題として考究すべき、幾多の題材が蔵されていることを痛感する次第である。

評論家の阿部真之助は社会時評として次のように述べた。

岡山県で起こった惨劇は、多分世界記録だろうと伝えられた。記録破りでないまでも、世界稀有の椿事であるにちがいない。三十人という大量殺人が、一瞬の間に行われたという如きは、少なくとも我国では前代未聞のことであった。これは犯罪ではないが、講釈師の叩き出す荒木又右衛門は、伊賀上野で三十六人を斬ったというが、実際はただの二、三人を斬り捨てたに過ぎないそうである。この調子だと岡山の出来事などは、百年も先になると三百人を殺したことになるかもしれない。芝居の方では、佐野次郎左衛門が吉原で百人を殺して、大量殺人の横綱格に据っているが、架空の造り話なら、百人はおろか千人でも万人でも、楽々と殺し得るわけあいである。

私はこの事件を機会に、物好きに西洋の文献を漁ってみた。ところが私の狭い探索では、彼地にも三十人ぐらいの大量殺人がないではないらしいが、それらは長い年月にわたって秘密に稼ぎためた数であり、岡山の青年のように一時に多量を稼いだためしは遂に見当らなかった。

かように、大量殺人の実例を見ていくうちに、私の気がついたことは、それらの大量殺人者たちが例外なしに素質的な殺人者、いいかえれば、生まれながら精神的に肉体的に何らかの欠陥を持つ人々である点だった。普通の人だったら、長年にわたって殺人生活を営むという如きは、彼の良心が許さないのであろうが、これもあえてして何等の苦痛を感じないのが、彼らの素質者たるゆえんであって、平静に事務的に殺人を処理していくことから、かえって他人の疑惑を免かれていたというようなものが少なくなかった。

素質的でないものでも、一時的の逆上からかっとなって、思いもよらぬ惨劇を演出しない限りではない。しかしたいていは一人を殺しただけで、おのれの犯した罪にふるえ上るのが普通であり、それでもなお心が鎮まらず数人を殺傷することもあるが、これはむしろ一時的の発狂と見なさるべきもののようである。ところが岡山の殺人青年の場合は、偶発的にしても、一時的に逆上した発狂状態とは、いささか趣を異にしている。それは第一に殺人が計画的であるということ、そしてまた殺人が極めて冷静に行われたということで理解される。

つまり、生得的素質的殺人者ではない彼が、あたかも素質者の犯罪でもあるかの如く、落ちつき払って殺人を処理したところに、この事件の特徴があるのであって、ここに時代の影響があるかないかを見究めるのが、いわゆる時代批評家の仕事のように思われる。彼の遺書によると、こうまでする気はなかったが、成行きで致し方なかったという意味が書いてあった。成行きとは客観的な事件の発展であるか、それとも彼自身の心の上の展開についていったものか判然としないが、なにか彼自身の意志しない力が彼を強圧して、かくあらしめたというつもりなのかもしれない。社会意識ということばが、社会それ自体の意識を意味するものであるか、個人の精神の上の状態であるにすぎないか、といった事柄などは私などの知る限りではないが、いやしくも社会が有機的の結びつきであり、単位として個体であることを信ずる人々なら、個体の部分に対し責任を感じないはずはないと思われる。
今朝新聞を開いてみると、愛人と一緒になれるまでは断じて警察の留置場を出ないと頑張っているモダン娘の話が載っている。かような気違いじみた苦々しい話を聞くにつけても、私はいつでも世の中というものを振り返って見る習慣に馴らされているのだ。三十人殺しの彼も留置場のモダン娘も、つまり世の中の一分子であってみれば、世の中の意思が働いていないという道理はない。してみれば、世の中が自戒し反省するよりほかに致し方がないのであろう。
(『サンデー毎日』昭和十三年六月十二日号所載「三十人殺し」)

岡山地方裁判所塩田末平検事は、事件後一年をかけて事件を研究し、動機、原因を次のように分析した。

凶行の動機

彼は自己の肺患をその実相の程度以上に重患と妄想し、人生の希望のすべてを失って自暴自棄に陥った一面、肺患の独居は彼の情欲を不自然に昂進せしめて、むやみやたらに近隣の婦女に手を出し始めた。しかしその邪欲はとうてい容れらるべくもなくして、ほとんど全部相手方の拒絶に遭い、いたずらに部落民の軽蔑と嘲笑を買うのみであったが、それは本来極端に我《エゴ》の強い彼にとっては、堪えられない苦痛であった。しかもようやく道義的反省力を喪失していた彼は、自己の非行を反省して他を思うの心の余裕もなく、その全部を他人の故に帰し、全く情《じょう》なき隣人たちの肺患嫌悪に由来する排斥なりと妄想し、あまつさえその嫌悪排斥を過大に評価して迫害と過信し、直接間接自己に対立関係にあるもの一切を不倶戴天の敵と同一視し、たとえば一度情交ある婦人が他の男と結婚すればこれを恨み、執念はさらにその夫親族のみならず、その媒酌人にまで及ぶという有様で、常に彼自身のみ正しくして部落民に悪意ありと解し、たとえそれが如何に間接些細の関係であろうとも、自己の意に添わない一切の人物を殺害して、全く希望のない自己の生活を清算し、彼の病弱を笑った部落民の前に、自らの持つ強さを誇示せんと企図するに至ったのである。この凶行心理を通観して、その本筋が主我主義的虚無主義にあるか、それとも精神分裂症の前駆的異常性格にあるかはしばらく別の問題としても、青年特有の英雄主義《ヒーローイズム》が多分に織込まれていることはまちがいないと思う。この点に於て彼の十六歳の時に起こった五・一五事件、あるいは二十歳の時の出来事である二・二六事件等の影響必ずしも絶無とはいい得ない。〔中略〕遺書によってもわかる如く、果してその計画を決行すべきや否やについて、その後多少の心理的動揺はあったようすであるが、死期近きにありと妄断する彼の深刻な厭世感とエゴイスチックな虚無心理は、遂に彼を転向の道に導かず、かえってますますその性的放埒さを募らせ、隣人たちの嫌悪を増さしむるばかりで、胸中に燃ゆる呪わしき復讐の邪念と、その範囲をいたずらに強化拡大するにすぎなかった。〔中略〕彼が父の遺産を蕩尽《とうじん》し、当時その家計が全く行詰りの状態にあったことが、この凶行動機の一つをなしたことはいうまでもない。

凶行の内的原因

最も中心的な問題は、この凶行が果して精神病者の行為であるか否か、ということである。彼は自らその遺書に於て、しきりに精神病者でないことを宣言している。むしろその宣言のためにこそ、わざわざこの遺書を書くのだといっている。しかし果してこれを信じてよいかどうか。結局斯道《しどう》の権威者の判定に待たねばならないことであることのみならず、まだこの程度にしか集められていない材料をもって、この疑問を解決することは、困難事ではあるまいかと思う。もっとも彼の遺族たちからは、もし学術研究の資料になるならば、彼の死体をその道の権威者の研究のため提供して、彼が大変迷惑をかけた社会に対するせめてもの罪滅しにしたい、と当局に上申してきているし、彼の頭蓋を解剖することは、当初よりの部落民の一致した希望であった。

もし筆者の感想を問われるならば、凶行全般甚だ惨虐を極め、殊にその劈頭《へきとう》大恩ある祖母の首を斧で一撃し残忍にも切落したる点、その周囲に対する反抗憎悪が、あまりに深刻かつ執拗に持続せられていること、自己の肺患並びに周囲の圧迫を実相以上に重く感じ、ほとんど妄想の程度に進んでいること、その道義的判断著しく鈍り、周囲を顧慮せず驀地《まっしぐら》に自分の目的追求にのみ没頭して、最後の瞬間に至るまで何等の道徳的反省の跡が認められず、遺書の最終行まで隣人に対する呪咀のことばをもって満たされていることなどの諸点よりみて、彼が異常な変質者であったこと、及び神経衰弱の症状にあったことはまちがいないと思うが、いわゆる精神病者（狭義の）すなわち法律上の心神喪失者であったとは考えられない。凶行前多少の奇行はあったとしても、特別に精神病者と思わるるほどの言動があったわけではなく、極めて思慮綿密に凶行が企図かつ実行せられており、遺書の如きも三通共なんら思考の分裂を示しておらない点等からみて、精神病者とする説にはにわかに賛成しがたい。

結局生来変質者であった彼が、その特殊な家庭的事情に起因して、長ずるに従っていよいよ孤独感を募らせて全く社会と隔離し、自己中心的性癖を助長させ、他方生来の病弱が肺患にまで進行するに及んで、その宿命的な劣弱感と厭世感を深刻化させ、その性格の中心に潜む致命的な弱さは性的放埒となって現われ、そのためますます隣人たちに嫌悪排斥せられることは、彼の孤独感と厭世感を救い得ないまでの極度の自暴自棄に堕し、人生のありとあらゆるものを呪う気持となり、虚無の憂鬱は遂に一切の憎悪の対象に対して死をもって復讐し、この不幸不快な人生の精算をしようとして、この凶行が行われたものと思う。もちろん凶行全部を通じ、弱さを内包する彼の英雄主義（すなわち虚栄心）が、多分に織込まれていることは争われない事実である。

凶行の外的原因

㈠　家庭の事情

彼が両親愛というものに少しも恵まれず、しかも唯一の祖母は彼を盲目的に愛するばかりで指導能力を全く欠き、親族その他にも適当な指導者、保護者のなかったことが、本凶行の一原因を為していることは前記の通りで、もし彼に片親なりともあったならば、本件は決して発生しなかったものと信ずる。

㈡　家計の行詰り

これが彼の厭世心と自暴自棄を深刻化し、凶行決意に一大拍車を加えたことは否めない事実だと思う。

㈢　部落の一部に存する淫風及び肺患嫌悪の習俗

彼の周囲に対する怨恨の大部分は、彼自身の非行と偏見とにその責があることであるし、またその淫風存在程度もあまり盛んというわけでなく、ことに肺患嫌悪の習俗は農村としてはやむを得ないことではあるが、これらの習俗が本凶行の因をなしたことは否定できないと思う。人妻に情交を挑んで容れられなければ怒り、またそれを続けなければ怨むということは、それ自体変態的なことであって、これもまた彼の持つ特異な変質性に基因することではあるが、さような考え方を彼に与えた環境の性的腐敗を遺憾とする。

(四) 警察取締の失態

銃砲火薬類その他凶器一般に対する警察取締が、甚だルーズ不十分であることは、本件に於て痛感せられることで、この方面の取締の改革を切望するのであるが、とくに三月十二日の検挙のさいに於ける取調べが甚だ皮相的形式的であって、警察官としての熱意と徹底を著しく欠いていたことは、まことに遺憾の極みといわねばならない。もしあのさい取調べがもう少し徹底したところまで進み、爾後の処置が適切に講じられていたならば、本凶行の発生は防ぎ得たのではあるまいか。

従来作州地方勤務の警察官が、一般にその地方の人心の呑気さに馴染んで、多少緊張を欠いているということは、県警察部に於てもかねて認めており、当局者は従来もその改善に極力努めていたのではあるが、いまだその徹底的改善に至らない矢先、支那事変の関係で、元気旺盛な警察官の多くを戦地に送って警察力が著しく不足し、現にこの凶行の村の駐在巡査も欠員中で、隣の加茂町勤務の巡査が兼務せざるを得ない状態であったこと、三月十二日の検挙のさいの主任である臼井警部補等が、新任間もなくのことでこの地方の実情に通じなかったこと等は、いずれもやむを得なかったことにしても、考えさせる点である。

この犯罪が真に歴史的成功をかち得た諸原因

㈠　計画の周到かつ精密であったこと

殊に全部落点燈不能に陥っても、敢て電工の修理を乞いに走らないという、極端に呑気な部落民の急所をつかんで、全部落を暗黒化しておいて、自分だけ燈火を持ち敵にあたったこと、また凶行の初めは斧または日本刀を用い、ついで銃器を使い、初めはそれもなるべく熟睡の隙を狙って、銃口を相手の身体に押し当てるか、あるいはこれに極く近づけて発砲するの方法をとり、銃声等のために隣人たちが早期に騒ぎ出すのを防止したこと等、まことに巧みな戦術といわねばならない。しかもこの周到に樹てられた計画を、比較的沈着に遂行し得た彼の冷静さには驚かざるを得ない。

㈡　凶器並びにその射撃技倆の優秀性

彼が病弱非力な者にとって、最も適当な凶器である銃器を武器としたこと。その使用銃が猛獣弾使用の十二番口径ブローニング九連発銃という甚だ威力の強いものであったこと。大部分が寝込み襲撃の狙い射ちとはいえ、寺井孝四郎、寺井貞一、寺井はま等の狙撃に於て見られる通り、射撃について、彼がよほどの修練を積み、その技倆が卓抜であったことは、凶行成功の重要素因と考えられる。

(三) 被害者側の油断と戸締不完全

部落民全員が三月十二日の検挙で全く安心してしまって、この凶行を全く予知せず、油断して凶行に対する何等の防備もせず、凶行発生を知ってもただ茫然《ぼうぜん》自失狼狽するばかりで、なすところを知らなかったこと。殊にそのほとんど全部が戸締不十分のために、彼の侵入及び凶行を甚だ容易ならしめていることは明瞭な事実である。現に寺井孝四郎方及び寺井倉一方の如きは、戸締が相当厳重であったがために、その被害者が比較的寡少で済んでいる実情である。

(四) 凶行現場が甚だ交通不便の地であること

この凶行の行われた両部落が、全く他の部落より孤立し、それも電話等の通信機関もなく、駐在所まで出るにさえ二十分あまりも要するという土地柄であったことは、本凶行をしてほぼ犯人の希望する通り遂行することを得さしめた一要因だと思う。

(『津山事件報告書』所載「津山事件の展望」)

岡山医大法医学教室の遠藤中節教授は、海外における大量殺人事件の実例との比較を岡山地方裁判所から求められて、「ワグネル事件」について報告した。

西暦千九百十三年というと今から二十六年前、ちょうど欧州大戦勃発の前年で、欧州からいう近東諸国ではあたかも昨今のように不安があったであろうが、それから一年を経ずして、幾百万の生命を犠牲とした大戦が起ろうとは、誰一人として考え及ばなかった。この年の九月四日払暁《ふつぎょう》、南ドイツ・ヴュルテンベルグ州の首都スツットガルト市の南郊デーゲルロッホで、夫が其の妻と実子四人を殺害した事件が起った。犯人である夫はエルンスト・ワグネルという次席訓導で、かつて刑罰を受けたことのない数え年四十歳の男であった。犯行の前晩即ち九月三日の夕、ワグネルは家族や家主らと共に晩夏の黄昏を楽しそうに過し、午後九時頃にはすでに寝室に入ったのであったが、暁け方の五時頃に起き上ったワグネルは、まず妻の頭部をかねて用意してあった棒で撲《なぐ》り、かくて失神した妻の頸部や胸部を短刀で刺傷し、遂にこれを死亡に至らしめ、次いで二人の男児の寝室に行き、この両児を刺傷殺害し、さらに二人の女児の寝室に入って、二人共に同様殺してしまった。この現場は犯人が捕えられてから、即ち九月五日の午前に至り、警官によって検証せられ、各死体は剖検せられ、いずれも肺、心臓、大血管の刺創に因る失血が死因であると確認せられ、殺された妻の両腕や左拇指等に小創傷があったので、防衛的行動のあったことが推察せられた。

犯行が以上記しただけであったならば、犯行の原因は兎《と》に角として、特に取り立ててここに紹介することを要しない家庭悲劇の一つであるが、不幸にして惨劇は以上に止まらなかった。即ちワグネルは血液の附着したシャツを脱ぎ、からだを拭い、衣類をあらため、凶行に用いた短刀をそのまま抽出《ひきだ》しにしまい、三挺の銃器、五百発以上の実弾、鉄棒、革帯、縁なし帽、妻の黒色ベールなどを旅嚢《りよのう》に入れて携え、連発小拳銃のみは上衣のポケットに蔵し、凶行を演じた自分の家を去ったのであった。家を去るに臨み、表に「ルードウィッヒスブルグに遠足する」旨を認《したた》めた石盤をかけ、さらに家主の家の戸の石盤には、三十五ペンニッヒの金を添えて、「三ショッペンの牛乳を注文して欲しい」旨を書き遺し、自分の自転車に前記の旅嚢をつけ、まずスツットガルト市に向った。ちなみに一ショッペンは約半リットル、またルードウィッヒスブルグはスツットガルト市の北方にある小都市で、古城並びに美しい公園があり好個の遠足地であって、後記するビーチッヒハイム町への途中にあたり、汽車の便もある。

かくてスツットガルト市に来たワグネルは、午前八時〇一分の列車でルードウィッヒスブルグに向ったが、自転車は手荷物として預け、列車内に携えた旅嚢から車中でモーゼル式大型拳銃を出して携えた。これはデーゲルロッホでの犯行が発覚して捕えられはせぬかとの心配があったためであると、のちに本人が自供している。ルードウィッヒスブルグ駅で下車したワグネルは、別に怪しまれることもなかったので、駅の便所で一旦出しておった大型拳銃を再び旅嚢に納め、駅を出てとある飲食店で軽い食事をとり（このときには酒類は飲んではおらぬ）、午前十一時頃には近郊の親戚の家を訪れて、その家族と常の如く話し「これからミュールハウゼン（かつてワグネルが住んでいた村で、ルードウィッヒスブルグ市のほぼ西方の山間にある）に行っておる四人の子供を連れに行くのである」と語り、「なにか食べないか」とすすめられたが、「欲しくない」とてビールを少し飲んだ。その家でワグネルがあちこちするのに常に旅嚢を手からはなさなかったことは、当時家人の気付いておった点であったが、そのほかに別に変った様子もなく、親戚の子供に送られて駅に行き、午後一時の列車でビーチッヒハイム町に来り、町で自転車のこわれた部分を修理せしめ、凶行の発覚如何を偵察するために自転車で町を廻り、一旦宿に入って軽い食事をとり、夕方の七時頃にはミュールハウゼンに向うべくこの町を去った。途中で世話になった人々、知人、同僚らに遺書を発送し、夜の十一時頃にはミュールハウゼンの峠に来た。その前にワグネルは一人の男に行き合い、「何者か」と尋ねられたが何も答えなかったので、その男はイルリンゲン（ワグネルの来た方向即ちビーチッヒハイムの方向）の方に去った。

自転車を畑に乗り棄て、旅嚢から出した革帯を腰に締め、モーゼル式拳銃を腰につけ、他の拳銃、実弾、棒、小刀、ベールなどを手提鞄に入れ、縁なし帽をかぶり、折悪しく降り出した雨の中を村の方に入って行き、一電話架線柱に鉄棒を打ち込んで登り、ミュールハウゼンと他の村との連絡を絶たんとしたが、電話線は彼が数週間前の遠足に際して経験したよりも高く架せられ、かつ雨のためにからだは濡れ、さらに他の電柱にも試みたが、やはり成功しなかったので断線を断念し、村に入りかけたが、モーゼル拳銃が腰にないのに気付き、再び電話柱のところに戻って発見し、妻のベールをもって覆面し、拳銃を一つずつ左右の腰につけ、鞄に実弾を入れて再び村に入って行き、まず農家の穀倉にベンジンライターをもって放火したのを初めとして、村中を歩き廻り次々に放火殺人を犯して、村中を震駭《しんがい》恐怖に陥らしめ、放火は四個所、即死八人、重傷十二人、その中の一人は間もなく死亡したという、世にも恐るべき凶行をほしいままにしたのであった。

ワグネルは歩行者といわず、家の窓から見える人といわず、男子を狙って数メートルの距離から射撃し、多くは心臓部を射たれた。特に男を狙い婦人を避けた点は注意せられるべきことであったが、たまたま二人の女児、二十歳余りの娘及び家畜二を傷つけた。しかしワグネルはついに勇敢な一警官及び二人の村民のために射ち倒され捕えられたが、そのさい彼は顔面に二個の割創を受け、左腕は破砕せられ(のちに関節部からの切断手術を受けた)、その他なお若干の打撲傷を受けた。捕えられたワグネルは、まだ二百発足らずの実弾を持っておったから、三百発余を発射したことになり、上記の勇敢な警官や村民の犠牲的な行為がなかったならば、惨劇はさらに甚大となったことであろう。

ワグネルは正気に復してからも、ミュールハウゼンでは口を緘《かん》して、犯行の動機その他については、ほとんど何事を聞かれても答えなかったが、その村からヴェーヒンゲン(区裁判所のある町)に送られ、病院で受けた傷を充分に手当せられ、六日には監督判事から訊問せられたが、この時にはいろいろと答えておる。ワグネルがミュールハウゼンでは何を訊ねられても答えず、ヴェーヒンゲンで監督判事の訊問に答えたのは、自分の犯した凶行やその原因等を区裁判所で供述するのが正しいと考えたので、決してミュールハウゼンの官憲を軽蔑したのではない、のであると解せられた。

判事はワグネルのミュールハウゼンにおける凶行が、同人の明瞭な意識において行われたことを認め、凶行の動機については、同人の陳述及び諸方面に出した遺書によって判明し、また確かめられるものと信じ、その日の聴取は簡単にすまされたが、この六日の訊問において、ワグネルは家族を殺害した方法を詳述し、さらに恐るべき凶行を演ずるに至った動機を語った。その動機というのは、この凶行から十二年も前に、同人がミュールハウゼンで犯した道徳的な過失であって、それは動物との淫行であった。この過失について同人は非常に後悔し、苦しめられたばかりでなく、ミュールハウゼン及びラーデルステッテンの人々の表示や諷示から、人々は同人の過失を知っておるものと推察しておったが、しかしこれはあとに記す如く全く同人の邪推であった。それで、人々が表わしたでもあろう嗤笑《ししよう》や態度はそのためであるとして、同人を非常に苦しめかつ激せしめ、遂に自殺を決意せしめると共に、同人は家族を道連れとし、その上過失を犯さしめた村に復讐すべく決心するに至ったのであった。以上の動機のほか訊問においてワグネルは、如何にして凶行を企図したか、これまで凶行の出来なかった理由、遺書等について判事に語った。かくてワグネルは未決監に入れらるべく、ハイルブロン市に送られたが、それまでの若干週間はヴェーヒンゲンの警察署に拘留されておった。

ハイルブロン市の裁判所では、ワグネルは予審判事から何回も訊問を受け、またたくさんの証人が呼び出されて、ワグネルの人格やその他のことについて、いろいろと調べられた。ワグネルの陳述、同人の自叙伝、人々の証言によると、ワグネルは稀に見られる真理の愛好者で、学校での成績も良く、勤務も真面目で、何事も隠し立てをしない公明な人間のように思われたが、いうべき事でないと信じた場合には、如何なる答をも与えなかった。従って同人の人格についての観察や判断が、捏造《ねつぞう》的な供述とか巧妙な瞞着《まんちゃく》などに因って、妨げられるようなことはなかった。

数多《あまた》の証人につき調べられて判った事柄の中で、最も著しいことは、ミュールハウゼン、デーゲルロッホ、ラーデルステッテンの人々の誰もが、ワグネルのミュールハウゼンで犯した過失を知っておらぬことであって、十年以上の長きにわたって堅く守られた同人の秘密を洩らしたのは、実に余人ではなく、ヴェーヒンゲンの区裁判所で監督判事に告白したワグネル自身であり、友人に送られた彼自ら書いた遺書であり、また彼自ら書いて送った新聞社への手紙であった。証人の証言とワグネルの供述との間におけるこの著しい矛盾から、同人の凶行にはなにか病的な精神作用が関係しておるのではなかろうか、との考えは誰しも頭に浮かぶところであって、ハイルブロンの裁判所はワグネルの精神鑑定を命ずることとなり、二人の精神病学者が別々にこれに当った。その結果は、二人の鑑定人共にワグネルを精神異常者であるとなし、同人には一定の系統的な追跡妄想があって、自由な意思決定が不可能であると認められ、かかる状態は犯行当時においても然りし旨を鑑定したので、ワグネルは免訴せられ、病院に入れられることとなった。この精神鑑定が終了した日付は千九百十四年一月二十四日となっておって、これから半年を経過するかしないうちに、別な意味における大量殺人が、世界大戦あるいは欧州大戦という名で勃発している。〔中略〕

このワグネル事件と、昭和十三年五月二十一日午前一時四十分頃から同三時までの間に、作州北部の山村に起った三十三名殺傷事件との間に、多大の相似性の存在することは、恐らく何人も肯定するところであろう。

ワグネルは自殺するまでに捕えられ、保護せられたので、のち十分な精神鑑定が行われたが、わが作北の事件では犯人である都井睦雄が自殺し、従って精神状態の検査ができなかったことは、事件の全貌を明らかにするという上から考えると、惜しいことではある。岡山並びに津山の検事局で蒐集《しゅうしゅう》せられたいろいろ有力な資料に基づいて、睦雄の精神状態が推定せられないこともあるまいと思われるが、精神病学の素養乏しき私の能《よ》くするところでないから、ここにはこの問題に触れない。しかしこれらの資料について、睦雄の精神状態その他をいろいろと考察してみても、ワグネル事件のような犯人の訊問や検証が欠如している以上、それは結局一つの推定に過ぎないであろう。とはいえ、一はドイツに一つは我国の山村に起った驚くべき鏖殺事件であって、時間の上からは両事件の間に二十数年の歳月を距てておるが、両事件における相似性または共通性の各点を考えると、犯罪学上に資するところがけだし少なくないであろう。両事件の比較の一々をここに記す必要はあるまいが、犯行の動機について比較しても、一は村人のほとんど誰もが知っていない犯人の過去の過失を村人が知悉《ちしつ》しておって、それらの人々の言動を侮蔑嗤笑と邪推憤慨し、一は村人が犯人を肺結核患者であるとは知らず、仮にこれを疑える人とてもそのために犯人を疎外するなどのことなかりしに、犯人自らは肺結核に罹《かか》れるものと信じ、自ら好んで孤独に陥りて、村の人々の言動をことさらに犯人を疎外するものと邪推怨恨し、両者共遂に恐るべき惨劇を演ずるに至ったのである。怨恨の種類程度とこれに基づいて起った凶劇の程度とを比較することはもとより困難ではあるが、如何に考えても原因に対して復讐があまりにも過大であり、常規を逸しておるとしか思われない。

さらに両事件の細大各点を比較するならば、相似或は共通せる事項について、思い半ばに過ぎるものがあろう。〔中略〕而して本件をワグネル事件に比べると、犠牲となった人の数からいっても、犯人の準備からいっても本件の方が勝れており、もとより自慢にはならぬが、真にこれ世界一の大量殺人といってよいであろう。〔以下略〕

（前掲書所載「大量殺人の一例としてドイツに於けるワグネル事件の概要」）

第二部　犯人

一歳（大正六年）　中流の農家

都井睦雄は大正六年三月五日、岡山県苫田郡加茂村大字倉見に生まれた。

父振一郎（明治十三年二月十六日生）は農業を営み、かたわら炭焼を業としていた。後備役の陸軍上等兵で、かなりの大酒家だったが、すこぶる柔和で円満な人物であり、性格並びに素行にまったく問題はなかった。

母君代（明治二十九年八月二十四日生）は、同郡阿波村《あばそん》大字於曾《おそ》の農業小田宇作の娘で、十七歳で都井家に嫁《とつ》いだ。短気で怒りっぽくきつい性格だが、まずは平均的な農家の主婦だった。

都井家は中流の農家で、父母の夫婦仲は良かった。父方の祖父はすでに六十二歳で亡くなっていたが、祖母いね（元治元年十二月二十七日生）と姉みな子（大正三年八月十四日生）がいた。

父振一郎は日露戦争に従軍した。『加茂町史』によると、加茂町域から出征したのは加茂村六十二名、西加茂村五十一名、東加茂村三十七名、上加茂村五十五名で、このうち二十三名が戦死した。幸運な生還者の一人である振一郎は、あまり戦争のことは口にしたがらなかったというが、同じ加茂谷から応召した前原僚平（明治十三年生）は、従軍状況をこう記している。〔抜粋〕

明治参拾七年四月拾六日第拾師団に動員下令あり、同時に充員召集に接し、同弐拾日に応召し、六月五日宇品港にて乗船、同九日清国南尖にて敵前上陸をなし、敵を追撃しつつ各地に転戦、敵は遼陽に集結しつつある情報に接したるに依り、一層勇気を鼓舞し遼陽東方軍飯屯東南の山麓迄追撃、山の頂上より歩兵の一斉射撃を受け、同時に野砲の散弾間接射撃を受け、小部隊では襲撃は不可能と考え、当日は昼食抜での追撃のため、敵が来れば戦い、前進見合との命令、兎角《とにかく》弾薬食糧部隊の連絡ある迄現場維持との事、敵も日没を以て退却した。夜の十時過ぎ飯を叺《かます》に詰込み食糧部隊より送来《おくりきた》り、掛員が分配し、各兵は舌鼓を打った。明日本隊も到着してきた。二日休養し、三日目より遼陽戦を開始し、唯野砲の彼我戦のみにして、敵は一向に出て来ないので、我軍は開戦三日（九月三日）夜十時ごろ、着剣大隊全員喚声を揚て突貫し、容易に占領した。

（『加茂町史』昭和五十年十二月二十日刊）

振一郎は日露戦争から帰還後、見合いで君代を妻に迎えた。この時代としては遅い結婚である。みな子と睦雄の一男一女をもうけ、一町三反の田畑と三反の山林を所有し、農作業や炭焼きに汗を流しながら、当時のこの地方としては中程度（見方によっては相当裕福ともいわれる）の生活を営んでいた。

明治から大正にかけての山村の生活を知る便法の一つとして、民俗学では食生活からのアプローチを試みている。次に掲げるのは昭和五年の時点で回想した「岡山市附近の農家の食事」だが、山村の現実はさらにきびしかったものと思われる。

日常の主食物

私の村には、とびはなれた大地主もない代りに水飲百姓もなく、だいたい中農の集まったところである。どちらかといえば懐具合もよく、農村としては上位にくらいしているが、それでも日常の食物はひどかったもので、米七割麦三割くらいの混合食であった。七三というと聞きなりはよいが、実際は麦は増えかたがひどかったもので、まず半々である。家によっては米と麦を半々にしてたいたが、これなどは麦に米をまぜたようで、とても食えたものではない。当時は四国からヒヨー（日傭人）がきたが、こんな飯ですらご馳走のようにいうていた。下には下があるもので、向うでは米三麦七くらいが普通で、麦ばかりの家もあるというていた。麦はすべてヨマシて汁気をとり米と一緒にたいた。オシムギ、ヒキワリなどにもした。季節によって薩摩薯《さつまいも》、唐茄《とうなす》、豌豆《えんどう》、そら豆、大豆、などを米にまぜた飯もたいたが、これらはむしろご馳走で、毎日続けてたくようなことはなかった。

秋に小米《こごめ》ができるとこれを挽いて粉にしカキコ（湯でやわらかくかいたもの）をしたり、茶の子（団子）にして食うた。この団子は一度にたくさんしておいて、朝お茶などたくときにクドの下の灰の中に埋めておき、よいかげんに焼けたころに出して、塩や醬油をつけて食べた。以前は砂糖などは蜜砂糖ですら贅沢なものとされていた。カキコなどもやはり塩で、ときには薯をサイの目に切ってまぜた。麦をとり入れると、イリコ（むぎこがし）をこしらえて食事に代えた。これも砂糖を使うことはめったになかった。一年中で米飯をたく日は、正月三ケ日、七日《なのかび》、二月一日《してーしょーがつ》、三五の節句、田植、田草休み、七夕、盆、八朔《はっさく》祭、九月の節句、玄猪《いのこ》ぐらいであった。米の飯だけでご馳走であった。

日常の副食物

農家では田や畑に作ったものを採ってきて食った。以前は牛肉は決して食わず、そんな物を食えば神仏の罰があたると考えていた。魚もめったに買わなかった。正月に塩鰤《しおぶり》を食うてから、春祭まで魚を食わぬのも珍しくなかった。ただ例外は田植時で、この間は魚を食った。それから秋祭にはむやみにたくさん買いこんだ。だからこの土地では十月の「杓投《おうご》げ」という諺が行われている。祭が九月（旧）でこの日はいやというほど食う代り、十月には少しも買わず、魚屋が仕事がなくて杓を投げ出すという意味である。

だいたいからいうと、農家の副食物は漬物、といってもよいほど漬物を食うた。コーコ（沢庵漬）が一人あてに一年一丁（四斗樽一杯）であった。だからどの家にも漬物部屋があった。このほかに四季折り折りの新漬をしたから、たいした漬物の量である。まず朝起きると、冷飯に茶をかけてコーコでかきこむ。味噌汁なんぞを作る家はなかった。納豆なんぞは全くない。朝飯を食うのを「お茶を飲む」というが、実際をよく表わしておる。アサメシ（午前十時ごろ）に飯をたき、なにか野菜のおかずを作るが、その後でもコーコは相当食う。チャヅケはやはりコーコである。かような粗食でも量はずいぶんとる。私の記憶にあることだが、讃岐からきていた日傭人などは、アガリハナに腰をかけて食うていて、少しはなれた釜場の罐子《かんす》に茶をかけにいき、戻る途中でもうかきこんでしまう。これを七遍くらい繰り返す。大飯の早食い名人であった。晩飯にはなにか野菜を煮ることもあるし、ないことも多かった。

オカズは自作の野菜ときまっていたから、春なら豌豆、夏の茄子、唐茄、秋冬の菜、芋、大根、人参《にんじん》が来る日も来る日も繰り返された。ずいぶん単調だが、こんなものと思うているから不平も出なかった。この他に豆腐とか麩なども買うが時たまであった。特殊な煮方としては、夏に唐茄のイトコ煮、秋の葱と糠蝦《あみ》の煮込みぐらいである。味噌汁はときたまで、やはりアサメシのときにした。春のニラ汁や夏の鰌汁《どじょうじる》などは、土地の者の好物とされていた。

食事

普通四度で、オチャ（朝起きるとすぐ）アサメシ（午前十時ごろ）チャヅケ（午後二時から三時ごろ）ヨーメシ（日が暮れてから）である。御津《みつ》や都窪《つくぼ》のように藺《い》を作るところでは、藺刈時には五度六度に及ぶ。朝は三時ごろから夜の十時ごろまでやるのだから無理はない。自分の村でも稲秋に夜臼《よーす》をすると、夜食をしていた。米を俵にして倉に納めると十二時近くにもなる。子供などは夜中の夢であるが、そんな者まで起こして夜食さす。眠くて眼をこすりながら食うのだから、何を食うたのやら朝起きて記憶にないことすらあった。夜食はたいていゴモクメシであった。

（昭和五年八月発行『岡山文化資料』第三巻第一号所載、島村知章の報告）

こうした生活の中で振一郎が寝込んだ。肺結核であった。病状は急速に悪化したが、入院もせず自宅療養を続けた。それまでに自覚症状がありながら、無理を重ねたのがたったわけで、医師ははじめからサジを投げたという。

二歳（大正七年）　父、肺結核で死す

十二月一日、父振一郎が肺結核で死亡した。三十九歳。このため長男の睦雄が家督を相続し、母君代が後見人となる。相続資産は田畑約一町三反、山林約三反だった。

この年七月、それまで連日漸騰を重ねていた米価が、ついに一升五十銭七厘を突破したため、全国各地で米騒動が起こり、岡山県にも波及してきた。米騒動の発端となったのは同年七月二十三日富山県の一漁村の婦人仲仕たちが、米の県外移出阻止と米の廉売を要求して立ち上ったことであった。その後米騒動は連鎖的に全国へと広がり、全国一道三府三十二県、三十八市百五十三町百七十村にも及んでいる。

岡山県における米騒動のはしりは、八月九日の岡山市と津山町（現津山市）での騒動であった。それから県内の他の市町村に拡大していったが、中でも岡山市で起こった同月十三日夜の騒動は、ついに第十七師団の軍隊の出動によって鎮圧されるほどの闘いにまで発展した。

この岡山市で起こった激しい騒動と同じ日の十三日に、加茂町域にも米騒動が起こっ

た。

加茂町域においては、四百名から五百名の人々が集まり、桑原の片岡音五郎精米店をはじめとして、小淵の芦田茂、公郷《くごう》の田村義一、小中原の中西浦次郎の各米店、さらに山本吾作宅へと押し寄せ、米の廉売を迫った。当時のようすについて田村義一は、〈二、三人が家の中に入りて「聞くところによれば、お手持の米を近日他地方にご出荷とのこと。かく米の価が高くなりて困っておる時に、加茂の米を他地方へ出荷されては、なお米不足となりなおも値上がりして非農家は難儀するから、加茂の米を他地方へ出荷せぬように。なお高米価に困っておるから安く売ってくれ」と申して、少しの乱暴もさしたる悪口もいわずして、静かに立ち去った〉と語っている。

この要求と行動は、他の米穀店に押し寄せた時もほぼ同じであり、加茂町域の米騒動は、先述したごとく多人数の行動ではあったが、岡山市において行われたような暴力的行為にまではいたらなかった。したがって、騒動ののち津山法務局の取調べのさい、徒党を組んで数軒に押し寄せたけれど、流血の騒動にならなかったという理由で、罰せられた者はいなかった。

(『加茂町史』)

祖母いねは「米が値上りするんは、わしら百姓にとってはありがたいことじゃが、なんや物騒な世ん中になったもんじゃけん。わしら百姓は殺されるんとちがうか。こわいのう」とおびえた。

そうした世相の中での一家の大黒柱の死は、残された四人の家族たちに、ひときわ深刻な不安をもたらしたにちがいない。

父の死後、今度は母が寝込んだ。一家にとっては暗い年の瀬となった。

三歳（大正八年）　母、肺結核で死す

四月二十九日、母君代が死んだ。二十四歳。本人は慢性気管支カタルと称していたが、実は夫と同じ肺結核であった。このため祖母いねが後見人となり、約一町三反の田畑と約三反の山林を管理しながら、睦雄とみな子の二人を養育することになった。

六月三日、天井知らずの米価はついに一升五十九銭に暴騰、このため加茂村を含むいわゆる美作加茂五郷の小学校長たちは、連署してそれぞれの役場へ、十割増俸の陳情書を提出した。祖母にとって、小学校長は聖人君子そのものであった。だからこの増俸要求は、彼女を米騒動以上に仰天させたことであろう。

「校長さまともあろうお方が、なんちゅうことをしんさるんじゃろうのう」

これがのちになって、睦雄かわいさによる学校軽視に結びついていく。

しかし幼い姉弟は、そんなことにかかわりなく、自分たちの世界を平和に生きていた。

「私や弟は祖母が田や山を売ったり、僅かばかりの小作米を取って育ててくれたのでありります。睦雄は小さい時分からおとなしい子供で、なにぶん姉弟二人きりであったもの

ですから、仲もよくあまり喧嘩したこともありませんでした」(姉みな子の証言)

祖母は姉弟をわけへだてなくかわいがった。が、ある一点に関しては、厳格な差別をつけた。囲炉裏を囲む席順である。上座には必ず睦雄を坐らせ、その右手に祖母、左手に姉が向い合って坐る。祖母は「睦雄は都井家の戸主じゃけん」といい、二人は物心ついたときから、この席順を守らされた。いつかみな子がふざけて上座に坐ったところ、祖母はみな子が泣き出すほど、きびしく叱責したのだった。祖母のこの差別は、幼いながら睦雄は家督を相続した戸主という観念に由来するもので、愛情の濃淡によるものではなかった。

四歳(大正九年)　姉しゃんはお手玉がうまいな

いねは二人の孫を連れて、同村大字小中原塔中に移転する。なにゆえの移転か分明でないが、息子夫婦が相次いで結核により死亡したことが、彼女の決意の一部を形成したらしい。落ち着き先は一年契約の借家であった。

一家はここで足かけ三年を過ごす。姉弟で遊ぶことが多かったから、睦雄は三つちがいの姉に主導権を握られる。当然女の子の遊びが多かった。

おしろのさん
おんしろしろしろ　しろきやの
おこまさん　さいじょさん
煙草の煙がじょうはっさん
相手にならぬはおこむらさん
ひいやふう　みいやよう

いつやむ　ななやこ
とんとん叩くは誰さんじゃ
新町米屋のしげさんじゃ
しげさん何しにお出でたら
せきだが代ってかいにきた
お前のせきだはどんなんじゃ
おこんにむらさきあいびろう
あいびどろ
そんなせきだがあるものか
あるのにないゆてくれなんだ
やあれ腹立ちごうわきや
わしが十五になったなら
西と東に倉立てて
倉のまわりに松植えて
松の小枝に鈴つけて
鈴がしゃんしゃん鳴るときにゃ
鳴るときにゃ

父《とと》さん母《かか》さん嬉しかろ
爺《じじ》さん婆《ばば》さん悲しかろ
悲しかろ
（お手玉唄）

幼い二人の姉弟は、こんな昔ながらの童唄を歌いながら、まりつきやお手玉遊びに興じた。姉はお手玉の名手だった。三つ年下の弟はいつも奇跡でも見るように、感嘆の瞳を光らせて、「姉《あね》しゃんはうまいな、姉しゃんはうまいな」を連発するのが常だった。
しかし姉が小学校に入学したので、姉が帰宅するまでは祖母にまつわりつき、どこへでもついていった。

六歳（大正十一年）　祖母の里

この年の夏、一家は再び移転する。祖母の里である同郡西加茂村大字行重字貝尾に引っ越したのである。

祖母はこの地に永住するつもりで家を買った。屋敷、田畑合わせて五百円は、倉見の土地山林を処分して作った。大きくて古い農家である。この家について岡山地方裁判所検事塩田末平は、研究報告「津山事件の展望」の中に書いている。

「その家は構えだけは一段と大きく立派であるが、古色蒼然かつ相当荒廃しているばかりでなく、屋内甚だ暗く文字通り鬼気迫るの感ある家である」

しかしこれは事件後の印象であり、十六年前に引っ越した当時は、これほどまでのことはなかったろう。

だがこの家にはいまわしい過去があった。

「本件の被害の一人である平岩トラの姑寺井チヨ（当八十年）の語るところによれば、この家は元同女の住宅であったが、ここに居住していたとき当時（昭和十三年より六十三

貝尾部落の全景

都井の自宅

年前）チヨの先夫寺井忠次郎が同村大字楢井の藤木徳蔵の妻たえと密通し、その現場を本夫徳蔵に発見せられて腹を立て、いったん自宅に引返して日本刀を持って徳蔵方に乗り込み、たえを殺害して無理心中を図ろうとしたが、たえを斬ることができず、徳蔵に斬りつけたうえ切腹自殺したことがある」

この犯人が二十二歳であったところから、「犯行の荒筋がやや本件と類似しているのみならず、犯人の年齢が同年であることなど、うたた因縁の深きを感ぜずにはいられない」と同検事は感想を述べている。

現在のこのあたりは、鳥取県との県境にある人形峠のウラン採掘をはじめとして開発が進み、昭和十三年の事件当時の面影は全く失われてしまっている。四十数年前の「環境風土」は、塩田検事の筆を借りれば次のようであった。

この戦慄すべき事件が発生した岡山県苫田郡西加茂村大字行重字貝尾と字坂元の両部落は、津山市より北へ約六里、因美国境にほど近く、因美線加茂駅より南西へ約一里三十丁余距たった、中国山脈の懐に抱かれたような山峡僻陬の小農村部落である。村の役場から相当急な坂道を一里十丁近く登り詰めたところ、青葉に埋もれた湿っぽい峡谷の中に眠ったように静かな山村である。

同村の全戸数は約三百八十戸全人口約二千人であって、貝尾部落は全戸数二十二戸全人口百十一人、坂元部落は全戸数二十戸、人口九十四人であって、そのうち犯人都井睦雄の住んでいたのは貝尾部落で、被害者の大半は同部落におけるものである。この両部落の住民はその大部分が零細農であって山田の耕作と養蚕を主たる産業とし、雪に閉ざされる冬間は主として炭焼、樵人《そまびと》、藁仕事に従事している。畜産としては格別のものはない。貝尾部落には狩猟に従事する者は皆無だが、坂元部落と同村大字楢井には若干の猟人がいる。しかしなにぶん山の浅い中国山脈のこととて獲物は鳥と兎の類を出でず、猪その他の猛獣は全く住んでいない。祖父伝来の限りある土地、それも地味の肥えていない山間の痩地を守って生きていく部落民の生活は、食っていくには困らないまでにも決して豊かなものではない。その九割までが普通農家として、中流の下または下流に属しているといってよい。ことに最近は養蚕業の不景気も因をなして、各農家の負債は想像以上に嵩《かさ》みいき、元来平和なるべきこの山村生活の内幕はうら淋しく暗澹たるものがある。

由来岡山県下においては、南部備前備中の両国が地味肥え交通に便なるに加えて、住民また極めて積極的であって、「小賢《こざか》しい」という悪評あるほどに甚しく怜悧で、果物にあるいは養鶏にまたあるいは藺草《いぐさ》の栽培に花莚《はなむしろ》畳表の製造にと、各方面に農家的副業の開拓を敢行して利を図り、おそらく全国にも稀に見るほど豊かな農家経済を営んでいるに反して、性概《おおむ》ね純朴ではあるがその反面因循姑息《こそく》、きわめて消極退嬰《たいえい》的な作州地方の農民は、伝来の土地を守るのが関の山であって、時代と共に進むことを知らず、ますます世の中から取残され、各農家の経済は窮迫のどん底に喘《あえ》いでいて、その大部分が土地山林を担保にして農工銀行、勧業銀行等より借金して、ようやくその行詰りを糊塗《こと》している始末であるが、この惨事のあった両部落もまたこの例に洩れないのである。事件の約一カ月後にこの部落を訪うた筆者が、部落より得た第一印象は「ああ全く陰鬱な部落だな」という感じであったが、それはこの大惨事の悪夢なおいまだ醒めず、事件による戦慄と暗い追憶が部落民全部の面上に漂っていたためのみからでもなければ、また梅雨空の鬱陶しさに加えて、部落の各家屋の多くが藁葺《わらぶき》切妻造の古い家であって、どの空地も夏草ことのほか茫々として繁り、一見極めて陰鬱の感あらしめたためのみではない。全くこの山村の底に横たわる深刻な経済的窮迫には胸打たれざるを得なかった。

守谷芳検事の報告は対照的である。

事件の発生した西加茂村の経済状勢は、岡山県下における約三百八十カ町村の中位にある。その詳細は別添同村村勢一覧の示す通りで、備前備中における豊穣富裕な農村には較ぶべくもないが、相当に裕福な農山村である。岡山県下一般におけると同様に、二割程度の減収をもって凶作と名づけるありさまで、東北関東等における貧農寒村とは全くその趣を異にする。而して同村書記西川昇君の語るところによれば、この地方の農家は藁屋根の家が多く家屋も古く、県南地方の瓦屋根でみな比較的最近の建築で、一見して内福であることを推知し得るものと、大いに趣を異にしているが、実は却って懐は裕福だということである。そして的確にはいえないが、貝尾部落の経済情勢は、同村の中等に位するとのことである。

私が同村内の山林を歩き回って見たとき、木の大枝の折れたもの等が多数散乱していて、村民等が拾うような形跡が少しも認められないので、村民等に入会権が無いのだろうと考えたが、帰庁後県山林課で調べると、西加茂村における山林は八百二十七町歩余で、このほとんどが部落共有のものであり、当然部落民はこれに入会権を持っているという。この事実からみると、部落民は少くとも、入会山に燃料を求めるほど窮迫していないことがわかる。私は西加茂ことに貝尾部落を親しく見て、全体から受けた感じ、とくに田畑のありさま、被害者等の家の調度品、あるいは村人等の服装等に徴《ちょう》し、前記西川君のことばに嘘がないと考える。

中垣清春予備検事の報告はさらに批判的だ。

貝尾の部落は、ちょうど天狗寺山の西側にあるので、車窓からは見えない。津山駅から数えて四つ目の駅、美作加茂で汽車を捨てた。この駅は東加茂村にある。駅前から約五町、西北へ線路に沿って歩いた。真直に行けば鳥取県に通ずるその道を、左に折れて鉄路を越し加茂の流れも渡った。加茂川はこの辺で川幅約半町くらい、水流はその三分の一、石が多く水はそれにぶつかり、ぶつかりして、泡を立てて流れていた。案外の浅瀬であるが、これでも鮠《はや》はずいぶんとれるところもあるという。雲雀《ひばり》の声がしきりにする。蜜蜂の羽音、牛の啼き声もこれにまじる。全くの田園風景であった。陽はますます良い。遠くの山で冴えたうぐいすの音《ね》がした。十町余して西加茂村大字中原に入った。西加茂村役場があるところだ。役場の近くに金刀比羅《ことひら》神社が鎮座する。今日はその縁日で、お詣りの善男善女が、三々伍々役場の前の通りを賑わす。道行く土地の人々はわたしたち一行に挨拶する。それを見ると、田舎の純朴さは何処も同じであると感じさせられた。

わたしは犯人都井睦雄の住むこの村が、陰惨な山間僻地で、文化にとり残され、豊かな生活も阻まれた寒村であると想像していた。それが見事に裏切られた。陽気の加減もあったのだろうが、あの東北の冷害地方を知り、四時雪を戴く信飛の高原地帯を見ているわたしには、山国とはいえなお豊饒な農家生活を営み得る余裕を、この土地に見出した。土地の気候、風土が犯人都井にどれだけ作用したかは、大いに疑ってみねばならぬ問題となった。

祖母にともなわれて引っ越してきた姉弟は、こうした土地で新しい生活を始めることになったわけである。いねにとっては生まれ故郷であり、知合いの者も多かったから、その点では心楽しく自足するものがあったにちがいない。しかし幼い姉弟にとっては、せっかくなじんだ加茂村小中原塔中を去り、またぞろ見知らぬ土地に来たことは、いさかならず悲しく、しばらくは二人っきりで遊ぶ日がつづいた。

この年、野口雨情作詞・中山晋平作曲の「船頭小唄」が全国的に流行した。

おれは河原の　枯れすすき
おなじお前も　枯れすすき
どうせふたりは　この世では
花のさかない　枯れすすき

村の若い衆や娘たちも、好んでこれをくちずさんだ。日が落ち暮色が迫りはじめるころ、二人して遊んでいたみな子は、このメロディーを耳にすると、なぜか不機嫌になって黙りこんでしまうのが常だった。幼い胸が漠然とした悲しみにふさがれる思いがした、とのちに彼女は語っている。

七歳（大正十二年）

おんなとおとこは遊ばんもんじゃ

大正六年三月出生の都井睦雄はいわゆる早生まれだから、当然この年に小学校に上らなければならないのだが、病弱を理由に一年延期している。これは都井が学校へ行きたがらないのに加えて、祖母が片時も手もとからはなしたがらなかったからで、役場の学事係が何度か説得に足を運んだが、その都度祖母いねの「あと一年待ってつかあさい」にあい、根負けして特別に就学延期を認めたという。

この年九月一日関東大震災が発生、死者九万千八百二人、行方不明者四万二千二百五十七人を出した。加茂五郷に直接の影響はなかったが、朝鮮人の暴動に関する流言が全国に広まり、祖母は米騒動のときよりもおびえ、それまでほとんど戸締りもせずに就寝していたのに、雨戸や窓に厳重に鍵をかけ、二、三日は着たままで寝た。そのうえ駐在巡査や郵便配達に、「うちは年寄りと子供だけですけん、気ィつけてつかあさい」と真顔でたのみ、失笑を買った。

都井は相変らず外へは出ず、姉が学校から帰るのを待ちかねて、姉弟二人っきりで遊ぶ日が続いた。そんな二人を近所の子供たちは、こんな唄でからかい、はやし立てた。

おんなとおとこは遊ばんもんじゃ
ちんちんマメに疵《きず》がつく
あしたの晩にゃ児ができる
重箱もちはとりてがない
おなごとおとこときっきっき
えー嫁さんになったんか
あしたの晩にゃ児ができる

八歳(大正十三年)　僅かの風雨にも欠席せしめたるの風あり

四月、都井睦雄は西加茂尋常高等小学校に入学した。就学前は学校へ行きたくないといっていたが、いったん入学してみると、他の児童となんら変るところなく通学した。役場の学事係も、担任教師も、これを見てほっと胸をなでおろした。それればかりではない、都井はきわめてすぐれた成績を示したのである。

10点満点で修身9、国語9、算術10、図画8、唱歌8、体操8、操行中という好成績である。クラスで二番だった。担任の藤田かや子訓導は「従順にして教師の命をよく守り、級中の模範児童たり。故に学業も上位にして申し分なき」児童であり、かつ「教室内に於ては他の児童の世話をなしよき児童」と最高級の評価だが、「健康やや悪く、風邪を引き欠席すること多し。努めて出席なすよう訓戒す」としている。

事実一学年の出席日数は百八十四日で、病気欠席が五十五日、事故欠席が二十二日、合計七十七日も学校を休んでいるのである。これは都井自身の意志によるものではなく、ほとんど祖母のさしがねによるものであった。学籍簿にも「祖母いねは一人の男孫の事とて、我儘《わがまま》に育てたるものの如し。僅かの風雨にも学校を欠席せしめたるの風あり」と記載されている。

初めのうち教師は、ほんとうに病気と信じていたが、あまりにも度重なるので家庭訪問をしたところ、発熱して寝ているはずの都井が祖母とはしゃぎ回っているのを見て、はじめて事情を悟ったという。

祖母はその都度みな子に、都井の欠席を学校に連絡させていたが、姉は事情が発覚してからは先生にいいづらくなり、「先生に叱られるから、うちもういやじゃけん」と断わるようになった。だから祖母にとって、長い夏休みは天国のようなものだった。一カ月の余も終日孫と暮せるのは、久しぶりのことだった。そして夏休みが終りに近づくと悲しくなり、思い切って睦雄を長期欠席させることにした。姉みな子の記憶によると、この理由は「腸が下った」ということだが、学校側にその記録は残っていない。睦雄は二学期と三学期のほとんどを欠席した。

にもかかわらず前記のような好成績なのだから、都井の本質的優秀さがわかろうというものである。

都井が入学して間もないころ、みな子はひどく恥ずかしい思いをしたことがある。彼女が級友と帰宅の途次、やはり級友と連れ立って下校する都井と出会った。そのとき都井たちは、大声でこんな唄を合唱していたのだ。

一で　いも屋のオッサンと
二で　肉屋のオバサンが
三で　酒を飲み酔うて
四つ　夜中にとび起きて
五つ　いろうやらくじるやら
六つ　むげさく突っ込んで
七つ　泣くやら笑うやら
八つ　やめたりまたしたり
九つ　子供に見つけられ
十で　とうとう大評判

四年生になっていたみな子は真赤になって叱りつけた。都井は姉の前では二度とこの唄を口にすることがなかったという。

九歳（大正十四年）　大事なあととり

二年生になると10だった算術が9に下っただけで、他の科目の点数は全く変らず、また欠席も病欠が十四、事故欠が十七、計三十一日と激減した。このときの評価は「沈着にして学習態度良好なれども、隣人に誘われ私語多し」（担任教師不明）となっている。西加茂村ばかりでなく、加茂谷の村々では養蚕が盛んである。副業としてカイコを養う農家が多い。カイコを飼えば当然これに食べさせる桑の木を植えねばならない。加茂谷の農家には桑の木が目立つ。

桑の育て方には立木《たちき》と実生《みしょう》というのがある。実生というのは、桑の実の種子をまいて育てるからいうのだ。またはこれを刈桑という。毎年毎年刈りとるからだ。刈りとることを実生刈という。刈ったあとからあたらしい芽生えができて、また黄色いつばめ色の芽を出し、葉となるのだ。その実生刈りを春早くするのが例だ。春祭りの前にたいていの家では刈ってしまう。刈った桑の枝をそろえて編んで、垣根のすだれに使うからだ。

その実生刈りに子どもはせいをだす。かまで刈る仕事、はこぶ仕事。実生はぱらりぱらりとたおれる。たおれた古枝は畠の中に、すだれのようにそろう。指の豆、たこができるまで、子どもははたらく。汗を流してはたらく。刈ったあとからふつふつとありが出たり、かまきりの卵がついていたりするのを、よろこびながら子どもははたらく。そのころ空にはヒバリも上り、春の風はあたたかい。

刈った実生はうちにはこんで、たきぎの山となる。またその一本は子どもたちに皮をはがれて、日に照れば白く光る一本のつるぎとなる。そのつるぎは弾力が強く、サムライたちはこれをしならせて、やいばとやいばをあわせ、たちまち上段にかまえては、たちまち切腹する。

時にこれは学校の丸木細工の材料となる。しかし多くは、飯をたく木となって、もえるのが例だ。だから実生刈は早く行われる。大切な大切なたきぎだから。


（国分一太郎『昭和農村少年懐古』一九七八年創樹社刊）

養蚕を営んでいない農家、つまり桑の木を植えていない農家の子どもたちも、近所の実生刈りの手伝いをする。そのこと自体がおもしろいうえに、駄賃として一銭銅貨や食べ物をもらえるからだ。

都井の家に桑の木はなかった。祖母一人では食うための畑仕事だけで、手いっぱいだったからである。だから都井も近所の実生刈りを、小学校入学前から手伝うようになっていたが、祖母はこれを喜ばなかった。仕事そのものはかまわないにしても、チャンバラごっこが危険だというのだ。

だから都井がチャンバラで左の眼の上を突かれて、わずかに血をにじませて泣きながら帰ってきたとき、祖母は仰天してうろたえた。そして相手の子供の家に、血相変えてどなりこんだのだった。

「睦雄は都井家の大事なあととりじゃけん。親がいないからいうて、ばかにしとるんじゃろ。二度とこんなまねしてみぃ。わしゃただでおかんがの」

ふだんは控え目なくらいの祖母いねの、まるで狂乱とでもいうような態度に、相手方はびっくりしてしまい、これはのちのちまでも語り草となった。祖母にいわせると、このときの傷跡が残ってしまったということだが、他人の目にはまるでわからない。

この小事件は、戦後群馬県下で発生した連続暴行殺人事件の犯人大久保清の場合にそっくりである。大久保も小学低学年のとき、学校で事故のため右手の親指にけがをした。すると母親が学校に乗り込み、受持教師にすごい見幕で食ってかかったという。大久保は四人兄弟の末っ子で、母親に溺愛されていたのだった。

十歳（大正十五年、昭和元年）『少年倶楽部』だけでええ

三年生に進級すると、さらに欠席は減った。全部で二十五日だった。そのわりに学業成績はあまり変らず、それまで8だった体操が9に上っただけで、他は二年生のときと同じだった。

都井は級長になった。一番だった子が少し沈んだため、相対的に彼が浮上したことと、欠席が少なくなったことによる。担任教師の仁木文江は「性格素直に体格も良く、別に病弱とも思いませず。学業も良好にて、愛すべき児童であった様に覚えます」と、事件後警察の照会に答えている。

級長に任命された都井は、学校にいるあいだはそれほどの喜びも見せなかったが、授業が終って校門を出たとたん、躍り上って「わし級長じゃけん」と叫んだのを、隣部落の女の子が鮮明に覚えている。

「早よ、おばやんに知らせるんじゃ」。その日は道草をせず、一里余の道をわき目もふらず自宅へ向った。

「おばやん、わし級長になったんじゃ」。都井は叫びながら、うす暗い土間へ駆けこんだ。

「ほんまかの」。ニワトリの餌に土間で貝殻を砕いていた祖母は、てんから信じようとはしなかった。学校を休んでばかりいる孫が、そんなものになれるはずがないと思ったのだ。

「うそやない。ほれ、みてみい」。都井は任命証を出して見せた。

おもての陽の下に出て、大きな文字を一字一字拾うようにして読みとった祖母は、「こらほんまや。睦雄、でかしたの」。ひどくかすれた声でいった。うれしくて胸が熱くなり、喉が詰ったのだった。

祖母は任命証を持ってとび出し、近所に触れて回った。

「そら、めでたいこっちゃ。赤まんま炊かないけんの」。近所の主婦にいわれて祖母はそうだと思った。夕食に赤飯をこしらえようと思ったが、アズキを水に漬けなくてはならないので、明日に延ばすことにした。

すでに学校でそのことを知った姉は、とぶようにして帰り、任命証を見てわがことのように喜んだ。

「睦雄はほんまに頭がええんじゃなあ。ぎょうさん休んでも級長になれるんやから。これから姉ちゃんが勉強教わるんじゃ」

翌日の昼に祖母は赤飯を炊き、近所に配りながらまたひとくさり、孫の頭の良さを触れ回った。

七月二十日にいわゆる鬼熊事件が起こった。のちに津山事件で都井が山中に逃亡したとき、官憲を「第二の鬼熊事件では」と恐れさせた事件である。

千葉県香取郡の荷馬車曳きを業とする岩淵熊次郎（三十五歳）は、情婦である上州屋のおけいが他の男に心を寄せたのを怒り、復縁を迫ってはねつけられると、薪で撲殺した。さらにこの恋のもつれに介入した男の家に放火し山の中に逃げこんだことから、熊次郎を鬼熊と呼んだ。

所轄警察署では応援を得て捜査陣を張り、近くの町村の消防団員を督励して山狩りを行なったが、鬼熊は杳《よう》として見つからない。鬼熊は折を見ては山を下って、同情を寄せる村人から飯を食わせてもらい、また山の中へ逃げこむ。この間、鬼熊を捕えようとした警官二名は、かえって鬼熊のために殺された。

日本中の各新聞は鬼熊事件を連日のように報じた。政治家や官僚の腐敗とそれにつらなる警官の横暴を心よからず思っていた多くの人は、鬼熊の警官殺しに内心拍手を送った。この間、東京日日新聞記者が鬼熊と会見してその会見記事を発表するなどのことがあって、事件はいよいよセンセーショナルになった。捜査費用は約七万円、一万余の延べ人員による山狩りも空しく、鬼熊は四十九日間逃げとおした。

しかし刻々とせばめられてくる山狩りに対して、鬼熊は逃げられぬことを知り、九月三十日未明に先祖の墓の前で、ストリキニーネを飲んだうえカミソリで咽喉を切って自殺した。ストリキニーネは前記の新聞記者が会見のときに与えたものといわれ、鬼熊の自殺後問題になった。

鬼熊を平和な時代の英雄とする人もあり、それゆえ鬼熊事件は熊次郎の死後すぐに映画化された。また当時まだ街を流していた演歌師は、鬼熊が山へ逃げこんでいるうちに長文の歌を作り、歌本として売った。

ああ執念の呪わしや
恋には妻も子も捨てて
やむ由もなき復讐の
名もおそろしや鬼熊と
うわさも久し一カ月
空を駈けるか地に伏すか
出沼の里の空くらく
人の心のさわがしや

（加藤秀俊他著『明治・大正・昭和 世相史』社会思想社）

鬼熊の妻子が自宅の庭先で泣いている写真が新聞に大きく載った。それを見て都井が祖母に、これはなんだとたずねた。祖母は写真の説明文を読んで聞かせ、「おとうがいんでかわいそうじゃの」というと、都井は「おかあがいるけん、わしよりええがの」

わきでこのやりとりを聞いていたみな子は、たしかにその通りだと思ったが、そのときの都井の顔に格別の感傷はなかったという。

みな子の記憶によると、都井が終生愛読した『少年倶楽部』を買ったのが、この年の秋祭りのときだったという。秋祭りの縁日にはいろいろな露店が出るが、その中に本屋の店があった。本屋といっても雑誌専門で、しかも古本ばかりであった。ただし表紙は真新しくて、見かけは新刊と異ならない。これは表紙や目次ばかりでなく、本文の一部がむしれてしまい、とても古本としても商品にならぬものに、安っぽい別刷りの表紙を貼りつけたもので、昭和の十年代ごろまで出回ったいわゆる改造本である。発行社名もれいれいしく「改造社」と刷り込んであるが、綜合雑誌の改造社とはなんの関係もない。その代り定価の何分の一の安値である。みな子は少女倶楽部を一冊買ったが、都井は少年倶楽部を五冊も買いこんだのである。いくら安いといっても、五冊も買っては小遣いがなくなってしまう。

「睦雄は本ばかり買うて、余《よ》の物は要らんのか」

みな子は心配して聞いた。計算をまちがえたのではないかと思ったのだ。露店には真赤に色をつけた煮スルメなどの食べ物や、天狗の面やコマなどのおもちゃが並んでいる。
「要らん」。都井はきっぱりといった。「わしは本だけでええんじゃ」。そして歩きながら、早くも抱えた雑誌のページを繰っていたという。

都井は買いこんだ五冊の少年倶楽部を、隅から隅まで読んだ。もともと古本だから、真新しい表紙とはうらはらに、すでに本文は傷んでいる。だから都井の精読によって、五冊ともボロボロになった。これを読み終ってから、都井は新刊の少年倶楽部を、月ぎめで購読しはじめるのである。みな子も一緒に少女倶楽部を購読したが、都井はさっさと少年倶楽部を読了し、まだ姉が半分も読んでいない少女倶楽部まで読んでしまうのが例だったという。

この当時の少年倶楽部の編集長だった加藤謙一によると、〈元来小学五、六年生中心の雑誌であるのに、いま読んでみて、そのまま大人の雑誌に載せてもおかしくないような程度のものさえある。たとえば「孝子は巌牆《がんしよう》の下に立たず」とか、「春風長堤を吹けども落花に嘶《いなな》ける駒も無し、南朝四百八十寺、甍青苔《いらかせいたい》に濡《うるお》えども、鎧《よろい》の袖に涙を絞りし忠臣の面影を偲ぶ由もなし」これは佐藤紅緑の名作『ああ玉杯に花うけて』の中にある文章だが、いくら漢字制限のない時代でも、五年や六年の小学生にはムリというものであろう〉（『少年倶楽部時代／編集長の回想』）とされている。

筆者も昭和十年代に少年倶楽部を愛読した一人だが、たしかにむずかしいと思うくだりもあった。しかし幸いなことに、当時の雑誌は大人もの子供ものを問わず総ルビだったから、理解はともかくとして、読むのに支障はなかった。そして読みつけると、なんとなく意味もわかるようになったものである。しかしこれを小学三年生の都井が、興味をもって愛読したということは、やはり知能指数の高かった証左であろう。

さらに加藤は〈少年倶楽部は小学校五、六年生中心の雑誌だが、たいていの読者は小学校を卒《お》えても離れることができなくて、中学一、二年の年ごろまではつづけて読んでいた。なかには十六、七歳になってもまだ縁の切れない熱心な愛読者もいた〉と述べているが、この点でも都井は異色の愛読者で、青年期になってキングや講談倶楽部に手を出しながらも、凶行の直前まで少年倶楽部を愛読していたのである。

この年、十二月二十五日に大正天皇崩御、摂政宮裕仁親王践祚《せんそ》し「昭和」と改元されたが、岡山県は三十年来の大雪に見舞われ、奥地山間部は積雪六尺から一丈二尺に達し、二十八日に至っても改元を知らぬ村があった。

十一歳（昭和二年）　記憶正確にして常に優等なりき

四年生になって新たに理科が加わり、都井はこれに10点をとった。しかし再び欠席が増え、病欠四十、事故欠七、計四十七日も欠席した。だが級長の任を解かれることはなかった。担任訓導の川島貞二は次のように観察評価している。

性格、朴直にして沈着なり。快活なる点はやや欠け、陰性なる点あり。剛毅にして意地もあり、一方的なる点もありたり。健康、頑健なる身体にあらず。頭痛持にて欠席多く、従って体操、運動等は好まず。学業成績、特に知能学科に於て秀で、記憶正確にして常に優等なりき。技能学科はややこれに次ぐ。操行、学校中に於ては真面目にして、服装容儀端正、言語明白、動作正確なれども敏ならず。

都井の病欠の理由は頭痛であった。これは祖母の教唆《きょうさ》によるものではなく、本人が頭痛を祖母に訴えるのである。しかしこれは朝のうちだけであった。姉のみな子が帰宅してみると、都井は床の中で少年倶楽部を読むか、祖母と楽しそうに遊びたわむれ、祖母もまた喜々として相手をしているのだった。

「級長さんがズル休みをしてはいけんよ。他の人に示しがつかんからね。明日は姉ちゃんと一緒に学校へ行こ」。高等科一年になっていたみな子はやさしくたしなめる。都井はさすがにバツの悪い表情をして、すなおに姉のことばにうなずく。いつもこの繰り返しで、やがてみな子もたしなめることを放棄する。しかし愛情は変らなかった。

このころの都井はどちらかというと、祖母と入浴するほうを好んだ。好き勝手なことをさせてくれるからだった。姉はこのごろうるさくなり、都井がいうことを聞かずぐずぐずしていると、自分だけ洗ってさっさと先に出てしまうのだった。幼いころのように、一緒に浴槽でふざけることはしなくなっていた。

秋の初め都井は久しぶりに姉と入浴した。祖母が都井のシャツを繕っていたので、仕方なく姉の誘いに応じたのである。このときも都井が浴槽に木製の潜水艦（都井はこれをスイセンカンと発音した）の玩具を持ち込み、遊びに熱中しているので、姉は「そうやっていつまでもふざけてたらええ。姉ちゃん先に出るけん」といって、浴槽を出て洗い場にうしろ向きに立ち、裸身を手拭で拭き始めた。

都井はスイセンカン遊びをしながら、なにげなく姉のうしろ姿に目をやったところ、片側の内腿に真赤なものがたらたらと伝わるのが見えた。

「姉《あね》しゃん、血じゃ」。都井は思わず湯の中から立ち上って叫んだ。

「なにが血じゃ」。姉はけげんそうに自分の股間に目を落したが、次の瞬間まるで殺されでもするように、鋭い叫びをほとばしらせた。そしてふらふらと壁に倒れかかった。

「なにごとじゃの」。叫びを聞きつけて祖母がとんできた。都井は浴槽の中で小さくなった。スイセンカンに打ちつけてある釘が、知らぬ間に姉の肌を傷つけてしまったと思いこみ、これではいかにやさしい祖母でも、叱責は免れまいと考えたからである。

「風呂でケガしたんかい」。はじめは祖母も顔色を変えた。都井はいっそうおびえ、からだをすくませた。

「なんも心配いらん。こらおめでたいことじゃ」。祖母がむしろうれしそうにいったので、都井はきょとんとした。姉しゃんが血ィ流して、なにがおめでたいんじゃろ。都井にとっては予想された叱責を免れたことが、おめでたいことに思われた。翌日祖母は赤まんまを炊いて近所に配った。

「おばやん、なにがめでたいんじゃ」。赤飯を食べながら都井は祖母にたずねた。

「みな子は一人前の女になったんじゃ。立派なおとなにのう」。祖母はしわの深まった顔を、うれしそうに崩して答えた。

姉は床にふせっていた。やはりケガだったにちがいないと都井は思った。それなのに祖母は笑顔でめでたいという。彼にはわけがわからなかった。

十二歳（昭和三年）、十三歳（昭和四年）

学習欲旺盛なり

五年生に進級し、日本歴史と地理が増えたが、どちらも9点をとった。理科は10から9に落ちた。

「心性朴直にして飾気なく、極めて赤裸々にして、学習欲旺盛なり。言語明瞭容儀端正なり」と評価されるが、「頭痛持にて学校を欠席するを常とせり」ときめつけられている。病欠五、事故欠五十六、計六十一日の欠席である。しかし相変らず級長の座にあった。

学校では特別に校医に頼んで精密な診察を試みたが、なんらの身体的異常は認められなかった。

次の六年生では「本年は頭痛も起らず熱心に学習す」とあり、修身が10、図画、唱歌の8を除いて他はみな9という成績で、「一面理窟ぽくあるが、大体に於て良き児童なり」と評価された。

姉はこの春高等科二年を卒業して、祖母と共に野良仕事に従っていた。一昨年の出血の日以来都井と入浴する習慣はなくなっていたが、そうなると都井はなぜか物足りない気もしてくるのだった。

夕方のことだった。都井は宿題の習字をして、手が墨で黒く染まったので、手を洗うため風呂場へ行った。姉が入浴中なのを知ってはいたが、声もかけずに戸を開けると、ちょうど姉が風呂から出るところで、洗い場に立ってからだを拭いているところだった。姉はあわてて手拭で前を隠したが、なめらかな白い下腹の淡いかげりが、ほんの一瞬だが都井の目に映った。

「黙って開けよるなんていけんわ」。姉に叱られた都井は、あわてて戸を閉めたが、ほんとに姉しゃんはおとなになったんだ、と子供心にやっと得心がいった。

その秋、祖母は土地の件で津山市へ出かけることになり、ついでに姉弟をともなった。昭和三年三月に国鉄の因美南線の津山―美作加茂間が開通したばかりで、一家三人はこれに乗って津山へ行った。三人とも汽車に乗るのは初めてだった。三人ははしゃいだ。

津山の役所で祖母が用を足している間、姉は近くにあった駄菓子屋へ都井を誘った。

店先には縁台が置かれ、子どもたちはガキ大将を中心にして、駄菓子屋の縁台に集まって、遊びについての相談をしたり、将棋や軍人将棋などをした。駄菓子屋の裏や横手の路地、空地では、そのときの流行にまかせて、ベーゴマやメンコ、石けり、ケン玉

（日月ボール）などが行われた。

駄菓子屋には高等小学生などの高学年の者から、就学前の幼児までが集まって、およそ二十人ぐらいが一団を成しているのが常だった。ゴムマリでする簡単な野球やチャンバラごっこは集団で行われた。女の子は子守りが多かったが、なかには男の子にまじってアウト鬼、水雷艦長（駆逐水雷）などの遊びをする者もあった。またおはじき、お手玉、縄とびなどで女の子だけで遊ぶ場合もあった。

駄菓子屋の商品は一銭が原則だったが、これは六厘で仕入れて一銭で売り、二個一銭のアメ玉なども原価はその割である。商品の主なものは次のようである。

芋ようかん、むしようかん、水ようかん、みそまつ、ねじりん棒、とんかち、ソースせんべい、鬼かりんと、のしいか、鉄砲玉（アメ玉）、金花糖《きんかとう》、ぼんぼん、その他の菓子類。メンコ、ベーゴマ、石けり、おはじき、着せ替え人形、小型ブロマイド。メンコには黄ボールの丸メンコと、シオリ型厚紙製のシオリメンコがあって、いずれも武者絵が印刷されていた。

アテモノと呼ばれたクジ類は、金花糖が中心で、一等は長さ二十センチくらいの鯛のかたちのものや、城のかたちのものだった。ほかに一本ムキ（ムキ）という、当ると一銭が数倍に使え、はずれると五厘分の菓子がもらえるものがあった。

（加藤秀俊他著『明治・大正・昭和　世相史』）

都井は初めて見る駄菓子屋の光景に眼を見張った。そしてはじめのうちは、なかなか店内に入ろうとしなかった。山村から出てきた少年のおそれと羞恥ととまどいだったのか。

このとき都井がなにを買ったのか、みな子は覚えていない。豊富で珍しい品物に目移りして、なかなかきめかねて立ちすくんでいる弟の姿だけが、かすかな記憶に残っている。

十四歳（昭和五年）　高等科一年、「操行上」

小学校を卒えるとき、中学進学についての話が出たかどうかは不明だが、都井はそのまま同校の高等科一年（現在の中学一年に当る）へ進んでいる。そしてここでもまた、尋常科に勝るとも劣らぬ成績を示した。

やはり10点満点で、歴史の10をトップに読方、綴方、書方、地理、理科、図画、手工、農業とずらり9が並び、修身、算術、唱歌、体操が8だった。そして病気欠席は一日もなく、事故欠が三十二日となって、年間二百三十日通学している。もちろん級長だった。担任の杉山恒次郎訓導は、「性温和、健康中位、学業優等、操行上、言葉少く謹厳なる優等生なり」と評している。しかし「操行上」というのは、当時としてはいささかめがねちがいだったといえよう。実はこの年、都井は生涯で初めての恋文をしたため、それがもとでひと悶着起こしている。

都井の一級下に武井孝子という少女がいた。色白でほっそりとしたおとなしい子だった。

六月に入った曇天の日のことである。午後四時ごろ校内を出た孝子は、友人とおしゃべりしながら下校の途についたが、友人が「都井さんがあとについてきちょるけん」というので、歩きながら首をめぐらしてみると、なるほど都井が二人のあとを歩いてくる姿があった。しかし帰る方角が同じなので、格別怪しむに足りないとさして気にもとめなかった。しかしいつもなら、女の子などさっさと大股に追い越してしまう都井が、つかずはなれずといった感じで、決して二人を追い越そうとはしないことが、おかしいといえなくもないと思えた。

途中の枝道で友人と別れ、孝子が一人になって歩き出しても、都井は相変らずそのまま
ついてくる。間隔はいくらかせばまったが追い越す様子はなく、またなにかを仕掛けるという気配もない。しばらく行くとまた枝道になり、孝子は右へ都井は左へ行くはずだった。しかし彼女が右の道に入っても都井がついてきたので、彼女はその時はっきりと相手の意志を感じとり、ひどく不安になったという。

そこからまだ孝子の家は遠いが、思わず彼女は小走りになった。すると都井の下駄の音も早くなった。そしてすぐうしろにきた。孝子は思わずからだをこわばらせて、その場に立ち止ってしまった。手に提げていた教科書の風呂敷包を、都井が引っぱったような気がした。孝子はドロボウと叫びそうになったが、声は出なかった。瞬間、都井はくるりと回れ右をして、もときたほうへ駆け去っていく。孝子がうしろを振り返ったとき、

すでに都井の姿は雑木林の蔭に見えなくなっていた。

都井さんはいったいなにをしようとしたのかしら。都井の走り去ったほうを眺めながら、孝子はいっときぼんやりと立ちつくしていた。

ふと手に提げた風呂敷包に目を落すと、結び目のところに折りたたまれた画用紙がはさまれていた。都井さんが突っ込んでいったんだわ。孝子はそれをおそるおそる引っぱり出し、用心深くひろげてみた。そしてあっと思った。それは教科書ぐらいの大きさの画用紙で、画面いっぱいにお下げ髪の少女の顔が描いてあった。鉛筆で丹念に濃淡をつけたもので、写真のように細密な絵だった（当時『少年倶楽部』で評判だった「敵中横断三百里」の樺島勝一《かばしまかついち》の挿絵のタッチを、都井が苦心してまねて描いたのである）。その顔の横に「孝子さんの肖像」と書いてあり、一番下に小さく「ぼくは孝子さんが好きです」と記され、都井睦雄と署名があって、どういうつもりか認印が捺してあった。

その絵を目にしたとき孝子は、自分よりも都井の姉みな子に似ていると思ったが、とにかくうれしかった。そして一面不安でもあった。彼女はしばらくその場に立ったまま思案していたが、その絵をふところに入れて自宅へ帰り、自分の机の抽出にしまった。

それを六歳の弟がひっぱり出し、いたずらしているのを母親が見つけ、孝子を叱りつけたうえ、担任教師に届けたのである。

孝子の担任は小説を書いているという噂のある二十七歳の独身女性で、「わたしから厳重に注意します。二度とこんなことをしないようにしますから、どうかご安心下さい。このことは絶対に他言しないように」といって母親を帰した。そして次の日都井宅を訪ねて、姉のみな子に事情を話して、その絵を返した。女教師は別に叱責にきたわけではなかった。思春期にはだれしも経験のあることだから、ことさら問題にするよりも、今後を温かく見守ってほしい、という意味のことを述べて辞去した。

みな子はそのことを都井には一言も告げなかった。その絵が自分に似ていることが、彼女の心の奥でなにがしかのためらいをもたらしたのかもしれない。機会を見て姉なりに忠告しようと思いながら、つい言いそびれてしまったのだった。

この年みな子は十七歳で、弟と同じく本好きだったから、講談倶楽部やキングなどの恋愛小説を読み、さらに「啄木歌集」などを愛読していたとあってみれば、もの想い人恋うる気持は弟に勝っていたといえようか。

十五歳（昭和六年）　中学進学を断念

高等科二年に進級した都井は、さらに成績が上った。一年では一つだけだった10が、読方、歴史、地理、理科、農業と五科目に増え、修身、綴方、書方、図画、手工が9で、8は算術、唱歌、体操の三科目だけ。病欠二、事故欠十五と欠席も減り、全出席日数は二百三十七日だった。

そうした努力に水をさすように、ある日学校で不愉快な出来事がもちあがった。

高等小学校になってからは、級長は選挙で決るのでしたが、高等一年の時はやはり級長で、高等二年になると級長の他に総長ができて、総長の方が級長より上であり、睦雄は選挙の結果当選しましたが、同点者が二人あり、睦雄は生年月日が後であったため級長となり、総長にはなれませんでした。それで「自分は惜しいことをした」といって残念がっていました。（姉みな子の供述）

都井は普通より一年遅れで小学校に入学したのだから、姉の語ったこのいきさつはちょっとおかしい気もする。あるいは何月生まれかが判定の基準にされたのか。それとも、単に都井がそう言い訳しただけのことなのだろうか。いずれにせよ、実力がありながら総長になれなかった少年の心中は察するにあまりあるが、傍目にはそれほど悲観した様子はなかったという。

この年、夏休みが終ってみんなが登校したときのことである。都井と同級生だった牧村康治の回想によると、都井はちょっと恥ずかしそうに、「休み中に書いたんじゃ」といって何枚かの便箋を糸でとじたものを見せた。

最初の一枚のはじめのところに、大きな字で題名と都井の署名があり、その題名の肩のところに「ユーモア探偵」と書いてあったが、牧村はかんじんの題名は忘れてしまった。現在この原稿は失われてしまっているが、おっちょこちょいの中年の私立探偵が、怪盗にさらわれた富豪の令嬢の救出をたのまれ、ドタバタ活劇を繰り展げるというもので、バカバカしいけれど面白かったことだけは覚えているという。ただしそれは書き出しの部分で、末尾に「つづく」と書いてあった。

「どうじゃ」。都井は気がかりそうに、牧村の顔を覗きこんで聞いた。

「なかなかおもしろいけん。ほんまに睦ちゃんが書いたんか」。牧村は日頃の都井の性格からいって、こんなバカげたものを書いたことに、少なからぬ違和感を覚えたのだった。

「そうじゃ」

「江戸川乱歩と佐々木邦を一緒にしたみたいで、おもろい探偵小説じゃけんの」。牧村はクラスでは中くらいの成績だったが、無類に小説が好きで、少年倶楽部はもちろんキングや講談倶楽部を愛読しており、都井が自作を最初に彼に読ませたのも、それを知っていたからだった。

「みんなに見せてええか」

「うん」。それは級友たちの間で回覧され、おもしろがられ、つづきを要望する声が出た。都井は思いがけぬ好評に気をよくして、その二、三日後につづきを書いて学校へ持参した。これまた好評だった。しかしそれも「つづく」であり、級友たちは当然続稿を催促した。都井は大いに得意になって、三回か四回その先を書きついだ。

そんなとき牧村は、級友の一人清原武から、「わしも書いてみたんじゃが」と作品を見せられた。それは原稿用紙を数枚綴ったもので、しかも清原は字も上手だったから、都井の便箋使用の作品より見かけのうえでも堂々としており、さらに内容もしっかりしたもので、一読して牧村はおどろいたという。

小学教師の悲しみ

清原　武

六月三十日、S――村尋常高等小学校の職員室では、いましもかべかけ時計が、いつものごとくきわめて活気のないものうげな悲鳴をあげて――おそらくこの時計までが学校教師の単調なる生活に感化されたのであろう――午後の第三時を報じた。おおかた今はもう四時近いのであろうか。というのは、いなかの小学校によくありがちなやつで、自分がこの学校に勤めるようになってすでに三カ月になるが、いまだかつてこの時計がK停車場の大時計と正確に合っていたためしがない、ということである。少なくとも三十分、あるときのごときは一時間と二十三分もおくれていましたと、土曜日ごとに該停車場から、ほど遠くもあらぬ郷里へ帰省する女教師が言った。これは校長閣下自身の弁明によると、なにぶんこの校の生徒の大多数が農家の子弟であるので、時間の正確を守ろうとすれば、いきおい始業開始時間までに生徒の集まりかねるおそれがあるから、ということであるが、じっさいは勤勉なるこの辺の農家の朝飯はふつうの家庭に比してよほど早い。しかし同僚のたれ一人、あえてこの時計の怠慢にたいして、職務がらにも似あわずなんら匡正《きょうせい》の手段を講ずるものはなかった。たれしも朝の出勤時間の、おそくなるなら格別、一分たりとも早くなるのを喜ぶ人はないとみえる。自分は？　自分はといえどもじつは、幾年来の習慣で朝寝が第二の天性となっているので……。

これを読んだとき、牧村はおどろきと共に一種の感動を覚えたという。都井の作品とはまったく異質な、そしてはるかに程度の高いものに思えた。

「これ、お前が書いたんか」。読み終って清原にたずねると、清原はちょっとどぎまぎした顔で反問した。

「お前はどないに思うんじゃ」

「睦ちゃんのより文学的やから、お前が書いたんやらえらいもんじゃや思うてな」

清原も成績は中くらいだが、牧村と同じに読書が好きで、そのせいか国語の点数は都井と同じぐらいだった。

「ほめられたんはうれしいんけんど、実はわしが書いたんとちがうけん」

「ほな、だれじゃ」

「兄貴じゃ」

「お前に兄貴がいるのは知っちょったが、こんなもんを書くとは思わんかったげな」

「兄貴は文学青年じゃけん」

清原は男ばかりの三人兄弟の末っ子だった。跡とりの長兄はすでに妻をめとって子供もいるが、次兄は工業学校を卒業して、岡山の電気会社に勤めている。岡山市内に下宿しているが、土曜に帰郷して日曜を過ごし、月曜に岡山へ戻る習慣だった。

先週の日曜に在宅した次兄に、清原は都井のユーモア探偵小説の話をして、級中でえらい評判になっていると告げた。そのときは次兄はなんともいわなかったが、この日曜に帰省したときこの作品を持参し、これを清原の書いたものだといって、都井の鼻をあかしてやれといった。次兄は工業学校時代から文学好きで、校友会誌にもいくつかの文章を発表しており、渡された作品を読んだ清原も、都井のものよりはすぐれていると思ったので、次兄の企みを実行する気になり、兄の字ではバレるので自分がそれを原稿用紙に写しとったのだという。

「どうりでうまいはずじゃけん」

牧村は自分の鑑賞眼のたしかさに自信を持ち、同時に清原が次兄の作品だと打明けた正直さにも、好感を抱いた。そこで事実を話して「小学教師の悲しみ」を都井に読ませると、彼もすぐれた作品であることを認めた。その作品も原稿用紙数枚のもので未完であり、「つづく」となっていたので、牧村も都井もその先を読みたいと希望した。清原は喜んで兄に話してみると約束した。

次の週の日曜日に、清原は第二回分を持参した。たまたま体操の授業を休んだ都井が、教室でそれを読んでいるところへ、週番の教師が入ってきた。都井は反射的に隠そうとした。怪しんだ教師はいそいでそれを取り上げた。教師は二回分を先に読んでから、第一回分に目を移した。そして読み終ると妙な顔をして聞いた。

「なんで小説を写しとるんじゃ」

都井は意味がわからなかった。

「これは石川啄木の小説じゃろが。なんでこんなもん写すんじゃ。国語の宿題か」

都井はおどろいて聞き返した。

「これ、ほんまに石川啄木ちゅう人の小説ですけんね」

「そうや、先生は師範学校のころ、ずいぶん愛読したもんじゃ」

「なんちゅう題ですけん」

「たしか、雲は天才である、そげん題じゃったとよ」

その日帰宅した都井は、姉の所蔵している何冊かの啄木の本をひもといてみた。たしかに教師のいった通りだった。

翌日、都井はそれを牧村に話した。喧嘩早い牧村は人を騙《だま》しやがってと大いに腹を立て、登校してきた清原をいきなり殴りつけた。清原が泣きながら告白したところでは、それは清原自身が次兄の啄木の本から写したもので、初めは自分が書いたというつもりだったが、牧村に見破られそうな気がしたので、兄の作品ということにしたのだった。

それで「小学教師の悲しみ」も中絶したが、都井も馬鹿らしくなってユーモア探偵小説を、それっきり書くのをやめた。

三学期に入って間もないある日、都井は帰宅するなり祖母に切り出した。

「わし中学に行きたいんじゃ」

実はその日学校で担任教師に呼ばれ、「成績がいいからこのまま百姓になるのはもったいないな。それに家庭のほうも、学資を出せないという暮しでもなさそうだ。どうだ、上の学校へ行ってみんか」といわれたのだった。

「中学いうたらどこぞに行くんじゃ」。祖母が洗濯物をたたみながらたずねた。姉は夕食の仕度で忙しかった。

「きまっとるがの」。都井は胸を張るようにして答えた。「岡山じゃ。岡山の県立岡山一中じゃ」

「そげん遠くまで通えんじゃろが」

「下宿するんじゃ。岡山に下宿して学校さ通う」

「そげんこと睦雄にでけるんかいの」。祖母が笑いながらいった。味噌汁の実を刻んでいた姉も振り向いて笑った。

「遠い岡山にはなれて一人で暮すなんぞ、睦雄にようでけるわけないんやないの」。祖母と姉から異口同音にからかうようにいわれて、都井は少々むっとしたらしく、「みなやってるこっちゃ。わしにでけんわけがなかろ。わしもやってみせるけん」。都井は声を高めていい放った。

「睦雄、そげんにしてまで中学へ行きたいんか」

「そら行きたいけん」

「どないにしてもか」

「ああ、そや」

「睦雄が岡山さ住んだら、おばやん一人になってしもうがの」

「姉《あね》しゃんがいるじゃけん」

「みな子は女じゃ。嫁さ行かにゃならんけん」

「——」

「この家さおばやん一人残しても、睦雄は岡山さ行くちゅうのんか」。祖母は涙ぐんでいた。

その夜の夕食は気まずい雰囲気となった。祖母はろくろく箸をつけず、早々と布団にもぐりこんでしまった。低くすすり泣く声が洩れてきたので、姉弟は無言で顔を見合わせた。翌日都井は担任教師に、進学しない旨を伝えた。前日あれほど顔を輝かせていた都井が、祖母を一人にしたくないとの理由で進学をあきらめたことに、教師は一種の感動を覚えたという。

九月十八日、満州事変が勃発した。

十六歳(昭和七年)

肋膜

都井は卒業式の少し前から微熱があったが、卒業式が終って間もなく、高熱を出して寝込んだ。祖母と姉の懸命な看護によって、二、三日で熱は引いた。肋膜だった。しかしたいしたことはなく、しばらく自宅静養すれば回復するだろうと医師は診断した。寝ている必要はないが農作業は厳禁を指示されたので、卒業後の約三カ月をぶらぶらして過ごした。

四月二十二日、岡山市古京町鶴見橋東詰で、岡山一中生と二中生が数十人で乱闘し、二中側に応援参加した岡山市立商業生一名が、野球のバットで殴られて瀕死の重傷を負った。ラジオ(前年二月一日、岡山放送局本放送開始)でこのニュースを聞いた祖母は、散歩から帰ってきた都井に、

「ほれみい、こないな学校さ往《い》なんでよかったじゃろが。睦雄が一中生やったら、わしゃ心配で夜もよう眠れんじゃったぞの」

姉がそれをたしなめるようにわきからいった。

「睦雄はそげなことでけん子や。心配ありやせん」

都井はなにもいわず、自分の部屋に入ってしまった。そのときみな子はなぜか、いつかの恋文事件を思い出したが、口に出すのははばかられた。

昭和七年は波瀾の年であった。二月九日井上前蔵相が、三月五日三井合名理事長団琢磨が血盟団員によって暗殺されたのを皮切りに、五月十五日には犬養首相が海軍将校、陸軍士官候補生らに射殺され(五・一五事件)、また二月二十日上海で戦争を拒否した陸軍兵士六百人が武装解除され、このうち二百人が銃殺されたり、師走十六日には東京日本橋で白木屋百貨店が火事になり、女店員ら十四人が焼け死んだ。ロサンゼルスで開催された第十回オリンピックで、日本水泳陣の圧勝したことが唯一の明るいニュースだった。

都井の生活はそんな世相に超然としているかに見えたが、彼の部屋を掃除したみな子は、二枚の新聞切抜を拾った。どちらも犯罪記事だった。

惨忍怪奇、迷宮事件として、満都を戦慄せしめた東京寺島町のバラバラ事件犯人は、事件後八カ月を経過した十九日漸《ようや》く検挙された。――本年三月七日午前九時頃向島区寺島町広島久良治(32)が、同町八七九の通称おはぐろどぶで、ハトロン紙包みの人間の首と胸部と下腹部を発見して以来、警視庁は面目と威信、不安一掃のため、全機能を動員し二カ月余にわたる必死の捜査も空しく、遂に迷宮入りとなって約八カ月を経過した十九日に至り、水上署では俄然有力なる嫌疑者として、原籍地淀橋区淀橋角筈《つのはず》五〇五、現在本郷湯島新花町三無職長谷川市太郎（39）を引致し、厳重取調べの結果、二十日同人がバラバラ事件の真犯人で、被害者は元浅草ルンペン、原籍秋田県仙北郡花舘村南裏手二四〇当時住所不定千葉竜太郎（30）なる事、加害者は長谷川市太郎と同人の弟帝大工学部土木科写真室雇長太郎（25）同妹とみ（20）の三人で、凶行は新花町の自宅で演ぜられた事件が判明するに至った。かくて「一九三二年の怪奇」として世人を戦慄せしめたバラバラ事件も漸く解決した。

（『大阪朝日新聞』十月二十一日付）

もう一枚は神奈川県大磯町坂田山で心中した慶大生と恋人の墓から、火葬場で働いていた六十五歳の榎本長吉が恋人の死体を盗み出した事件を報じた記事だった。

「こげんものどうするんじゃ」と姉が聞くと、都井は「どうもせん、目についたから切抜いたまでじゃ」という。「ほな捨てていいか」とたずねると「いい」というので、みな子はそれをゴミと一緒に捨ててしまった。

都井の顔色がよくなってきたので、医師に診てもらうと完治したという診断だった。ぶらぶらしていては世間体も悪いし、なにやら閑居が不安に思えた姉は、祖母の反対を押し切って、都井を村の補習学校に入学させた。

これは「農業ニ必須ナル知能ヲ授クルト同時ニ普通教育ノ補習（公民教育）ヲナス」ことを目的に、当時の全国の農村地区に村単位で設置されていた。西加茂村では夜学会による青年の補習教育、西加茂小学校付設補習科による女子補習教育を実施してきていたが、大正十一年四月二十日に西加茂農業補習学校が創設された。男子部女子部に分れ、本科（前期は尋常科卒業者、後期は前期卒または高等科卒業生を収容）と専攻科（男子部三年、女子部二年）があった。教科目は男子部が修身、国語、数学、理科、農業で、女子部はこれに裁縫と家事が加わった。授業時数は男子部が週一日で六時間、女子部が週二日で一日五時間。本科学齢者で未就学の者は原則として全員入学すべしと定められていた（のちに実業学校と改称）。

都井は肋膜のため入学が遅れていたもので、二学期から入学したのだが、このときの生徒数は男子三十一人、女子四十三人で、学齢者のほぼ全員が入学していたようである。都井が入学したころ、内田延三郎という熱心で有能な名物教師がいた。

大正十一年六月西加茂実業学校に赴任し、昭和十五年に退職した内田延三郎の活動は、また西加茂村の農業技術・経営改善・生活改善活動の歴史であり、そして農業教育活動の歴史でもあった。内田延三郎は西加茂実業学校、西加茂尋常高等小学校における農業教育活動のほかに、西加茂農会に協力して農家への啓蒙・指導活動や青年農事研究会、婦人会の指導にあたった。内田の発行したガリ版刷り「時報」の綴（自昭和三年至同六年）によってその活動内容をみると、米麦・蔬菜《そさい》・果樹・しいたけ・桑園等の害虫駆除・施肥、栽培法の技術やその改善をとりあげ、また農産加工すなわち乾柿（硫黄燻蒸、火力乾燥）、漬物、米麦こうじ、味噌、醬油、果物ビン詰、マヨナイソース、ホワイトヨーカン、蜜柑ジャム、水アメ、製炭、柿の渋抜法その他広範囲にわたる加工法をとりあげている。（『加茂町史』）

内田は都井が優秀なことを知っており、肋膜を病んでいるのに同情し、終日無為に過ごすのを惜しんでいたので、都井の中途入学を心から歓迎したのだが、都井はあまり熱心な生徒ではなく、出席した日数はほんの数えるほどでしかなかった。しかしこれは都井ばかりではなく、同校の卒業生が昭和七年に男三人女十五人、同八年男十三人女九人、同九年男十三人女七人という実績をみても、中途脱落者の多いことを物語っている。もちろんこれらの中には農事手伝いのために通学の余裕がない者もあり、一概に都井と同列に見ることはできないが、義務教育を修了した農村青年が、実業（補習）学校を敬遠したのは、当時の一般的傾向のようにも思える。

十九になった姉に縁談があったのは、この年の秋のことである。相手は加茂五郷某村の農家の次男だった。色白で快活なみな子には、前にもいくつかそういう話があったが、

「うちまだ嫁に行く年じゃないけん。うちがこの家出てしもたら、おばやんと睦雄が困るじゃろが」と、てんからうけつけようとしなかった。実際、祖母いねは七十にさしかかっており、都井はたまさか野良仕事を手伝うくらいだったから、心配で家を出る気になれず、せめて弟が徴兵検査（二十一歳）を受けるまではと、頑張るつもりだった。

「そげんこというとったら、行かず後家になるけん。睦雄の面倒はわしが見るよって、安堵して嫁に行ってくれんかの。わしゃお前の嫁さま姿を見るのを楽しみにしとるんじゃ。それに曾孫の顔も早く見たいでの」

祖母のことばにみな子の心も動いた。そしてとにかく見合いだけならということで、一応承諾する気になった。するとそこへ、自分の部屋に閉じこもっていた都井が、のっそりと顔を出したのである。そして無表情にぼそりとことばを投げ出した。

「わしは好かん」

「好かんてなにがね」。姉が弟の顔を見上げた。

「いまの男じゃ」。姉と祖母がいま話題にしていた男、つまり縁談の相手のことらしい。

「なんじゃい、聞いとったんかの」。祖母がいった。都井は相変らず能面のような無表情で、

「聞かずとも聞こえたんじゃわい」

「好かんいうて、睦雄この人知っとるんかね」。姉が不思議そうにたずねた。

「知っとるからいうちょる」

「へえ、そら知らなんだ。なして知っとるんかいの」

「学校の品評会に来たごたある」

「よう話でもしたんか」

「いんや」。都井はかぶりを振った。

「ほな、なして好かん」

「好かん感じやった」

「見かけじゃわからんぞい」。祖母がいった。都井は真剣な顔になり、

「あんたら男はわしゃ、よう好かんじゃけん」

「なにいうとる」。祖母は笑った。「お前のムコしゃんじゃありゃせんもん、お前が好かんでもかまわんがの」。姉も笑った。都井は眼を伏せ、

「わしは嫌いじゃ」。吐き捨てるようにいうとぷいとおもてへ出ていってしまった。

旬日にしてみな子は見合いに臨み、先方は大いに乗り気だったが、みな子はなぜか気に染まずというよりも、踏んぎりがつけられないままに、この話を断わってしまった。ひとつには先方が次男であり、分家すると経済的に苦しくなりそうな予想もあったが、しかしそれは彼女の意志決定になにほどの意味も持たなかった。「わしは嫌いじゃ」といい残して、目を伏せて立ち去った弟のどこか淋しげな姿が、心の隅に影を落していた

のだった。

縁談を断わったと聞かされたとき、都井の蒼白い頬にぱっと赤味がさしたのを、みな子ははっきりと覚えている。文字通り輝くような表情だったという。都井はそれでも気づかわしそうに、

「わしが嫌いじゃいうたからか」

「そうやないわ」。みな子が笑顔でいうと、得心したようにうなずき、さらにみな子がつづけて、

「うちは嫁になど行かん。ずっとこの家にいるがな」というと、都井は満面に喜色を浮かべて、うんうんと大きくうなずくのだった。

「せやから睦雄もな」と姉はつづけた。「家にばかり閉じこもっとらんと、みんなとようつき合わんといけん。いまのまんまじゃ、からだに悪い。せっかく治った病気が、またぞろぶり返してしもうがな」

このあと少しのあいだ、都井は実業（補習）学校へもまじめに通い、青年会の集まりなどにも顔を出すようになった。酒を覚えたのはこのころでないかと思われる。都井と一緒に飲んだ青年会の仲間は、「二、三合はよういけた」と証言しているから、きらいではなかったが、それほどの大酒家でもなかろう。

「子供のくせに酒飲んだらいけんやないの。からだにもええことないがの」。顔を赤く

して帰宅した都井に、姉がこういってたしなめると、

「昔からいうとる。酒は百薬の長じゃ」。あたかも四十男のような口ぶりだった。

このころみな子は都井のノートに、こんな唄が書きつけてあるのを見た。青年会の集まりで覚えたのかどうかは不明だが、それは明治ごろから伝わる「子おろし唄」「間引を唄うた手毬《てまり》唄」といわれるものだった。

二階ばばさん縁から見ィれば
菊や牡丹《ぼたん》や手毬の花や
行けばよう来た上れとおしゃる
上れ茶々飲めうすべり煙草
茶々も煙草もご無用でごんす
わしが腹にはおろし子がござる
堕胎《おろ》せ堕胎せと七月八月
出来たその児が女子《おなご》の子なら
苞《つと》に包んで三ところ締めて
向うの小川へザンブリコとはめて
鳶《とび》と烏《からす》のふまいどさして

鳶は喜び鳥は憎む
今度出来た児が男の子なら
髪を生やいて中剃《なかぞ》り剃《そ》って
寺へ上《の》ばして手習いさして
寺の小僧さんが無調法のもんで
高い縁から突き落されて
一丈二丈の鼻紙捨てて
たれが拾うたと調べて見ィれば
京や大阪の屑屋が拾うて
屑屋どうすりゃ皮取って投げた
川のまんなかで糸屑拾うて
打って紡いでおかせにかけて
キコリパタリコと織り上げてみたら
帯にゃ短したすきにゃ長し
これは元吉さんの夏羽織
ちょっと百ついた
また百ついた

この当時岡山にあって精力的に民俗の採集を行っていた在野の民俗学者桂又三郎が、「明治以前における堕胎及間引の風習」について発表しているが、堕胎の方法として実にさまざまな手段がとられていた。

野菊の茎を陰門より差し入れる（岡山市にて職業的児堕しがやっていたもの）、麦ワラの茎を陰門より差し入れる（勝山地方ではこれをサシグスリと称して広く行われていた）、ホーズキの茎または根を陰門に入れる（この方法は中指の長さに合わせて差しこむ。人にもよるが十日くらいで堕ちる）、妊娠六、七月の間に陰門より草を挿しこむ（男と交接直後に行うと効果が多い。妊娠の時季があまり早い時は悪い。胎児に刺せば子と共に出るが、もし残ると妊婦が死亡す）。間引いた子はムシロに包んで川へ流した。間引いた児が男であれば扇子を、女であれば、杓子を持たせて、ムシロに包んで三カ所くくり、苞のかたちにして川へ流した。また時には生きている嬰児を、そのまま苞にして流したこともあるという。流された屍体は多く鳶、鳥、時には狐が出て食うていたという。間引いたさい他人から「子供さんは？」と問われたときには、「シジミ拾いに行きました」と挨拶する。
（『岡山県妊娠出産習俗』昭和十一年刊自費出版）

こうした習俗が「間引を唄うた手毬唄」を生んだもので、またこのような事実を知らなければ、この手毬唄を理解することができなかろう。それにしてもこういう手毬唄が唄い継がれ、昭和初頭まで残っていたのは全国的にも珍しいとされている。

もちろん堕胎や間引きは不義・密通の後始末だけではなく、貧困農民層における生活の知恵だったわけだから、こうした習俗が農山村の性的頽廃を物語るものとはいえまい。しかし、のちに津山事件の発生を報じたマスコミは、ほとんど例外なく性的頽廃を報じ、これが事件の遠因・素地だと伝えている。

〈同人は同地方山奥に、いまなお残されている非常にルーズな男女関係の因習により、今回の被害者の大部分と関係を結んでいた事実があった〉（『大阪毎日新聞』）

〈永年打破すべく容易に打破できぬ山村の悪習である男女関係〉（同）

〈（村長談話）悪習打破のため、男女青年層から一般へと悪風革新のため及ばずながら努力し（中略）慎しむべきは男女関係で、この点とくに村当局と協力して、現在の男女青年の思想善導につくしたい〉（同）

〈この村もやはり娯楽に恵まれない山村特有の「男女関係」が、いたって弛緩《しかん》であった。とくに村では昭和十年に教化村として指定されて以来、小学校長等が中心となり、この悪習打破のため声をからして村の青年の風紀改善を叫び、淫風排除につとめていたが、村の何処かの隅には相変らず原始的淫風がとり残されていた。性格こそひねくれているが、早熟な都井にこの淫風が感染せずにおるはずがなかった。〔中略〕都井の度胸も相当なものとなり、近所の村の誰彼と交際したり、他の人妻との醜関係もはじまるなど、あたりかまわず演ずる情痴絵巻に、比較的「男女関係」について無関心な部落の人々の間でも、ようやく話題となり、彼一家は次第に敬遠されるに至った〉（『サンデー毎日』）〈文明から遠く見はなされ、娯楽の少い山間の地は男女関係は自然に近い。しかも若い彼にはしっかりと手綱を握ってくれる父母がいなかった。彼は十八くらいで女を知った。それからの彼は女から女へとだらけきった世界へ足を踏み入れてしまった〉（『週刊朝日』）

こうした報道に対して、地元とくに貝尾部落は強く反撥し、津山警察署長から岡山県警察部長に宛てた「三十余人殺傷事件を繞《めぐ》る事後の状況に関する件」の中で、次のように報告されている。

同部落内に於ける有識者たる同村役場書記西川昇は、当時新聞紙上に部落内は風紀甚だしく廃頽し、淫奔の気風部落内に漲《みなぎ》り居るかの如く報道せられたるは洵《まこと》に遺憾にして、斯《かく》の加き事実は存在せず。其の裏書きとしては

①ここ三十年来恋愛関係により夫婦関係を結びたるもの僅か一件に過ぎず②自分の知る範囲に於て恋愛関係により駈落《かけおち》をなしたる事実なし③部落内に於ける結婚は、従兄妹

関係に於けるもの二件あるのみにて、其の他いずれも普通の状態なり④恋愛関係に因る殺傷事件乃至喧嘩等の事実最近になし⑤私通関係による私生児を生みたる者なし⑥年頃の少女または寡婦等の宅へ夜遊いわゆる夜這なる事実なし。

以上の事実より察して、全部落の風紀廃頽が惨劇の素因とは認め難き状況に在り。

これに対して塩田検事の報告は、かなり肯定的である。

先ずこの事件発生の有力なる原因の一つと思われる男女関係の淫風存否の問題である。この問題については、出来得る限りの調査をしたのであるが、部落外の者が大部分この悪習の存在を肯定するに反して、部落民の大半及び駐在巡査は其の風習の現存することを否定し去って、この事件によって暴露されたいろいろの男女関係弛緩の事実は、この犯人都井睦雄を中心とする例外の事たるに過ぎないと主張し、ただ二、三十年前まで夜這いの弊風があったことを認むるに止《とど》まるのであるが、かれこれ調査の結果を綜合するに、近時この村が教化村として指定せられた事情もあり、小学校長等が中心となり声を大にして青年男女の風紀改善を叫び、淫風排除につとめ来ったため、若い男女間にはよほど風紀の粛正が進み、今日ではなんら特別の悪風を認め難くなったが、中年以上の既婚男女の間にあってはいまだ貞操観念の水準低く、原始的淫風のなお多少ながら残存することを認めざるを得ない。一例として人妻を姦し問題を起こした場合には、その問題を起こした者が一杯和解の酒を買って事を解決するというような習《ならわし》がある。

（「津山事件の展望」）

しかし悪習はなにも既婚者のみではなかった。当時少年犯罪研究の第一人者として知られた川越少年刑務所長白井勇松が、具体例として次のケースをあげている。

某は山梨県某郡某村の生計並通なる農家に生まれ、高等小学校を卒業し相応の生育を受く。性癖に於てやや軽率、粗暴の傾きを有するも、質素、淡白の美をも含み、やや「お人善し」の風あり。然るにその生育地は百数十戸の農家と、某合資製糸会社ありて百数十人の工女を有し、かつ工女等は終業後外出して、村の青年等と関係を結ぶ者多し。しかのみならず農家の子女及び婢僕《ひぼく》等も相共に夜遊びをなすを常とし、従いて村の青年等はたいてい十五、六歳に達せば、相関係せる女子を有せざるものなしというほどなり。而してその男女は神社仏閣の境内または路傍の暗所等に密会をなすも、父兄及び四隣はなるべくこれをとがめざるのみならず、青年等は相関係せる女子の居宅に於て密会し、あるいは家人の就寝後その子女の寝室に於て相会する等は、この村の一般風習にして敢て怪しまざるものの如し。本人も高等小学校卒業後村の若衆の仲間に入り、二、三の女子と関係しいたるが、その中の某女は他に情夫を有し、本人と別れんと考えいたるさいなるに、その女子の寝室に入りて押し問答の結果、家人に発覚せられ、また本人は他の女子の寝室に忍び行きたるに、たまたま家人が便所に起きしため発覚せられ、その意を達せず、せっかく忍び来るも目的を達せざるを恨み、その家の衣類を取り散らしたるため告訴せられ、家宅侵入窃盗未遂となりたり。本人は土地の風習上女の寝室に忍び入る等の行為は、ほとんど罪悪なりとは意識しおらざるものの如し。

（『少年犯罪の研究』昭和五年、巌松堂書店）

鳥取県某地方は淫風すこぶる盛んにして、某村の青年会は十二歳より二十五歳までの者はいずれも加入しており、時々会合を開き、相当の人より修養談を聞く反面には、買喰いに耽り、婦女を誘惑し、もって誇りとなすが如き模様ありて、ある者の如きは三、四人の情婦を持ち、その他の者にても一、二人の情婦を持たざるはなしという。当所に入監せる某は十七歳の者なるが、この青年会に加入以来その悪風に感染し、婦女を誘惑しこれと醜関係を結びたるはもちろん、ついに搔払《かつぱら》いの不良行為をなし入監するに至れり。本人は十五歳の頃より買喰に耽り、かつ婦女の歓心を得んがために他人の金円を窃取し、婦女の誘惑に関して一層の発展をなせりという。

（同）

前者は大正末期、後者は昭和初期における事例である。

十七歳(昭和八年)　ただ一人の友

この年最大の社会的事件は、三原山の噴火口に投身自殺者が相次いだことだった。

伊豆大島の三原山の大自然美を謳歌しながら、一月九日に噴火口上の煙と消えた実践女学校専門部生徒真許三枝子（23歳）を第一号とし、つづいて二月十二日には同校生徒で真許三枝子の友人松本貴代子が投身自殺をした。

これが伊豆大島観光ブームと相まって、火口投身自殺流行のはじまりとなった。「島の娘」「燃えるご神火」「大島おけさ」等の流行歌がかもし出すロマンチシズムと、厭世観との結合が生みだした現象である。一月以降四月までに自殺者六十名、未遂者百六十名に及び、三原山の名は自殺名所として全国に知られるようになった。

（加藤秀俊他著『明治・大正・昭和　世相史』）

都井の通う実業補習学校でもこれが話題になったが、都井は「噴火口は熱くてたまらんじゃろ」といったきりで、さして関心を示さなかったという。

　秋の終りに姉に再び縁談が持ち込まれた。相手は同じ郡内の高田村で農業を営む中島家の長男一郎だった。この前のことがあるので、みな子は都井にはなるべくわからないように気を遣ったが、同じ家にいて都井に知られぬはずがない。だがそれを知ったとき、都井は前とはちがった反応を見せた。

「姉《あね》しゃんはきれいじゃけん、もっとええところに嫁に行けると思うがの」

「なにいうとるね。もっとええとこってどんなとこや」。みな子は笑いながら聞いた。

「大学出じゃ。東京とまではいけんとも、岡山の会社に勤める大学出の嫁さんになれるん思うがの」

　これは理由のないことではなかった。満州事変によって軍需産業が活況を見せ、経済界の全般に波及効果をもたらして、国民生活は上向きになっていた。一時は失業者の代表とされ、「大学は出たけれど」の流行語まで生んだ大学卒の青年が、いまは産業界から引く手あまたで、適齢期女性の憧れのまとになっており、映画や歌謡曲はこれをテーマにして、いわゆる「花嫁物」のブームを呈していた。甘ったるい流行歌「二人は若い」は、まさにその象徴だった。

「百姓の娘が大学出の嫁になれるわけあらへんやないの。はんかくさいことといわんといて」。みな子は笑った。が、弟のそんな態度に内心ほっとした。そして縁談を承知した。

ところで津山事件から三年後の昭和十六年、東京浅草警察署に二人組の窃盗犯が捕まった。この一人内山寿という二十六歳の青年は、加茂五郷の某村の出身であり、事件前の一時期に都井と親しくして、都井を遊廓へ連れていったことなどを供述したが、すでに津山事件は終結していたところから、この記録はなんら顧みられないまま埋もれてしまった（あるいは軍部の指示で発表を差止められたのかもしれない）。

もちろん裏付捜査を行わなかったため、この陳述がすべて真実かどうかは疑問のあるところだが、日時など事実関係にかなり合致する部分があり、少なからぬ信憑性を備えているように思われる。

内山は都井より一歳年長で、昭和五年に村の高等小学校を出ると、二年ほど自宅で農業に従事した。その後、上京して川崎あたりの鉄工所に勤めていたが、やがて浅草界隈の不良の仲間となり、兄貴分の使いばしりなどをしているうち、警察の目がうるさくなったのでいったん郷里に戻った。都井睦雄と交遊関係ができたのは、この帰郷していたあいだのことで、孤独で友人のいない都井にとって、内山はただ一人の友人といえるようである。

内山の陳述によると、都井と知り合ったのは昭和八年の春で、場所は津山市の映画館だった。内山が売店で買ってきたセンベイをかじりながら映画を見ていると、隣の席にいた同じ年頃の青年が、うるさそうな顔をしていたが、やがてがまんしきれなくなったものか、別の席へ移っていった。それが都井だった。帰りの因美線の車中でも同じ箱に乗り合わせたが、都井が知らぬ振りをしているので、内山も知らぬ顔でいた。ところが下車したのが同じ加茂駅で、同じ方向へ歩き出したので、内山は「さっきはすまんかったの」といって並んで歩きだした。しかし都井は黙りこくっており、内山が話しかけてもろくろく返事をしない。内山は中っ腹になって、よほど殴りつけてやろうかと思ったが、内山が小造りなのにくらべ都井は体格がいいので、体力的にかなわないと思いとどまり、代りに財布の中から一枚の写真をとり出して見せた。それは兄貴分の風戸健が、自分の関係した女を裸にして撮影したもので、風戸はそれを浅草で密売していたのだった。

都井の眼がにわかに輝いた。歩きながら食い入るように見つめる。つまずいてころびそうになった。内山はおかしかった。

「なんや、見たことないんか」

「わしはじめてじゃけん」

「こんなもんなんぼでもある。家に来たら見せてやるけん」

「ほんまかの」

都井はそのまま内山の家までついてきた。内山は東京から持ってきた同じような何枚かの写真を、裏の納屋に都井を連れこんで見せてやった。都井は何度も何度も繰り返し飽かずに眺めた。

「ほしいんか」

「うん」。都井は正直にうなずいた。

「ほな売ってやらいでもないがの」

「なんぼじゃ」

「東京じゃったら一枚一円じゃが、半値に負けといたる」

都井は五枚を二円五十銭で買った。もちろんそのときは持ち合わせがなかったので、翌日内山が自転車で都井の家を訪ね、現物と引き換えに金を受けとった、これが二人のつき合いのはじまりとなった。

しかし内山が都井の家を訪ねたのはこのとき一回きりで、あとはすべて他の場所で会っていた。だから祖母も姉も内山のことを覚えていない。

十八歳(昭和九年)　『雄図海王丸』

みな子は三月十五日嫁入りした。

縁組みがあると、婿方の友人たちは嫁入り道具を運ぶ役を買って出ます。当日まずお婿さんの家で冷酒の振舞いをうけた青年たちは、手に手に青竹を持って花嫁の家に出かけていきます。花嫁の家の縁先には、もう嫁入り道具がきれいに飾られています。青年たちは二人ずつの組になって、綱でくくった道具を用意の棒でかつぎ出します。花嫁の家の前に嫁入り道具の行列が勢揃いしますと、まずこんな歌が出ます。

私しゃナ　行きます　両親さまよ　今度ナ　客で来るナーエ

行列は狭い町の中を五、六歩進んでは立ちどまり、立ちどまってはまた歌が出ます。

(稲田浩二・新井久爾夫『ふるさとの歌　岡山の民謡』昭和三十二年日本文教出版)

みな子の嫁入りで唄われたのは次のようなものだった。

うれしめでたの若松さまは
枝がな栄えて葉が茂るよ。
わたしゃゆきます
両親さまよ
ながのお世話になりました。
あとを案ぜずさっさとゆきゃれ
向うにゃやさしい親が待つ。
蝶よ花よと育てた娘
いまは他人の手に渡す。
他人からとて心配するな
かわいわが子の嫁じゃもの。
ここは大坂《だいさか》
ひとりは越せぬ
待ちて嫁ごの手を引きゃる。
こなた大坂
ひとりは越せぬ

こんど二人が歌で越す。
このはな廻れば高田が見える
あれが嫁ごを待つ家よ。
来たぞうれしや
門まできたぞ
えびす大黒出迎いに。
ごめん下され門番さまよ
通りますぞえ嫁ともに。
こなた中なる座敷を見れば
鶴と亀とが舞をする。
たんす長持つづらに皮具
渡しますぞえ嫁ともに。
たんす長持つづらや籠や
いっさい荷物を受けとりました。
千秋万歳楽
思うことはかのうた
鶴がみ門《かど》に巣をかけるよ。

この地方の古いしきたりによって行われる婚礼の間中、祖母は万感胸に迫って終始泣き通しだったが、祖母と並んで坐った都井は背筋をぴんと伸ばし、昂然と胸を張るようにして、もの珍しげに一座の光景を眺めていたという。

新郎二十五歳、新婦二十一歳、参会した人々は人形のように美しいと、異口同音に花嫁をほめそやした。

その夜都井は祖母と二人で、姉の嫁入った道を逆にたどって帰宅したが、都井は夜道を歩きながら竹久夢二の「花嫁ご寮」を、家に着くまで歌い通し、同行の近所の人たちを驚かした。人前で歌ったのはこれが初めてで、そして終りでもあった（邑久《おく》郡出身の画家竹久夢二は、この年九月一日信州富士見の療養所で死去）。

姉が嫁いでから、都井は再び孤独に陥った。実業補習学校はもちろん、青年会の集まりにも全く顔を出さなくなった。これは他人に対してばかりでなく、家庭内にあっても同様であった。自宅の天井裏を改造して一室をこしらえ、この狭い部屋に昼となく夜となく閉じこもって、日を送るようになった。祖母が折にふれて覗いてみたところでは、本を読むか、眠っているか、なにか物を書いているか、この三つの場合のどれかだったという。しかし子供に対しては別だった。都井は近所の子供たちを集めては、よくいろいろな物語を聞かせることを楽しみにし、子供たちもまたこれを楽しみにして、都井にはよくなついていた。

彼の語るストーリーは、少年倶楽部、キング、富士、講談倶楽部などで読んだ小説を子供向けに直したもので、都井の話術はなかなかに巧みだったから、子供たちにかなりの人気を博した。都井は自分の読んだものを、子供たちに効果的に物語るために、それを自分なりに再構成してノートに書きつける習慣で、こうした努力が子供たちを惹きつけた原因とみられ、その意味で、彼は少なくとも子供たちに対してはきわめて誠実であり勤勉だったといえようか。その中でも、明治時代の小説家である矢野龍渓の作品『浮城物語』は、都井のお気に入りだったようだ。子供向けに改作する作業を毎日少しずつ進め、ある程度分量がまとまると子供たちに読んで聞かせ、さらに先を書きついでいったらしい。当時高等小学校の一年生としてこの物語を聞いた武井信夫の記憶によると、「ナントカ丸という題の雄壮な冒険活劇で、低学年生にはちょっとむずかしかったらしいが、わたしたちの年代にはおもしろい物語だった」と述べている。

現在残っているのは『雄図海王丸』と題した四百字詰原稿用紙四百一枚に及ぶ長編で、筆蹟は都井本人のものと確認できないが、物語自体はまさしく『浮城物語』そのものである。


里帰りした姉みな子は、祖母いねから弟の行状を聞かされて、いつものようにやさしくたしなめた。

「畑仕事もせんで毎日ごろごろしていけんやないの。おばやんはもう年なんやから、あんたが仕事をせないけんのよ」

「わし百姓はきらいじゃ」

「百姓の総領が百姓をきらってどうするね」

「きらいなものはきらいじゃけえ、せんかたないけんの」

「ほな、なにになる気ね」

「小説家になるんや」。都井はぼそりとことばを吐き出した。

みな子は笑わなかった。

「睦雄、あんたが百姓がきらいでもかめへん。小説家になりたいいうのも、うちは止め立てせえへん。だけんどなあ、いまごろごろしとるのはいけんよ。百姓が好かんかったら、なにかほかの仕事をしたらええのんや。そしてその仕事をやりながら、小説家になる勉強でもなんでもしたらええ。睦雄も十八なんやから、なにもせんで遊んでるのは、世間さまにも見っともないねん。そこを考えてほしいいうのんや」。姉のいうことはもっともであった。しかし都井にもいい分はあった。

「わしはもともと百姓は好かんじゃった。じゃから上の学校に進んで、勉強して、官吏か会社勤めをしよう思ったんや。そやけどおばやんが岡山の学校へ行くのはいけんいうて、許してくれんかった。上の学校へ行っとればいまごろはもう卒業や。なんにでもなれたんや。みんなおばやんがいけんのや」。これも一つの理屈であった。

「睦雄、すまんけんのう。わしが悪かったでな。かんにんやで」。祖母がこういって泣き出す。そうなるともう話し合いどころではない。都井はすべては祖母の責任だといいくるめ、それを免罪符のようにして、毎日を天井裏の自室に閉じこもって暮す日が続いた。

小説家になるといったことが本気なのか、それとも苦しまぎれのことばなのかは不明だが、『雄図海王丸』と題した改作をせっせと書き継いだことはたしかで、武井信夫たちはほとんど毎日、新しく発展するストーリーを聞かされたという。

十九歳(昭和十年)　オカイチョウと肺尖カタル

この年青年学校令が施行され、「男女青年に対しその心身鍛錬し徳性を涵養すると共に職業及実際生活に須要なる知識技能を授け以て国民たるの資質を向上せしむる」目的で、実業(補習)学校は青年訓練所と合併して青年学校となった。普通科、本科、研究科、専修科の四コースが設けられ、普通科は男女共に二年課程で、尋常小学校を卒業して高等小学校へも中学校にも進まぬ者が入学する。本科は普通科または高等小学校の卒業生が入学し、男子は五年、女子は三年課程である。研究科は本科の卒業生が入学して、男女共に一年間勉強することになっている。教科内容は修身、公民、職業(農業)のほか男子には教練、女子には体操と家事裁縫科が加えられていた。要するに富国強兵の壮丁教育である。都井は本科五年に編入された。村役場から通知を受けると、制服を購入してまじめに開校式に出席したが、義務制でないことを知ると、それっきり二度と登校しようとしなかった(義務制実施は十四年から)。

青年学校の教師は小学校の教員が兼任していたから、都井が小学校時代と人が変ったように怠惰で不真面目になったことが、職員室で話題になった。この中に最近転任してきた中田昭一という若い教師がおり、帰校の途中都井の家を訪ねてみた。都井は例の屋根裏部屋にこもったままなかなか顔を出さず、顔を出してもろくろく口をひらこうともしなかったが、何度か訪ねていくうちに、次第に重い都井の口もほぐれてきた。

都井は祖母のために中学へ行きそびれてしまったこと、青年学校は卒業してもなんらの資格ももらえず、また義務教育でないから行く必要を認めないことなどを、ぽつりぽつりとしゃべるのだった。

「それやったら資格をとったらええ」。中田はこういって専検の受験をすすめた。

専検とは専門学校入学資格検定試験制度で、これをパスすると中学校卒業の資格が与えられ、専門学校はじめ中学卒業の資格を要するすべての上級学校、及び職業を受験することができるもので、学歴のない者に対して開かれていた登竜門だった。

「専検はむずかしいと聞いてますけん」。都井はあまり気のりしない表情だった。たしかに専検の試験はむずかしく、合格率はヒトケタ台だった。

「そりゃむずかしい。ええ加減の勉強やったら、とても合格はおぼつかんやろ。しかしきみは小学校の成績が立派じゃったけん、一所懸命やれば大丈夫や思う。それになにも一度に全科目合格せんならんことないけんの。一年に一科目ずつ征服していけばええ。これなら楽なもんやろ」

専検は科目単位になっており、学力に応じて希望する科目から受験することができたから、何年がかりになろうと差支えはない。ただし全科目に合格しなければ資格はもらえず、単位合格のみでは無価値だった。しかし都井はそうしたシステムについては初耳だったので、少なからず気が動いた。全科目一度にというのでなければ、十分に成算があると思い直したのだった。都井は中田が師範学校時代に使った参考書を借り、また通信講義録をとって勉強をはじめた。

「姉《あね》しゃん、わしは専検の勉強をはじめたんじゃ。二、三年できっと合格してみせるけん」。里帰りした姉に、都井は胸を張るようにしていった。

「それはええ。睦雄は頭がええのんやから、合格は疑いなしや。頑張らにゃいけんよ」。姉は心から喜び、大いに激励した。

一時期、たしかに都井は受験勉強に励んだようである。これは姉みな子ばかりでなく、近所の人たちの証言からもわかる。四月、五月、六月と彼は参考書にとり組んだらしく、この時期例の「海王丸」も一時執筆を中止したとみえ、武井信夫も「あまり子供たちと遊ばなくなり、冒険物語の話もしなかった」と語っている。この熱心な受験勉強が中絶したのは、内山寿に再会したことも、少なからぬ要因をなしているとみてよかろう。

内山の供述によると、彼が都井に再会したのはこの年の六月の半ばのことだったという。彼は津山市内を歩いていて、本屋から出て来る都井を見かけて声をかけたのだった。

都井は初めびっくりし、ついでなつかしそうな笑顔になったそうである。

「なに買《こ》うたんや」。内山は都井の抱えている包みを見て聞いた。その口調は、岡山弁よりも大阪弁に近かった。

「参考書じゃ」

「なんの参考書やねん」

「専検の問題集じゃ」

「センケン？」内山はけげんそうに、「そらなんのこっちゃ」

都井は専検のなんたるかを簡単に説明したが、珍しく生き生きとしてうれしそうな表情だったという。

「ふうん、えらいもんじゃの」内山は率直に感心した。「それで資格とったらどうするんや」

「先生になろう思うとる」

「お前頭がええから大丈夫やろう」。内山はお世辞でなくいった。しかしなんとなく腹立たしくもあった。一種の羨望であり嫉妬だったのかもしれない。そこで内山は話題を変えた。

「あの写真まだ持っとるか」。二年前に売りつけた裸体写真のことである。

「うん、持っとる」。都井は津山駅へ向って並んで歩きながら、ちょっとまぶしそうな顔で答えた。

「それでオカイチョウはどないした」。それほど大きな声ではなかったが、都井は通行人を気にして顔を伏せた。

「あれから誰ぞとオカイチョウやったんか」。恥ずかしがる都井をおもしろそうに見ながら、内山は重ねてたずねた。

「やっとらん。わしやったことないんじゃ」

都井は顔をそらして、つぶやくような声で答えた。

「ほな、あないな写真見るのは毒やな。げんこつばかりじゃったら、からだにも毒じゃけんの」

げんこつとは自慰のことである。

「わしゃげんこつもせん」

都井は顔を上げて、いくぶん強い調子でいった。

「なにいうとるねん。オカイチョウの写真見て、いい若いもんがげんこつせんでいられるかいな」

「――」

都井は照れたように黙りこんだ。内山は内心でどや図星やろと思ったが、口には出さなかった。しかし自分のペースに引きずりこんだので、専検で受けた劣等感は消え、優越感がとって代っていた。

「お前やりたいやろ?」

「――」

参考書の包みを大事そうに抱えた都井は、黙って足もとを見つめて歩いている。

「恥ずかしがらんというたらどや。お前がやりたいいうならわいがやらしてやってもいがな」

「どないして」

都井は顔を上げて内山を見た。

「わいの知っとる女子《おなご》を紹介したる」

「ほんまか」

「ほんまや」内山はまじめくさってうなずいた。「けどここやないでえ。大阪まで来てもらわなあかん」

「なんで大阪でないといかんのじゃ」

都井はいぶかしい眼をした。

「大阪にはな、わいの知っとる女子がぎょうさんいてはる。よりどり見どりやでえ」

「なんでそんなに知っとるんじゃ」

「わいはいま大阪で働いとるんや。淫売の手伝いしとるさかい、女子ならうじゃうじゃいてはる。なんぼでもやらしてくれるでえ。ただし金は払わんならんがの」

「高いんじゃろ?」

「そら淫売かて、ピンからキリまでいろいろあるがな。せやけど津山や岡山の女郎屋に上るよりはずっと安い。同じゼニで二、三人は抱けるでえ。わいが知っとる女子やったらもっとまけるし、たっぷりさせてくれるがな」

「そやけど、大阪は少し遠いけんの」

都井は渋るようにいったが、その気が動いているのを内山は察知した。

「遠いからええのんや。知っとる人に顔見られんですむさかい。それに津山や岡山の女郎屋に上ってみい。初めての客やったらぎょうさんボラれ、なんぼゼニ持ってたかて足らへん。裸にむかれたいう話もあるんやでえ」

都井は帰りの汽車の中でも、ずいぶんと考えこんでいたが、加茂駅に着いて駅前で別れるとき、決心したようにいった。

「わし金用意するけん、金ができたら大阪へ連れてってくれんか」

それから二日後に、内山は都井を伴って大阪へ行った。そしていわゆる大阪の賤娼《せんしよう》街に都井を案内した。

天六の賤娼

俗に天六の賤娼と呼ばれ、天神橋筋六丁目市電停留場を中心に、東淀川区川崎町及び南長柄《ながら》町から北区国分寺町にかけて散在するもので、今日ではほとんど娼婦直接佇立《ちょりつ》して客の袖を引くものはなく、幼児を背にして子守の態を粧うて漫歩している女、割烹着《かっぽうぎ》を着け化粧道具を提げて入浴の態を粧う女などの客引きが、川崎町南東端の電車道への出口、あるいは長柄の墓筋の電車道以北に出没して通行の客を捕え、媒合《ばいごう》の場所に至る道すがら約定を取決める。笑価は客の風采によって、約七拾銭乃至一円と思えばよいが、中には一円五拾銭などと吹っかける場合も往々ある。媒合宿は抜け露地の中の廻り角とか、表入口の向側は他家の裏板塀である家とか、長屋ではあってもちょっと人の気のつかぬ表口を構えたそれのみに使用する独立の場所とか、市区改正前の長柄貧民街の面影を留めているところの木賃宿の一室などである。

闇から闇を潜行して行かねばならぬ賤娼の運命は、稼笑場所のはげしい変遷を示し、絶えず次から次へと流れ移ってゆくのであるが、大正の末年ごろからこの区域内で比較的長期にわたって営業を続けているのは、川崎町の南東端に位置する年中小屋掛の見世物興行が行われている空地から、阪神浦江線に抜ける露路の東側に、古びた姿を残しているバラック建三軒続きの平屋である。

この露地は二方へ出口を持った小路で、街燈の光も僅か一個の闇の中に、附近貧民街の主婦である年増女が十人近くも一様に乳呑児を背負うたり抱いたりすることによって、要なくして長時徘徊するに便した格好の客引を使用し、笑価五拾銭乃至七拾銭の受渡しを済まして、三軒長屋中央の板戸を開いて案内する。

畳半畳敷きほどの土間を上ると、板張りの床に薄べりをしいた二畳の玄関、奥には四畳半ほどの部屋に長火鉢が一つ見えるのみなので、ここが寝室なのかと想像させるのであるがそうではなく、玄関の板壁に垂直に打ちつけられた舟梯子式階段を指して、案内の女は上へ登ることを指示してくれる。足を掛けるともう頭がつかえるほど低い天井板が、その部分だけぽっかり上から引き開けられて、三尺ほどの高さの間隙を持った天井裏に達する。とにかく畳二畳敷もない広さに仕切られた天井裏の密室であるから、頭を突っこめばもう眼前に一人の賤娼が、例の「おいでやす」といった肉体を敷布団の上に仰向けに横たえている。

もしなんらか正常でない性交を要求する時は、応ずるに従ってたちまち三拾銭五拾銭と小刻みに報酬を請求し、追加また追加で一瞬といえども稼笑時間を早く切揚げようとする。

十人近くの客引女が競って客を案内するのであるから、笑売繁忙を極める時間に至ると、舟梯子を降りる男と第二の男とが玄関で顔を合わせ、互に苦笑を洩らしつつ天井裏の密室と表へと呉越同舟の袖を分つほどであるから、病毒の泥沼に身を投じて天井裏の売笑地獄に喘いでいる賤娼自身には、過激な肉体労働の嘆きは深刻を極めたことであろう。

川崎町地内の有名な大染織工場の混凝土《コンクリート》塀に囲まれたほの暗い街頭では、あたかも夜に生きる梟《ふくろう》のように眼ばかり輝かした賤娼が、通行人にひっそりと嬌視と微笑を見せて近づき、「遊んでいきなはれな」式のきっかけから、附近の木賃宿へ案内する。

裏口から共同便所ほども大きい彼らの向厠の鼻をつく異臭の襲来と、同宿者の変に押し黙った嘲笑とも見ゆる無数の視線の襲撃を浴びて、三畳敷の一室に導かれるのであるが、隣室からは小児を口汚なく罵る声、大声にお題目を唱えているダミ声、それらに交って赤ん坊の号泣の叫びを破って皿茶碗の叩きつけられる凄まじい物音、とにかく一切がわあんと耳を圧して、とうてい落ついていられるものではない。これらの賤娼は年齢も四十近い人妻のみであるが、案外真実な家庭の母を思わせる善良さを看取させ、熟柿臭い酒気を吹きかけるといった釜ケ崎方面に見る頽廃的なそれの面影は全然ない。

釜ケ崎の賤娼

釜ケ崎あるいはガード下の賤娼とも呼ばれる。あまりに有名すぎる存在である。旧住吉街道をさしはさんで西成区八田町、東田町、東西入舟町一帯にわたる、大阪の下水の貯溜場にも比される今宮貧民街一帯に分布している散娼である。

モルヒネ中毒患者の死んだように佇立している関西線のガード下を抜け、アスファルト舗装の住吉街道から足一歩貧民街に入れば、蜘蛛の巣に似た露路から露路へと縦横に交錯した小路が展開して、氾濫した下水の悪臭、襁褓《むつき》のアーチ、首から上をすっかり瘡蓋《かさぶた》に覆われた幼児に、痿《しな》びた胸を露出して哺乳している眼のかすんだ母親の姿に、あたかも象徴されるところの醜汚そのものの巣窟にほかならない。

木賃宿の情景はさらに淫靡と乱倫の真赤な華だ。特別室に納まった男女の客、寝につくころたちまちあがる女の悲鳴にも、同宿者の顔にはまたかといった卑しい笑いが浮かべられるだけで、婦女誘拐常習者の犯罪は支障なく遂行される。同室の独身労働者によって実行される交互手淫、四国遍路姿の物乞いを看板として使用するための、購われたものか誘拐したものか、とにかく十歳にも満たない少女を寝室に迎え入れる×××。

醜汚顔を背けなければならぬこれらの事実も、彼らは唯必然的欲望の結果として実行しているにすぎない。それらが常住茶飯事である奇形層に生まれる賤娼、考えるまでもなく如何に賤劣を極めた、社会のどん底生活を露わに表現しているものであるかを、想像すべきである。

その西方に位置する賤娼にあっては、住吉街道を中心として随所の街頭に立つ客引によって、自家または共同特定の場所、あるいは木賃宿の一室である媒合所に導き、最低約五拾銭の笑価を要求するのであるが、客引である男はほとんど全部娼婦と同棲する夫であって、客を送りこむや今度は見張人と変り、稼笑中の安全を謀《はか》る有様は、常態の社会人には尠《すくな》くも想像は許されぬ境地であろう。

娼婦の年齢は二拾乃至四拾五歳くらいの者が大部分を占めているが、若い綺麗な娘を世話するなどと偽って案内に立った五拾婆が、その場に至るやたちまち娼婦に変化するという悪辣なのもあるけれど、そういうものは矢張り自然淘汰の篩《ふるい》に掛けられて、全くの浮浪者相手の最下等の娼婦へと転落して行かねばならぬ運命にある廃軀なのである。そのいずれもが多くは独立した散娼であるに引換え、東方に位置する八田町、東田町方面に出没するものは、いずれも組織的営業を続けるもの多く、殊に誘拐常習者の手によって、三円乃至拾円という驚くべき人身売買価の犠牲として売飛ばされて来たところの、憐れむべき二拾歳前後の無垢の娘を駆使して、惨憺たる売笑地獄の鞭の乱打下に喘がせているような、いわゆる淫売宿を形成しているものを見ることが出来る。

また木賃宿の宿泊者のみを目的として、毛布一枚の娼婦が枕片手に、室から室へと稼笑を続けている風姿も、木賃のみに見られる特殊風俗の一つであろう。

（武俠社発行『犯罪科学』昭和五年十二月号所載、平井蒼太「大阪賤娼誌」）

内山は東京から加茂谷に逃げ帰ってから、当面上京するのは危険だと考えて、この大阪の賤娼街で走り使いや見張りなどをして生活していたもので、当然賤娼たちの何人かとは性的な関係もあった。だから内山にしてみれば顔であり、ここで都井に女を教えてやろうとしたという。もちろんこれは警察に対する申し立てであって、それが友人としての善意から出たものか、童貞の都井を揶揄《やゆ》半分に連れ出したものか、あるいは金を巻き上げる下心があってのことか、そのへんのことはわからない。しかし内山がここで都井に約束を果したことはたしかだと陳述している。

私は二年前に都井に会ったあと、少ししてから大阪に来て、釜ケ崎を振り出しにあちこちと、大阪市内の賤娼街を渡り歩きました。自分としては一カ所に住みつきたいと思っとるのでありますが、警察の手入れを食って女たちが挙げられてしまうと、女たちにくっついて生活しとる自分たちも食えなくなりますので、転々と場所を変るわけであります。

都井を連れて行ったときは、天六におりましたから都井をそこに案内したわけであります。私があちこち案内してやりますと、都井は初めのうちは喜んでついて回っておりましたが、そのうちこんなところは好かんいいだしました。いくらなんでもひどすぎる、これほどとは思わんかった、あてがはずれたというような意味のことをいいだしたのであります。

そこで私は心配するなというて、私が根城にしていた北国分寺町の木賃宿「賀茂八」に連れていきました。賀茂八は郷里の加茂に名前が似ているので、三カ月ばかり前から住みついたのですが、このへんの木賃宿の中では真ん中くらいではないかと思います。部屋数は十以上あったようでしたが、いまはっきりとは覚えておりません。ここには淫売が六人住みこんでおり、私はこの女たちのために客引きや、見張りや、使い走りをしてやって稼いでいたのでありますが、この中の二人の女と関係がありました。名前は一人がスミ江といい十九歳で、もう一人は初子という二十八歳の女でした。もちろんこれは相手がいったことで、名前も年齢もほんとうかどうかわかりません。年齢はサバを読んでいたと思いますが、私がそれまでにつき合った女たちの経験からいって、スミ江の十九歳というのはほんとうではなかったか、という気がしております。

私は都井を賀茂八に連れてきて、スミ江を抱かせてやろうと思ったのですが、折悪しくスミ江は客を拾いにでも出かけたらしく留守でした。しかし初子はいてちょうど客をとっている最中だったので、私は初子が客を送り出すのを待って、都井を連れて初子の部屋に行きました。初子は客を送り出したあとなので、赤い長襦袢だけのしどけない恰好で、万年床に寝そべって煙草をふかしておりましたが、私が戻ってきたのを喜んでくれ、私がいないとなにかと不自由だという意味のことをいいました。

都井は私のうしろに、大きなからだをちぢこめるようにして、行儀よく坐っていましたから、私は都井を前に押し出すようにして初子に、これは私の友人だが筆おろしをしてやってくれと頼みました。初子はちょっと半信半疑のような顔で、都井にほんとに童貞なのかと聞きましたら、都井は赤くなって照れ笑いをしながら、ほんとうだというようなことを申しました。すると初子は大いに喜んで、それではよく教えてあげるから私に委《まか》せなさい、という意味のことを申しましたので、私はそれでは頼むといって、都井を残して自分の部屋に引き返しました。

ちょっとして初子がやってきて、都井がルーデサックを使用したいといっているが、自分の買い置きを切らしたので、一つ持っていないかと申しますので、私もいま郷里から帰ってきたばかりで持っておりませんでしたので、都井に金を出させて私が近くの薬屋から、一打《ダース》入りのを一箱買ってきてやりました。そのとき都井はこんなに要らんといいましたが、私はこれでも足らんかもしれんぞというてやりました。

間もなく初子がやってきて、笑いながら終ったと申しますので、都井がほんとに童貞だったかどうか、自分としても興味がありましたので、私が初子にどうだったかとたずねますと、初子は吹き出しまして、ルーデサックをかぶせてやっている途中で、都井が昂奮のあまり遂情してしまったので、少し休んで都井が再び昂奮するのを待ち、それから性交を遂げたといい、都井のことをたしかに童貞だと申し、とても喜んでおりました。

私が行ってみますと、都井はシャツ姿で万年床の中に寝ころがっておりましたが、私がどうだったとたずねますと、都井は寝ころがったまま照れ臭そうに、ただうんとだけいいました。そこで私が重ねて、これでお前も一人前の男になったなと申しますと、都井はまたうんとだけいいました。

その晩都井は初子の部屋に泊り、翌日の昼ごろの汽車で大阪を発ちましたが、私は梅田駅まで送って行き、駅前で別れました。（内山調書）

このあと都井は夏から秋にかけて二、三度大阪を訪ね、内山の紹介で何人かの淫売婦と関係したが、十一月に入ってからばったり足が絶えた。内山は十二月の二十七日に帰郷し、実家に正月用品などを届けて二十九日に大阪へ戻るため加茂駅に来たところ、下り列車から降りてきた都井と遇会した。都井の大きなからだは、乗降客の少ない加茂駅ではすぐに目についたが、都井は妙にしょんぼりして、のろのろ改札口を出てきて、内山が声をかけるまで、まるで彼の存在に気づかぬ様子だったという。

「どうしたんや。このごろさっぱり大阪に来《き》いへんやないか。オカイチョウにあきたんか、それとも夜這いで間に合《お》うとるんかいな」

内山がいつもの大阪弁で問いかけると、ふだんでも青い顔は白っぽく、なにやらうつろな感じで、大儀そうにいった。

「それどころじゃないけん。わし病気なんじゃ」

「番切りサック使うとるさかい、病気に罹るはずおまへんやろ」

「それとは別じゃ」。都井は胸が痛みでもするように片手をあてて、「肋膜が再発したらしいけん」

内山が聞いたところによると、都井は十月終りごろから、微熱が出て疲れを覚えるようになった。大阪の賤娼を抱いたので悪い病気をもらったのかと思ったが、自覚症状としては、かつて患った肋膜炎に似ていた。そこで津山の病院で診察を受けてきたのだという。事実のちの警察の調べによると、この時期都井はあちこちの病院歩きをしており、確認されただけでも加茂町の只友医院、津山市の大谷病院、中島病院で診察を受けている。

「ほな早く病気を治すこっちゃな。治ったらまた来てんか。女たちが待っとるけんのう」

内山は岡山弁と大阪弁のちゃんぽんでいい、青い顔の都井の肩を元気づけるように叩いて別れた。生まれてからこれといった病気をしたことがなく、健康そのものの内山には、都井の悩みなどわかるわけがなかった。

このとき都井は津山市の中島病院の診察を受けて帰ってきたところだった。診断は軽度の肋膜炎だった。これまで診てもらったどの医師も、全く同じ診断だった。そして異口同音にこういうのだった。「たいしたことはないが、あまり動かぬようにして、少しの間養生したほうがいいだろう」

肋膜炎というのは俗称で、医学的には胸膜炎という。胸膜というのは、胸壁の裏側と肺の表面とを二重に被っている膜で、この二重の胸膜にはさまれた腔所を胸膜腔といい、この胸膜腔に生ずる炎症が胸膜(肋膜)炎である。多くは結核性で、側胸部や背に疼痛《とうつう》を起こす。胸膜腔に滲出《しんしゅつ》液の溜る型を湿性、溜らない型を乾性というが、都井のは乾性であると告げられていた。

しかし都井は釈然としなかった。というよりも医師たちの診断を疑っていた。というのは、かつて肋膜炎を患ったときは、背中に少なからぬ疼痛を覚えたのだが、こんどは別して痛みはなく、その他の症状だけが似ているのだ。この点を医師に訴えてみたが、現在のは軽症だから痛まないのが当然と、軽くしりぞけられるのが例だった。果してそうだろうか。病人なら誰しも抱く疑心暗鬼、実際以上に自分の病状を重くみる心理が、都井の場合はやや偏執的だったようである。

都井が地元西加茂村の万袋《ばんだい》医院を訪ねたのは、その年も押し詰まった十二月三十一日のことだった。村にただ一軒の万袋医院は農山村の開業医の例に洩れず、内科外科小児科胃腸科となんでも屋の典型的な村医者である。そんなところが都井を敬遠させて、最後まで訪れる気になれなかったのかもしれないが、前の肋膜炎のときはここにかかっていたのだから、どうもこのあたりの心理はよくわからない。万袋道三医師は、田舎医者ながら腕には定評があり、西加茂尋常高等小学校の校医としても信頼されていた。

「わしんとこも二十八日でご用納めだからな。急患以外は受けつけんぞ」

和服に寛いでいた万袋医師は、冗談半分にいいながら、和服の上に白衣を羽織って、住まいから診察室に出てきた。看護婦代りの細君が招じ入れた患者は、体格はいいがひどく青白い顔の青年で、妙に思いつめたような表情をしていた。

塩田検事の報告によると〈都井は身長五尺五寸、体重は十六貫もありそうな堂々たる体格で、容貌もまた相当美しく、片頬にえくぼがあり、女のようにしとやかに話すなど、いわゆる人好きのする青年だったという。しかし幼時より顔色蒼白、またその目は変質的な光を放って若干の凄みを帯び、かつ陰性神経質（憂鬱性）の性格を反映して、面上に一種の暗さを漂わせ、人と対談するときも最初はちょっと顔を上げているが、間もなく伏せてしまい、またときどき意味もなくにやりとするのが癖だった、といわれている。さらに付け加えれば、元来無口ではあったがもののいい方は相当上手で、ことに事件直前の彼は、虚言も相当平気で吐くようになり、いわば陰性の巧言家といったような風であった〉とされているが、これは事件のもたらす先入観で、さきの「環境風土」の説明同様に少なからず誇張や一面的な偏りがありそうだ。残っている写真を見ても、なるほどがっしりとしてはいるが、それほどの美青年とは思えず、むしろ平凡で温和な顔立ちといえよう。その他のことも人によっては、かなり異なる証言がなされている。

万袋医師は入ってきた青年を椅子にかけさせながら、持ち前の磊落《らいらく》さでいった。

「どうしたんだ。明日が正月だというのに、えらく不景気な顔しとるじゃないか」

青年は与えられた椅子に浅く腰をおろし、顔をうつ向けかげんにして、低い声を出した。

「なんや熱が出てからだがだるいですけん。また前の病気がぶり返したんとちがいますじゃろか」

「前の病気ちゅうのはなんじゃの」。万袋医師はことさら加茂訛りで聞き返した。

「肋膜ですけん」。青年は青ざめた顔をこわばらせて、神経質なものいいをした。全身これ憂鬱のかたまりという印象である。

「前に肋膜やったんか」

「学校卒業したとき先生に診てもろうて、肋膜じゃいわれましたけん」

「そうじゃったかの」

万袋医師は患者が都井睦雄であることを思い出した。そして都井に上半身裸になるように命じた。栄養状態は普通である。まず胸と背中を指で打診してみた。なんらの異常も認められない。ついで聴診器をあててみた。右肺尖にかすかなラッセル音が聞きとれた。脈膊を計ると七十二で正常、体温は最高が三十七・一度から二度。

「いつから気分がよくないんじゃ」

「しばらく前からですけん」

「食事はどうだね。三度三度食べてるか」

「そら食べてますが、なんや前ほどは食えんような気いします」

「半分ぐらいにでも減ったか」

「それほどでもないですけん」

「そうか」

万袋医師はうなずきながら、ドイツ語でカルテにペンを走らせた。


主訴、発熱と全身倦怠。

既往及現症、一見顔貌稍々《やや》蒼白、体温最高三七・一―二、脈搏に異常なし、食欲稍々不振、栄養は普通、右肺尖には打診上変化なけれども、聴診上軽微なる囉音《らおん》を認むるの外著変なし。

診断、右肺尖加答児《カタル》。


そんな医師を盗み見るようにしながら、都井はそそくさと脱いだものを身に着け終ると、おずおずとたずねるのだった。

「先生、どんなもんですじゃろ」

「少し右の胸がやられとるの」

ペンを置いて万袋医師は振り向いた。都井は無言のままやはりというようにうなずいた。

「軽い肺尖カタルだからたいしたことはない。そんなに心配せんでもいい。しばらく野良仕事は休んで、うまいものでも食って、適当に散歩でもしとれば治る。そんないいからだしとるんだから、すぐに病気のほうで逃げていくじゃろ」

「はあ」。都井はおぼつかなげにうなずいた。医師はカルテに戻って処方を書いた。
①乳散石灰一・五g、アミノピリン〇・三g、ジアスターゼ〇・五g、乳糖一・〇g、
右一日量分三包食間服用
②健末〇・三g、重曹三・〇g、ジアスターゼ〇・五g、グリセロ燐酸石灰〇・五g、
右一日量分三包食後服用
「薬は一週間分出しておくから、なくなったら取りに来なさい。そのときに経過を見るようにしよう。たぶん長くはかからんじゃろう」
「はい」
万袋医師は微笑していった。

「女はいかんぞ」

「?――」

「治るまでは慎んだほうがいい。といっても若いからそうもいくまいが、まあ、ほどほどにすることだな。はげしいのはいかん」

医師は磊落に笑った。都井は来たときよりも悄然とした姿で、のろのろと診察室を出て行ったという。

二十歳(昭和十一年)

ほんまの味

正月元日が若水汲みで始まるのは、西加茂村も例外ではなかった。若い男が一番早く起きて、いろりの埋み火を火種にして提燈《ちょうちん》に火をともし、注連《しめ》飾りをつけた手桶、新しい杓、打蒔《うちまき》米を持って井戸に行き、東方に向って祈念をしてから水を汲み、これを若年様に供え、ついで茶釜に入れて湯をわかし、朝祝いの儀式のお茶として、家族一同飲むのがしきたりである。若年様というのは別名歳徳神ともいい、加茂五郷だけに見られる独特のもので、床に米俵と種籾《たねもみ》俵と二俵並べ、これに新しい莚《むしろ》を四つ折にしてのせ、この上に新しい桶（年桶と呼ぶ）を置いて祭ったものである。二つの俵は睾丸、莚は陰嚢、年桶は陰茎、注連は陰毛に見たてたもので、つまり歳徳神は女神だから、男子の雄物を供えるというならわしなのだ。

しかしこの年の元旦に、都井睦雄は夜が明けても起きようとはしなかった。

「睦雄、なにしとるんじゃ。はよ若水汲んで若年様に上げないけんぞ」

祖母いねがさきに目を覚まして促した。都井は瞼《まぶた》を開けたが寝返りをうって、祖母に背を向けてしまった。一家にとってたった一人の男子である都井は、物心ついたころから若水汲みをやらされてきた。すでに十数年来の役割である。これまでに一度も欠かしたことがなかった。祖母は都井の肩をやさしくゆすった。

「睦雄、寝呆けとったらあかん。はよ起きて若水汲まないけん」

「そんなもんどうでもええ」。都井は背を向けたままいった。

「なにいうとるんじゃ。はよお供えせんと、若年様がお腹立ちになって、お正月さまがお出でなさらんぞい」

「わしは肺尖カタルじゃ。病人なんじゃ。静かにして寝てるのじゃ」

都井は一気にまくし立てるようにいい、布団の中に頭までもぐりこんでしまった。祖母は仕方なく自分で若水を汲んだ。そして女の身で罰が当りはしないかと恐れ、すまんこってす、かんにんしてつかあさいと詫びながら、汲んできた水を若年様に供えたという。

年始の挨拶に来てこれを聞いた姉みな子は、年頭から叱言はいけないとは思いながらも、都井に対して意見をした。他のことならともかく、若水汲みを祖母にさせたのは許せないと、珍しく強い語調で責めた。

「ほな姉しゃんはわしが死んでいいんか」

「だれもそげんこというとらんよ」

「わしは肺尖カタルなんじゃ。安静にしとらないけんいわれた。若水汲みなどしたらからだに悪い」。姉のいうことなら従順に従う都井も、このときは青い顔でこういったきり、ごろりと炬燵に寝ころんで、黙りこんでしまった。

松の内が過ぎてから、万袋医師は貝尾部落の某家から往診を頼まれて出かけたが、都井も同じ部落だったことを思い出して、帰りがけに都井の家に寄ってみた。

祖母は出かけており、都井が一人で炬燵に寝そべって、少年倶楽部を読んでいたが、万袋医師の姿を見てのろのろとからだを起こした。

「その後気分はどうじゃの」。万袋医師は縁側の陽溜まりに腰をおろしてたずねた。風もなく小春日和の暖かさだったことを覚えている。

「別しておんなじですけん」。都井は相変らず蒼《あお》白い顔で、ものうそうに答えた。医師がわざわざ様子を見にきてくれたというのに、感謝も恐縮したふうもなく、むしろわずらわしそうな表情だった。

「おんなじなら薬をとりにこないけんぞ。薬が切れたのにとりにこないから、どうしたか思うてな、ちょいと覗いて見たんじゃ」

「はあ」。都井は気の抜けたように応じたきり、すいませんでもない。

「毎日なにしとるんじゃ」

「ぶらぶらしとりますけん」

「散歩はしとるか」

「はあ」

「こんなに天気がいいのに、炬燵なんかに入りこんでるのはいけん。畑仕事はやらんほうがええが、散歩ぐらいはせんといけんぞ。治る病気も治らんことになる」

「はあ」

「薬をこしらえといてやるからとりにきたらええ。わしんとこまで来るのも、ちょうどええ散歩になるけんの」

「はあ」

いったいこの男はなにを考えているのだろうかと思いながら、万袋医師は都井宅をあとにした。しかしそれから都井はきちんと薬をとりに来るようになったという。

都井の従兄弟に農業を営む寺井元一という男がいる。都井の両親が死んでいねが後見人になったとき、いねに頼まれていねの夫の弟都井恒太郎、都井の母の姉婿広田豊作の三人で、都井家の面倒を見る親族会を作って、なにくれとなくいねの相談に応じてきた。都井の家からは北へ一町ほど離れている。祖母いねは折にふれて訪ねてきたが、都井はめったに顔を出したことはなかった。ところが一月の終りごろ、都井がひょっこりやってきたので、寺井元一はどうした風の吹き回しだとからかった。

「ちょいと教えてもらいたいことがあって来たですけん」。蒼い顔をした都井はまじめな口調で切り出した。

「頭のええお前にもわからんことがあるんかの」。寺井元一は皮肉たっぷりにいってやった。しかし都井はあくまでまじめに、こんなことをたずねた。

「わしの親は肺病で死んだと聞いたんじゃが、こらほんまですかいの」

寺井元一はちょっとぎくりとしたそうである。だが、さあらぬていで反問した。

「だれがそないなこというたんじゃ」

「みんなそういうとるけん」

「みんなとはだれじゃ」

都井はそれには答えず、両親が結核で死んだことが事実かどうかと、執拗にたずねるのだった。寺井元一はほとんど怒らんばかりにして、その事実を強く否定した。そしてそんなやくたいもないことを気にしているから、病気でもないのに病気になってしまうのだ、と都井を叱りつけた。そこへたまたま寺井勲が来合わせた。同じ部落で農業を営んでおり、都井とも寺井元一とも遠縁に当る男だった。寺井勲は温厚な人物だったので、まあまあと二人の仲に割って入った。

「両親《ふたおや》が肺病やったらどうじゃいうんかの」

「じゃからわしも肺病になったんや。こら遺伝や。一生治らん病気じゃけん」。都井は蒼い顔で深刻そうにいい立てる。結核はたしかに今日とちがって治療が難しくはあったが、決して不治の病ではなかった。

「なにいうとるんかいの」。寺井勲は笑った。「遺伝やの不治の病やのいうて、そないなあほくさいことというなら笑われるがな。そら不如帰《ほととぎす》の浪子さんみたいな明治時代の話や。頭のええお前がいまどきそないなことを信じとるとはおどろきじゃ。ばかもええかげんにせえよ」

「病人の気持は病人しかわかりゃせん。元気な者はなんもわからんのじゃ」

「わしはわかるぞ。わしも若い頃に肺病を患ったけん」

「ほんまか」都井はおどろいた。「わしは初めて聞くけんの」

寺井勲のことばは嘘ではなかった。二十代の半ばに胸を病んだが、さいわいに軽症だったので、自宅療養で全治したのだった。

「お前がほんまに肺病やかて、必ず治るから安心せえよ。わしが証拠じゃ。こないにピンピンしとるけん」

「どないして治ったんじゃの」

「自然療法や。開放療法ともいうがの」

「詳しく教えてつかあさい」。都井はにわかに態度を改めて頼んだ。

「わしが下手げに説明するより、それを書いた本があるけん。お前は頭がええし本好きじゃから、自分で本を読むがええ」

寺井勲は都井を自宅に伴い、自然療法の本を貸し与えた。これは加茂町の郵便局長から借りてそのままになっていたもので、つまりマタ貸ししたわけである。大喜びで借りて帰った都井は、熱心にその本を読んだ。自然（開放）療法というのは、安静と栄養を基本にした自宅療養のことで、肋膜や軽症の結核患者を対象に説かれていた。なによりも栄養が第一であるというところから、都井は強壮剤として知られた「わかもと」の服用をはじめ、生卵を日に六個も飲むなどして、この本に書かれてある療法を実行しはじめたのだった。

都井は専検の受験勉強はやめたが、『雄図海王丸』は投げ出さなかった。これは子供たちに続きをせがまれたこともあったろうが、なぜか異常な熱心さで子供向けの改作作業を続けたようである。

二月二十六日、東京近衛連隊の一部青年将校が千四百名の兵を率いて、斎藤内大臣、高橋蔵相、渡辺陸軍教育総監ら要人を射殺、東京の中心部である永田町一帯を占拠した。いわゆる二・二六事件である。青年将校の一人である野中四郎大尉が岡山市出身であったため、県民の受けたショックも小さくはなく、祖母いねは「恐ろしや恐ろしや」と、神棚に燈明を上げてなにごとか祈った。しかし都井はなんらの影響も受けることなく、屋根裏の自室にこもって日を過ごし、『雄図海王丸』の筆を進めていた。武井信夫の記憶によると、この頃都井の物語を聞いていた子供たちのうち高学年の者が、作中人物のことを野中大尉に似ていると批判めいたことを口にしたが、都井は似ているけれども目的がまるでちがう、彼は天皇陛下のおんために世界を相手に戦うのであって、野中大尉など足もとにも及ばぬ大人物だ、と怒ったようにして説明したという。

都井は定期的に万袋医院に薬をもらいに行き、万袋医師はその都度都井を診察した。三月に入るとまず微熱がとれた。

「経過はいいようじゃの。間もなく治るじゃろ」

「そうじゃとええですけんが」

都井は相変らず蒼白い顔で、あまりうれしそうでもない表情でいった。三月中旬になると、ラッセル音も消失した。万袋医師は「漸次経過佳良にして、三月中旬より微熱もとれ、囉音も消失せり」とカルテに記入した。さすがにこのときは、都井もうれしそうに瞳を輝かせたそうである。

五月十八日、阿部定事件が起こった。都井は二・二六事件にはさしたる興味を示さなかったが、阿部定事件には大いに関心をそそられ、自宅で取っている新聞だけでは足りずに、自転車で加茂町の新聞店まで買いに行ったほどである。

荒川区尾久町一八八一尾久三業地内の待合で奇怪な殺人事件が発見された。同三業地の待合「まさき」こと正木しげ方へ一週間前、夜会髷に結った三一、二歳位の玄人らしい美人を連れ五十歳位髪を五分刈り、面長のいなせな恰好をした遊び人風の男が泊り込み十八日まで流連《りゅうれん》し、その朝女は外出したが男がなかなか起きる気配がないので不審を抱いた同家の女中伊藤もと（36）が、午後二時五十分頃、裏二階四畳半の寝室をのぞいたところ、意外にも男は蒲団の中で惨殺されていた。死体は窓側西向きに仰臥し細紐をもって首を絞め下腹部を斬りとって殺害、蒲団の敷布には鮮血をもって二寸角大の楷書で「定吉二人きり」と認《したた》め、更に男の左太股《もも》に「定吉二人」と書かれ尚左腕に「定」の一字が血を滲ませながら刃物で刻んである。外に便箋には「馬」と書かれているなど猟奇に彩られる悽愴な情景だった。かけつけた警視庁、裁判所の係官一行もさすがにこの有様に戦慄を感じ、近来の怪殺人事件として直に尾久署に捜査本部を設け、夜会髷の怪美人をこの惨殺犯人として各署に手配、大捜査を開始した結果同夜深夜に至り、被害者は中野区新井五三八料理店吉田屋事石田吉蔵（41）で、犯人は同家の元女中埼玉県入間郡坂戸町田中かよ事阿部定（31）と当局は断定し、その行方を追究中である。

（昭和十一年五月十九日『東京朝日新聞』）

これが事件の第一報であり、三日後に阿部定は捕まる。

荒川区尾久の紅燈街「まさき」方で中野区新井五三八料理屋吉田屋事石田吉蔵（42）と流連一週間、情痴の限りを尽した上同人を絞殺、怪奇な血文字を残したまま逃走した石田方の元女中阿部定（31）は、二十日午後五時半芝区高輪《たかなわ》南町六五品川駅前旅館品川館に大阪市南区南園町二〇九無職太田直（37）と偽名して投宿していたところを、高輪署の安藤部長刑事の検索により怪しまれ取調べの結果、大小二個の風呂敷包の中から肉切り庖丁と絞殺した石田のメリヤスシャツ、メリヤス猿又、例の紙包みが発見された事から、猟奇殺人事件の犯人と断定、高輪署に連行取調べの結果、犯行を自白したので捜査本部の尾久署に移されたが、品川館から引かれ行く際には、さすがは女、最後の身だしなみとして、上野広小路の古着屋小野方と芝区新橋の古着屋あづま屋方で買った鶉《う》模様のお召に纐纈《こうけち》織の名古屋帯をしめ、やつれ果てた頰にニヤリと笑いさえ浮かべていたそうである。石田を殺して待合「まさき」を出た時は五、六十円持っていたが、捕われた時は十六円五十七銭であった。警視庁は勿論近県警察部総動員の捜査網を潜って市内逃避行三日目、遂に凱歌を揚げた高輪署は勿論、尾久署の捜査本部では殊勲の安藤部長刑事を囲んで同夜は祝杯を揚げた。なお定の身柄は午後十一時尾久署の捜査本部から、警視庁に護送され、同夜はそのまま調べを打切って留置した。

（昭和十一年五月二十一日同紙）

この犯行に対して、その年の十二月二十一日に判決が下った。

お定の断罪の日がついに来た。〔中略〕事実審理及び論告弁論の両公判のときは、押すな押すなの騒ぎであったが、この日は前日来のみぞれと寒さに恐れてか、傍聴者はざっと百名、しかしその中には大審院の老判官、劇作家、数名の若い女性の一団も在り、寒さにふるえながら静かに開廷を待つ。

前回十二月八日の公判で、検事から殺人並びに死体損壊のかどで懲役十年を求刑された主人公のお定＝本名阿部定（31）＝は〔中略〕数名の看守に護られながら、ポンポンするフラッシュの間をくぐりながら、地下道から出廷する。〔中略〕細谷裁判長は陪席判事、酒井検事らと入廷、直ちに開廷を宣し、壮重な口調で「被告に対する殺人及び死体損壊罪について判決を言渡す」とて、主文をあとにし約三十分にわたり、長々と判決理由を朗読したのち、お定に対し懲役六年（未決通算百二十日）の判決を言渡し、将来を懇々と戒めた。　　　　（十二月二十二日同紙）

検事の求刑十年に対し六年という判決は、半分ちょっとの軽い量刑である。この判決理由を、裁判長は要旨次のように述べている。

お定は神田の畳職人の末子に生れ、幼くして学業に励まず、十五歳にして処女を失い、自暴自棄となり、それより交友を町の不良に求め、放縦のふるまい甚だしきために、父は社会の裏面を知らしむるにしかずと考え、大正十一年八月お定が十八のとき、横浜で芸妓となしたが、爾来お定は北陸、関東等を転々し、さらに大正十四年暮には自ら娼妓となり、再転して闇の女から陰の女として淪落《りんらく》の淵に身を沈め、たまたま昭和十年春名古屋市において、元中京商業校長大宮五郎氏の勧告援助により小料理店を計画し、その見習いのため吉田屋に女中奉公したが、好色多感な主人吉蔵と情を通じ、遂に家人に知られ、四月二十三日相次いで家出、各所に流連《いつづけ》、いったん別れたが愛恋思慕の絆たちがたく、再び五月十一日電話にて吉蔵を誘い、ついに同月十八日までまたも流連したが、独占欲から焦燥の念にかられ、これを絞殺したのみならず、死体までも独占せんとして損壊、さらに独占事実を他人に誇示せんとして敷布に「定吉二人きり」と血でしたため、自己の長襦袢に流血を塗って逃走したものであるが、当時お定は軽度の精神障害すなわち心神耗弱の状態にあったものである。(同)

阿部定事件がなぜかくもセンセーションを巻き起こし、人々の胸に強烈な印象を与えたのか。この答は簡単で、当時のマスコミがセンセーショナルに報道したからである。ではなぜマスコミがセンセーショナルに報道したのか。これは当時の世相を抜きにしては理解できない。阿部定事件の昭和十一年には、前述のように二・二六事件が起こっている。これをきっかけに軍部が台頭し、日本は軍国主義国家として、日支事変から太平洋戦争の悲劇に突入する。いわば日本の狂気の幕開けの時代であった。当時を知る作家の坂口安吾は、のちにこう語っている。

あのころは、ちょうど軍部が戦争熱をかり立て、クーデターは続出し、世相はアンタンたる時下であったから、新聞は反動的にデカデカ書き立てる。まったくあれぐらい大きな紙面を使って、デカデカと煽情的に書き立てられた事件は、私の知る限り他になかったが、それは世相に対するジャーナリストの皮肉でもあり、また読者たちもアンタンたる世相に一抹の涼気、ハケ口を喜んだ傾向のもので、内心お定さんの罪を憎んだものなどほとんどなかったろう。

誰しも自分の胸にあることだ。むしろ純情一途であり、多くの人々は内々共感、同情していた。僕らの身辺はみなそうだった。

あんな風に煽情的に書き立てているジャーナリストが、むしろお定さんの同情者、共感者というぐあいで、自分の本心と逆にただエロ的に煽ってしまう。ジャーナリズムのやりがちな悲しい勇み足であるが、まったく当時はお定さんの事件でもなければやりきれぬような、圧しつぶされたファッショ入門時代であった。お定さんもまたファッショ時代のおかげで、反動的に煽情的に騒ぎ立てられすぎたギセイ者であったかもしれない。

（文藝春秋新社『座談』昭和二十二年十二月創刊号所載「阿部定さんの印象」）

こうした阿部定事件が、二十歳の都井に与えたショックが決して小さくなかったことは、新聞切抜を何枚となくノートに貼りつけていたことからも想像できる。しかしこの事件に関して都井は、祖母にも姉にも一言も口にしてはいない。都井が阿部定事件について話したのは、ただ一人の友内山寿だった。内山の陳述によると、この事件が起こったころに、都井と二人で津山市の産業博覧会を見物に行った。四月八日に国鉄姫津線（延長八十六キロ、工費五百二十万円）が全通したのを祝って開催されたもので、新聞は未曾有の人出と報じた。この会場を見物しながら、都井が阿部定のことを話題にしたという。詳しいことは忘れてしまったが、「女子があないに男のもんを欲しがるとは知らんじゃった」と都井が深刻な顔で口にしたことが、内山の記憶に強く残っている。

「あたりまえじゃろが」内山は笑った。「女子はこれで死ぬほどええ気持にしてもらえるけんの」

「初子はそないなことなかったけん」

都井は大阪で何度か抱いた賤娼初子のことを口にした。

「淫売はだめじゃ、あいつらは商売じゃけん、オカイチョウやるたんびに気分出しとったら、からだがもたんけんの」

「普通の女やったら気分出すのんか」

「決っとるやないか。女子のからだはそないに出来とる。オカイチョウに男のもの入れられたら、こらえきれるもんやない。淫売は日に何人もの男を相手にするさかい、オカイチョウがすり切れて、よう気分出えへんようになったんや」

内山は自分でも妙な説明だと思ったが、都井は不得要領な表情で、

「そうか、淫売と普通の女子ではちごうのんか……」

「せやさかい、お前もしろうとの女子やってみたらええ。いっぺんしろうと娘とやったらわかる」

「娘でなあかんか」。都井は妙に真剣な顔で聞き返した。

「別に娘でなくともええ。かえって生娘やったら障子膜があるさかい、障子膜が破れるとき痛がるけん、お前がやってみるんやったら、おぼこでないほうがええやろ」。内山は岡山訛りと大阪弁をちゃんぽんに、もっともらしく助言した。

「障子膜ってなんじゃ」都井がけげんそうにたずねた。

「なんやお前知らんのか。生娘にはみな障子膜がくっついとる。初めて男が入れたときに破れるんじゃ」

「そら処女膜じゃろうが」

「そうや」

「障子膜と聞こえたけんの」

「そらお前の耳が悪いんや」

内山はこのとき冷汗をかいたという。彼は処女膜ではなく障子膜と思っていたのだ。だから彼はこの道の経験者としての権威を失いはしまいかと、少なからずあわてたのだった。

「とにかくやな、しろうとの女子とやってみんことには、オカイチョウのほんまの味はわからへんでえ。淫売のオカイチョウは、ただ入れたちゅうだけのもんや。げんこつとさして変らへん。淫売しか抱けんようじゃあかん。ほんまにかわいそうな気いするがな」

「そういうもんかの」

気落ちしたような都井の顔を見て、内山はやっと権威を回復した気になったという。

それから間もなく都井は、部落内の人妻寺井マツ子に情交を迫っている。寺井マツ子は池沢ツルの私生児で、西加茂尋常高等小学校の尋常科を卒業して、自宅で農業を手伝っていたが、大正十三年に同部落の農業寺井弘と結婚して、津山事件当時は夫との間に長男正（15）、次男万千男（11）、三男久（8）、長女ミツ子（1）の四人の子供があった。

津山警察署の黒田正雲巡査の素行調書によると、「行状良好ならず常に夫以外の男性と交際関係し、強欲なるうえ盗癖等ありて社会上の地位信用なし、窃盗なるも常習に非ず」と報告されている。

昭和十一年四、五月ごろ電燈の集金に睦雄方へ行ったとき、祖母が留守で睦雄一人宅におりましたが、病気でぶらぶらしているのに、六十五銭の電燈代を渡すと申し、私の側へ寄ってきて私の左肩にもたれかかって、関係してくれと何度もいいました。私は夫のある身であるからそのようなことはできぬと断りましたが、関係してくれねば殺すというふうに脅しました。私はそんな無茶なことができるものか、罪科《つみとが》もないのにといったら、殺してやるといっておりました。その日は逃げて帰りました。これは昭和十一年四、五月ごろの蕨《わらび》のころで、本年八歳の久が六歳のときで、それを背に負うておりました。これが最初でそれまでにはそんなことはなかったのです。その後田圃の帰りや私方で睦雄に会った時、私の側までついてきて、着物の上から私の尻の辺へ睦雄の前の方を付けて、もたれるようにしたことが三、四度あります。それで睦雄は得心がいったらしく、そのまま何処かへ行ってしまいました。〔中略〕

私が睦雄と私の夫弘と情交する時のようなふうにして関係したことは二度あります。これは夫に秘密にしてありますから、なにとぞそのおつもりで内聞に願います。それも無理矢理関係をつけられたので、恋愛関係等は絶対にありません。一度は昨昭和十二年五月ごろの午後一時ごろ田圃から私が帰って板の間におったら、睦雄が田圃の方から来て、板の間に腰掛けている私の前へ来て、私を倒し、私の前をまくって、無理矢理に自分のものを私の前へ当てました。私の方の中へは十分入らなかったと思います。当てたところくらいで気をやって、私の前の方を多少汚して、出来心ですまんことをした、堪《こら》えてくれ、というて帰りました。二度目はその年の七月ごろ田圃から帰って、午後二時ごろ昼寝をしておったら、座敷の上へ上ってきて、寝ている私の上に乗り、私の前を開いて自分の物を入れようとしました。このときも中に入らず、気をやって、その辺を汚してしまいました。私がこのようなことをして夫にもすまんと怒ったら、自分は時々こんな変な気になるので、すまんことをした、妻も貰わねばならんから、誰にもこのようなことはいわぬようにしてくれ、と謝りました。私はかようなことについて、お金や物を貰ったようなことは絶対にありません。睦雄が何か与えたように遺書に書いておるそうですが、そんなことは絶対にありません。〔中略〕

その後も寄り添ってきて、一人で得心しているようなことは時々あり、またやってるなあと気付いたことはありますが、弘が始終家にいるので関係をつけられるようなことはありませんでした。〔中略〕右のような次第でいつ関係を絶ったというようなこともなく、何故絶ったということもありません。昨年十一月ごろ大根を持って睦雄方へ行ったとき、無理におさえつけて関係してくれというたのが、最後かと思います。このとき

もちょっと腰を使っただけで得心したもようでした。（寺井マツ子調書）

一読して矛盾だらけの陳述であることがわかる。これは寺井マツ子が嘘を述べているからに他ならない。たとえばマツ子は、情交の代償として都井から金品を貰ったことは「絶対にありません」と述べているが、都井の凶器所持に関連して津山署の臼井警部補が事情聴取を行ったさい、都井はマツ子に現金五円と反物一反を与え、さらにマツ子から三十円貸してくれといわれたが、これは断わったと陳述している。のちに内山寿が都井から聞いたところによると、情交関係の生じたいきさつは、マツ子の申し立てとはかなり異なっている。五月の終りごろ、マツ子が都井宅へ電燈料の集金に行ったことはたしかだが、このとき都井は思いきって関係させてくれと頼んだところ、マツ子はただではいやだと答えた。そこで都井がいくらかと聞くと、いくらでもいいというので、五十銭を渡したところ、いまは子供を背負っているのでまずいから、子供を自宅に置いて出直してくるといった。

都井は五十銭をただ取りされるのではないかと思い、またマツ子が戻ってきたときに祖母が帰宅していたら困ると考え、マツ子について彼女の家まで行った。するとマツ子は背負っていた三男久をおろして他の子供に預け、都井を納屋に連れこんで、夫が帰宅すると困るから早くすましてくれとせきたて、短い時間で情交を遂げたという。

「なんや、ほな淫売と同じやないか」。内山が笑いながらいうと、

「相手の女も気分出したけん」

都井は大まじめに反論したというのだ。したがって寺井マツ子の供述における、夫と情交する時のようなふうにして関係したことは、昭和十二年になってから二度だけというのは偽りで、すでにこのときから確実な情交関係が生じていたとみられる。

寺井マツ子と関係するのに成功したことが自信をつけたのか、あるいはマツ子ではもの足りなかったのか、これ以後都井はまるで人が変ったように、部落内の女性に積極的に攻撃を開始する。西川秀司の長女良子（20）、次女智恵（18）、寺井政一の四女ゆり子（20）、寺井茂吉の四女由起子（19）、丹羽卯一の妹つる代（19）、岸田勝之の妹みさ（17）など、部落内の未婚の若い女性は軒なみだった。しかしいずれも不成功に終り、この年は暮れる。

二十一歳(昭和十二年)

徘徊する猟銃

正月四日、都井は大阪の内山寿を訪ねた。内山は昨年の秋から西成の木賃宿「松寿荘」に移っていて、都井は半日も歩き回って訪ねあてたといい、そのため多少疲れた様子はあったが、とても肺病患者とは見えなかったと述べている。肺病はもういいのかと内山がたずねると、都井はどうということはないと答え、元気そうだったという。さらにしろうと娘と関係したかと聞くと、どうもうまくいかんとばつの悪そうな顔をしたそうである。

このとき内山は阿部定の自供調書を見せた。これは阿部定が予審廷(現行制度にはない)で予審判事に対して供述した調書が外部に持ち出され、印刷されて非公然に売買されたもので、警察がその一部を押収して調書原本と照合したところ、内容が完全に同一であることが判明し、ますます値が上ったといういわく付きの地下出版本である。一説によると、研究のために特に調書の筆録を許可された精神分析学者の高橋鉄が、研究費欲しさにこれを少部数刷り、好事家に高値で密売したものが、さらに暴力団筋によって拡大再生産されたのではないかといわれるが、もちろん高橋は否定している。

内山はあるやくざ組織の兄貴分から、一冊五十円で売れと命じられて三冊預けられ、うち二冊をすでに売り、残り一冊も買手が決って金を持ってくるのを待っているところだった。

「ほんまにそんなのがあるんか」。話を聞いた都井は疑わしそうに聞き返した。

「あるからいうとるんや。お前がことのほかお定が好きやさかい、売る前に読ませてやってもええ」

「ほな、ぜひ読ませて欲しいけん」

それはちょうど教科書ぐらいの大きさで、和紙を二つ折りにして綴じた和本仕立てのもので、普通の本より大き目の活字で印刷した九十二ページの薄い本だった。表紙には『艶恨録』と書いた短冊形の紙が貼りつけてあった。

阿部　定

第一回訊問

本籍は名古屋市東区千種町通七丁目七十九番地

出生地は東京都神田区新銀町十九番地

問　検事より被告に対し、かような事実に付き、殺人及び死体損壊事件として予審請求になっているが、この事実に対して何か陳述することがあるか。

答　この時予審判事は被告に対して、本件予審請求書記載の公訴事実を読み聞けたり。

お読み聞けの通り事実相違ありませぬ。

問　どうして吉蔵を殺す気になったか。

答　私はあの人が好きでたまらず、自分で独占したいと思い詰めた末、あの人は私と夫婦でないから、あの人が生きておればほかの女に触れることになるでしょう。殺してしまえばほかの女が指一本触れなくなりますから、殺してしまったのです。

問　吉蔵も被告を好いていたのか。

答　やはり好いておりましたが、天秤にかければ四分六分で、私の方がよけいに好いておりました。石田は始終「家庭は家庭お前はお前だ。家庭には子供が二人もあるのだし、俺は年も年だから、いまさらお前と駈け落ちするわけにもいかない。お前にはどんな貧乏たらしい家でも持たせて、待合でも開かせ末永く楽しもう」といっておりました。しかし私はそんな生温いことでは、私も我慢ができなかったのです。

問　石田がそれほど好きなら、なぜ心中する相談を持ちかけなかったのか。

答　石田は始終私を妾《めかけ》にするというようなことをいい、冗談には死ぬなどといったことはありましたが、実際は二人で心中する気持などぜんぜんなかったし、私は石田の家の様子を知っておりましたから、心中することは考えてもみませんでした。

問 石田を殺す晩も死んでくれとはいわなかったか。

答 ぜんぜんさようなことはいいませんでした。

問 その晩石田は被告に殺されることを予期していた様子があったか。

答 予期していなかったと思います。もっとも十八日の午前一時ごろ石田が私に、お前は俺が眠ったらまた締めるのだろうね、締めるなら途中で手を離すなよ、締められるときはわからないが離すと苦しいからね、といいましたが、それは冗談にいったのだと思っています。

問 それは何故か。

答 それは以前石田の頸を締めながら関係すると、感じが良いと話したことがありましたが、五月十六日の晩私が石田の上に乗り、初めは手で石田の咽喉《のど》を押すようにして関係しましたが、手では少しも感じが出ないから、私の腰紐を石田の頸に巻き、私がそれを締めたり緩めたりして関係しているうち、下のところばかり見ていたため力が入り過ぎ、石田が「ウー」とうなり局部が急に小さくなったので、私は驚いて紐を離しましたが、そのため石田の顔が赤くなって治らないので、翌日まで水で顔を冷やしておりました。そんなことがあったため、十八日の午前一時ごろ石田が眠るとき、私に、さきほどのように締めるなら途中で離すなどといったのですが、私はそういわれた瞬間、自分に殺されても恨まないのかなと考えました。同時にそのとき私は「ウン」といって笑っておったのだし、石田も私の顔を覗きこんで笑いながらそういったのであり、また死ぬ気なら私に殺してくれというはずですから、冗談にいったのだろうと思いました。それですから、そのあと三十分くらい石田の眠っている傍に眠っていましたが、石田には殺すということをいわなかったのです。それに石田は私のからだが弱そうに見えるため肺病だと思っており、始終「オカヨ〔定の源氏名〕俺はお前のためならいつでも死ぬよ」などといっておりましたが、むろんみな冗談ごとでありましたから、その晩石田が私にいったことも冗談だと思ったのです。なお私が殺すつもりで、最初静かに石田の頸を締めるとき、「オカヨ」といって私に抱きつくようにしましたから、殺されるなどとは考えてもおらず、びっくりしたのではないかと思いましたが、私は紐を緩めず、心の中で勘忍してと思いながら、そのままキュウと紐を締めたのです。

都井が夢中になって読んでいるので、内山はどや、おもろいかと聞いた。都井はうんとうなずいたもののページから眼をはなさない。

「こらほんもんやでえ。調書をそっくり写した本やいう話や」。内山が重ねていうと、都井はやっと顔を上げて、

「わしもそう思う。いいかげんなもんとちごうけんの」。さきほどまでの疑わしさは、

まるで失われていた。

「ほんもんやから高いんや。そんじょそこらの猥本とは別やからの」

「いくらじゃ」

「五十円」

「五十円……」

都井はあっけにとられたような顔をした。少年倶楽部やキングが五十銭、単行本が一円から一円五十銭、高くて二円というところだ。したがってこんな薄っぺらい本が五十円というのは、まさに目の玉のとび出る値段である。都井はしばらく考えていたが、やがて決心したように、

「わしに売ってくれんかの」

内山はおどろいて聞き返したという。

「お前そんなゼニ持っとるんかいな」

「いまは持っとらん。けんど帰ったら送るけん。内金にこれだけ払っとくがの」。都井は十円札を一枚出した。

「せっかくやが買手は決っとるんや。こんど手に入ったら売ってやる」

都井はひどくがっかりしたらしく、蒼い顔がさらに青ざめた。内山は気の毒になると同時に、抜け目なく金儲けを思いついた。

「お前そないにこれが欲しいんか」

「欲しい。五十円でも高くないいじゃけん」

「ほな写したらどや」

「写す？」

「これは明日ゼニと引換えに渡すんやけんど、それまではわしのもんやさかい、そっくり写し取ったらええやないか」

「そらありがたい。けんどかまわんかの」

「ただではあかんぜ。なんせ五十円の本やからさかい、写させ賃として十円でどや」

「十円……」都井はちょっと考えてから「ほなそうさせてもらうかの」

都井はさっそく小学生用の国語のノートを買ってきて、内山の部屋で『艶恨録』を写しにかかった。しかしいくら九十二ページの小冊子といっても、ひと晩で全部を写しとることは無理である。都井はそうしたことを計算して、もっとも濃厚な（ということは事件のヤマ場である殺しのくだりだが）部分からとりかかり、時間が許せば他の部分にも筆を及ぼすことにした。そして結局他の部分は写しとれなかったのだが、都井はこれだけでも十分に十円の値打ちはあると、大いに満足そうだったという。

都井が筆記したのは次の部分である。

問 五月十六日石田の頸をしめながら関係した模様を述べよ。

答 その前十二、三日ごろ石田の咽喉を指でしめた事がありましたが、その時石田は「咽喉をしめる事は良いんだってね」といいましたから、私は「それではしめて頂戴」といい、石田と関係しながらしめて貰いましたが、石田は「何んだかお前が可哀相だから厭だ」というので、今度は私が上になって石田の咽喉を締めましたが、石田は「クスグッたいからよせ」といいました。

十六日の晩石田に抱かれていると、とても可愛くなり、どうしようかと判らなくなり、石田を嚙んだり息が止まるほど抱き締めて関係する事を思いつき、石田に「今度は紐で締めるわよ」といって、枕元にあった私の腰紐を取り石田の頸に巻きつけて、両手で紐の端を持ち、私が石田の上になって、情交しながら頸を締めたり緩めたりしていました。

初め石田は面白がってオデコを叩いたり、ときに舌を出すと同じ様なふざけかたをして、頸を締めると舌を出してふざけており、途中やめて紐を首に巻付けたまま酒を飲み、頸をしめながら関係するという具合にしており、少し頸をしめると腹が出てオチンコがピクピクして気持がいいものですから、石田にそれを話しすると「お前がよければ少し苦しくとも我慢するよ」といい、そのころは石田はヘトヘトに疲れてしまって、眼をショボショボしておりましたから、私が「厭なんでしょう、厭ならもっと締めるよ」というと、石田は「厭じゃない厭じゃない、俺の体はどうにでもしてくれ」といっていました。

なお紐を締めたり緩めたりして関係して、二時間ぐらいふざけているうち、十七日午前二時ごろでしたが、私が下の方の具合ばかり見て、つい力が入りギュウと頸をしめたため、石田は「ウー」と一声うなり、石田のオチンコが急に小さくなったので、私は驚いて紐を放すと、石田は起き上り「お加代」といったり私に抱きついて少し泣いた様でしたから、私は胸を擦《さす》ってやっておりました。しばらくしてから石田が「どうしたろう、頸が熱いよ」といい、頸が赤くなっており、眼が少し腫れ上り頸に紐の跡がついていたので、私は早速石田を風呂場につれて行き、頸を洗ってやったりしておりました。その時でも退屈のため、私が石田の局部をさわるとすぐ立ちましたから、シャブッたりなどしてやりました。石田の頸はとてもひどかったのですが、鏡を見てそれが判って、「ヒドい事をしたな」といっただけで、少しも怒りませんでした。

十七日の朝、柳川や酢のものを取って食べたり、石田に食べさせたりし、私だけ酒を飲みましたが、石田は人に顔見られるのが厭で、下に顔を洗いに行きませんから、水を持ってきてやってやさしくしておりました。

十一時ごろ私だけ酒を飲み、情慾が起きたので、石田のものを弄《いじく》っていると、石田は「出来ないかもしれないがしてやるからこちらへ来い」といいますから、布団の中で石田と関係し、くたびれてちょっと寝て起きると午後一時ごろでしたが、やはり石田の頸はなおらないので、私は「そんな顔では外に出られないから医者を呼んで来よう」というと、石田は「この前みつわで医者を呼んだ時にも、何か飲んだかと聞かれたくらいだから、今度医者に診て貰うと警察に届けられるから、止せ」といいました。

医者をやめて頸を冷したり、身体を揉んだりしておりましたが、少しも治らないので、晩方「薬買いに行ったついでに、薬局に相談して来るから待っていなさい」というと、石田は「薬屋にはお客が喧嘩して咽喉を締められ、頸が赤くなったといった方がよい」といったので、銀座の資星堂に行ってその話をして相談すると、薬局では「それは血管が腫れたのだから、静かに寝かせて流動物をとる外手当の方法はない。治るまで一、二カ月かかる」といいましたから、目の赤くなったのを治すため、目薬を一瓶だけ買って、「モナミ」という喫茶店に行き、夕食にチキンライスを食べ、コーヒーを飲み、土産に野菜スープと西洋菓子を買って、また資星堂に戻り「早い話が、水を薬瓶に入れて飲ませば気休めになりますから、何か薬を入れて下さい」と頼むと、薬局では「これを持っていらっしゃい」といい、三十錠入りカルモチン一箱を出し「三粒以上飲ませてはいけませんよ」といいましたから、それを買って七十銭払い、千疋屋《せんびきや》に立ち寄り一円四十銭の西瓜一個買って、午後九時ごろ「満左喜《まさき》」に帰りました。

石田は寝ていたがすぐ起き、私が薬局で聞いた話をすると、石田は「困ったな」といい「金がないからここの家にそう長くいるわけにもいかないしどうしようか」と少し悲観しており可哀相でした。その時は牛刀を忘れていったものですから、女中に庖丁を借りて西瓜を切り、石田に食べさし、女中にスープを温めて貰い、スープと一緒にカルモチン三粒飲ませました。

石田は朝柳川を食べただけでしたから、お腹が空いたというので、ウドンカケ一つ取って食べさせ、私はのり巻を取って食べました。石田は「カルモチン三粒くらい効かないよ」といいますから「皆飲んでも大丈夫よ」といいまた五粒飲ませ、しばらくクチャクチャ話をしておりました。その間石田は半身を私に抱かれていたので、私の手が自然と石田のオチンコにふれる様になってしまい、手がふれると石田のが大きくなりますが、進んで情交するほどの元気はありませんでした。

夜がだんだんおそくなってから、雑炊を一人前注文して、それと一緒にまたカルモチン五、六粒飲ませると、そのころから石田は眼をショボショボさせておりましたが、未だ寝ないで私に「ちょっと帰るより外仕方がない。勘定も足りないから」といい、「私は帰りたくない」というと「帰れないって、この顔でこの家にいれば、女中に見られキマリが悪いし、どっちにしても帰らなければならぬ。仕方がないから、お前は下谷《したや》の家が居心地悪ければ、なんとか都合してどこかの家にいてくれ」と情ない事をいいました。

私は「どうしても帰りたくない」といいますと、「それではこの勘定は借りておき、知合があるから湯河原へいって、お前と二、三日いてから、おトクを呼んで帰ることにしよう」といいました。「私はそれでもいやだ」というと、「そんなに何もかもイヤだってしょうがない。お前も最初から俺に子供のあることを知っていたのだし、ソウソウ二人で食付《くっつ》いているわけにもゆかない。お互に末長く楽しもうとするには、少しぐらいの事は我慢してくれなければならない」というので、いよいよ石田は一時別れる気だなと思い、私は少し声を出して泣くと、石田も涙ながらに私にいろいろ話をするのでした。

私は石田から優しくいわれるほどしゃくにさわって、石田のいうことを聞きわけようとする気はなく、どうしたら石田と一緒にいられるかという事だけしか考えず、石田の話は半分上の空で聞いておりました。

石田は「女房は家の飾り物だから、それほど焼餅を焼く事はない。商売するための方法を考えなければならぬ。お互にぐずぐずして家中に騒がれるほど、結局お互に損だ」といっておりました。

そのうち女中が前に注文しておいた鳥のスープを持って来たので、石田にそれを飲ませて、十二時ごろ二人布団に入りました。石田は元気ありませんでしたが、私が少しフクレていたので、慰めるため私の前を舐《な》めたり何かして機嫌をとってくれ、石田が上になって関係しました。

関係してから石田は「少し眠いから眠るよ。お前起きていて俺の顔を見ておってくれ」といいますから、私は「起きて見ておってあげるから、ゆっくり寝なさい」といい、半身を起して石田の顔の上に頬をすりつけていると、石田はウトウトとしておりました。

五月七日から十日まで石田と別れて、自分一人稲葉方にいた当時、石田の事ばかり考えて辛い思いをし、石田を殺してしまおうかしらという考えが出ましたがそれはすぐ他の気持に打消されていたところ、その晩石田からいろいろ聞かされ、頸を治すためには、将来二人が立ち行くためにも、一時別れなければならないといわれたので、石田の寝顔を見ているうち、石田が家へ帰れば、自分が介抱した様にお内儀《かみ》さんが介抱するにきまっているし、今度別れればどうせ一月も二月も会えないのだ、この間でさえ辛かったのだから、とても我慢出来るものでないと思い、どうしても石田を帰したくありませんでした。

石田は私から心中してくれとか、どこかへ逃げてくれといったところで、今まで待合を出させて末永く楽しもうといっていたし、石田としては現在出世したのですから、今の立場で死ぬとか駈落するとかは考えられませぬから、私のいうのを断ることは判りきっているので、私は心中や駈落はてんで問題にしていなかったから、結局石田を殺して、永遠に自分のものにする外ないと決心したのです。

問　熟睡中被告の腰紐で石田の頸部を緊縛した顚末《てんまつ》を述べよ。

答　石田がウトウトしている時、私は南枕に寝ている石田の右側に横になり、石田の右手は私の脇の下から背中の方へ延びて、私を抱える様な恰好になっており、私は左の手で石田の頸の方を抱える様な恰好をし、左手を左肩の辺りにおき寝顔を見守っていると、石田はときどきパッと目を開き、私がおるのを見て安心して、また目を閉じる様にしておったが、その間「オカヨ、お前、俺が寝たらまた締めるのだろうな」といい、私は「うん」といいながらうんにゃりすると、「締めるなら途中で手を離すなよ、後がとても苦しいから」といいました。

その時私は「この人は自分に殺されるのを望んでいるかしら」とふと思いましたが、そんなはずのないことは、いろいろの事から判りきった事ですから、勿論冗談だとすぐ思いなおしました。

そのうち石田が寝た様子ですから、右手を延ばして、枕元にあった私の桃色の腰紐を取り上げて、紐の端を左手で頸の下に差し込み、頸に二巻まいてから紐の両端を握り、少し加減して締めたところ、石田がパッと目を開けて、「オカヨ」といいながら少し身体を上げ、私に抱きつくようにしましたから、私は石田の胸に自分の顔をすりつけて、「かんべんして」と泣き、紐の両端を力一杯引き締めました。

石田が「ウーン」と一度うなり、両手をブルブル震わせ、やがてグッタリしてしまったので、紐を離しました。私はどうにも身が震えてなりませんから、卓子の上にあった酒の一杯入っているお銚子を取り上げ、ラッパ飲みに全部飲んでから、石田が生き返らないように、咽喉の正面の辺りで腰紐を堅く一度結び、残りの部分を頸にグルグル巻き付けて、両端を石田の枕の下に差し込んでおきました。それから様子を見るため下に降りたとき、帳場の時計を見ましたが午前二時ちょっと過ぎでした。

問　その後、被告が石田の陰茎、陰嚢を切り取り、左腕に自分の名を刻み込み、死体や敷布に血で字を書き残して「満左喜」を逃げた様子を述べよ。

答　私は石田を殺してしまうと、すっかり安心して、肩の重荷が下りたような感じがして、気分が朗らかになりました。

下に降りた時持って来たビールを一本飲んでから、石田の横に寝て、石田の咽喉がカラカラに乾いているようですから、石田の舌をなめて濡らしてやったり、石田の顔を拭いてやったりしておりましたが、死骸の側にいる様な気はせず、石田が生きている時より可愛らしいような気持で、朝方迄一緒に寝ており、オチンチンを弄ったり、ちょっと自分の前に当てて見たりしておりました。

その間いろいろの事を考えているうちに、石田は死んでしまったのだな、これからどうなるだろう、石田を殺しては自分も死ななければしょうがないか、など考えたり、十六日の昼ごろ、神田の萬成館にいる大宮先生宛の手紙を、「満左喜」の女中に届けて貰ったから、この事件できっと先生が警察から調べられるが、とんだ事をした、一目会ったらお詫びしようと思ったりしました。

石田のオチンコを弄っているうち、切って持っていこうと思い、額の裏にかくしておいた牛刀を出して、根元に当てて切って見ましたが、すぐは切れず、かなり時間がかかりました。その牛刀がすべって、腿の辺にも傷をつけました。それから睾丸を切り取るため、また嚢の元に牛刀を当てて切りましたが、なかなか切れず、嚢が少し残ったように思います。チリ紙をひろげて、切り取ったオチンコや睾丸をその上におきましたが、切口から沢山血が出るので、チリ紙で押えており、それから切り口から出る血を、左の人差し指につけて、自分の着ていた長襦袢の袖と襟に塗りつけ、なお石田の左腿に、その血で「定吉二人」と書き、敷布にも書きました。

次に牛刀で「定」という自分の名を刻み込んでから、窓にあったカナダライで手を洗い、石田の枕元においてあった「富士」という雑誌の表紙の包紙をはぎ、その紙に切り取ったオチンチンと睾丸を包み、乱れ籠の中に脱いであった石田の六尺褌を腹に巻きつけ、お腹のところへ肌につけて、オチンチンの包みを差し込み、それから石田のシャツを着てズボン下をはき、その上に自分の着物を着て帯を締め、すっかり支度をしてから座敷を片付け、牛刀の血は拭き取り、汚れものは新聞紙に包んで、二階の便所に捨てました。

ところが途中につかえたものですから、手を洗ってあった水や便所の手洗水を流し込み、まだ足らないので、下からもトタン桶に水を汲んできて、便所に流してキレイにしました。その際便所の手洗を逆さにして便所に水を流したため、その蓋を便所に落してしまいました。

すっかり仕度が出来てから、牛刀を新聞紙に包んだ物だけを持って、石田に別れのキッスをして、死骸には布や毛布をかけ、手拭で顔を覆い、石田の枕元に雑誌を拡げて、石田が読んだ様に見せかけておき、午前八時ごろ下に降りて、女中さんに「チョット菓子を買って来ますから、昼ごろまで起さないで下さい」と話し、「満左喜」の頼みつけの自動車屋を、自分が電話をかけて呼び、その自動車に乗って逃げました。

問　なぜ石田の陰茎や陰嚢を切り取って持ち出したか。

答　それは一番可愛い大事なものだから、そのままにしておけば、湯灌でもするときお内儀さんがさわられるに違いないから、誰にもさわらせたくないのと、どうせ石田の死骸をそこにおいて逃げなければなりませんが、石田のオチンチンがあれば、石田と一緒の様な気がして淋しくないと思ったからです。

なぜ石田の腿や敷布に「定吉二人」と書いたかといいますと、石田を殺してしまうと、これですっかり石田は完全に自分のものだという意味で、人に知らせたい様な気がして、私の名前と石田の名前とを一字ずつ取って「定吉二人きり」と書いたのです。

問　石田の左腕になぜ定と彫りつけたか。

答　石田の身体に私をつけていって貰いたかったために、自分の名を彫りつけたのです。

問 なぜ石田の褌や下着を肌に着けて出たのか。

答 その褌や下着は男の臭がして石田臭いから、石田の形見に自分の身体につけて出たのです。

都井は部落の若者たちとは全く交際をしないから、夜遊びや夜這いの仲間に加わることもなかったが、二月ごろから夜間一人で外出することが多くなった。もちろん祖母が寝しずまるのを待って出かけるのだが、祖母が小用に眼を覚ますと、一緒に炬燵に寝ているはずの都井のいないことがしばしばだったという。そして部落の者たちは、帽子をまぶかにかぶりマントをはおった都井を、夜道でちょいちょい見かけるようになった。都井が夜になると部落をうろつき回るようになったのは、夜遊びでもなければ夜這いのためでもなかった。他人の夜這いの実情を目撃し、部落の男女の性的人脈をその目で確かめ、動かぬ証拠をつかみ、そのうえで彼独自の性的行動を起こそうと企図したことが、間もなくこののちに彼自身の行動によって証明される。その行動の第一着手は、岡本和夫の妻みよに対するものだった。

岡本は隣接の坂元部落に住む樵夫《きこり》で、事件当時五十一歳、みよは殺されたとき三十二歳だった。塩田検事の報告によると、岡本は「馬鹿に近いお人よし」で、このためかどうか細君が何人もかわっている。岡本の兄菊一の証言だと、岡本が初めて妻をめとったのは二十三歳のときで、その後離婚と結婚をくり返し、みよは五人目の妻だった。みよは苫田郡香々美北村の生まれで、西加茂村大字楢井に親戚があり、ここをちょいちょい訪ねているうちに岡本と知り合い、いつの間にか同棲するようになり、正式な婚姻届は昭和十二年の八月に、岡本から役場に出された。みよの前身について詳しいことはわからないが、大柄で豊満なからだをしており、彼女が岡本のような二十も年上の五十男と、どうして一緒になったのか誰しも首をかしげたという。そして当然のように男関係の噂が流れた。岡本がみよから聞いたとして兄に話したところによると、みよと都井に交渉が生じたのは、昭和十二年の十月ごろだというが、みよが親しい女友だちに打ち明けたところでは、すでに春ごろから関係を持っており、そのいきさつは次のようだった。

三月初めの雨の降る夜、みよが炬燵でうつらうつらしていると、とんとんと雨戸を叩く音がした。彼女は夫が帰ってきたのかと思った。というのは、その日夫の岡本は泊りがけで岡山へ出かけていたからである。用事が早くすんだので、日帰りで帰宅したのかと思ったみよが、いそいで雨戸を開けてみると、雨の中に都井が立っていた。

「なにしにお出でなんした」

みよがおどろきといぶかしさを交えて聞くと、

「ちょいと話しがあっての。ここでは話がでけんよって上げてもらうけん」

みよがいいともなんともいわないうちに、都井はかってに家の中に上りこみ、濡れたマントを脱いで炬燵に入りこんでしまった。

「話ちゅうのはなんですけん」。みよも炬燵に入って、改めて聞いた。

「寒くて冷たくてかなわんけん、まずからだを暖めんとカゼをひく。話はそれからじゃ」

都井はそういって、マントのポケットから清酒の五合瓶をとり出した。みよもきらいなほうではないから、台所から湯呑み茶碗を二つ持ってきて、炬燵の上に並べた。そしてすすめられるままに、二人して飲みはじめた。

「今夜はおやっさんは岡山に泊りじゃろが」。都井が顔をうつ向けかげんにして、たずねるというでもなく、つぶやくようにいった。

「よく知っとるけんの。誰に聞いたんじゃ」

「昼間通りすがりに、おやっさんから聞いたんじゃ。加茂駅へ行くとこじゃったけん」

みよは都井について、いくばくかの噂を耳にしていたから、ちょっと妙な気がした。あまり人づき合いをしないというこの男が、うちの亭主にそんなことまで聞いたのだろうか。すると話というのは、そのときなにか亭主に頼まれごとでもされたのか。

「話ってなんじゃ」。みよは催促した。しかし都井はすぐには返事をせず、黙って茶碗を口に運んでいる。そしてまた口の中でつぶやくように、

「おやっさんがいんで、一人で寝るのは淋しいじゃろが」

「そないなこと大きなお世話じゃ」

「わしが一緒に寝てやるけん」

「あほくさ」。みよは腹を立てた。「なんの話か思うたら夜這いにきたんじゃな。女一人じゃからてばかにしたらいけん。こちとらおかどちがいや。早よ往《い》んでつかあさい」

「わし見たんじゃ」。都井がポツンといった。

「見たとはなんじゃ。なにを見たとよ」

「寺井のおやっさんが、夜這いにきたんを見たんや」

「……」

「寺井倉一が三日前の晩にきたやろ」

「あほくさ」。みよは笑った。「そないなことありゃせんがな。なんかのまちがいじゃ」

「わしはこの眼で見たんじゃ。あんたと抱き合うたとこもな。嘘いうてもだめじゃ」

みよが寺井倉一と関係のあることは事実だった。寺井倉一は今年六十一歳になるが、貝尾部落では随一の資産家で、しかも好色だった。みよは一度金を借りたが、それと相殺ということでからだを委せ、以来数回の交渉を重ねていた。

「倉一にさせたんやから、わしにさせてもええじゃろ」。黙りこんだみよの顔を、都井は上目使いにうかがいながら、相変らず口の中でつぶやくようにいった。

「それとこれは別じゃけん。ミソもクソも一緒にしてもろたら困る」

「ほな、倉一のことをおやっさんに告げてもええのんか」。都井は顔を上げて、勝ち誇ったようにいいつのる。

「そら困る」

「ほなわしにもさせ。させてくれたらなんもいわん」

「しょむないわ」。みよは笑った。「せやけど今晩だけじゃけんの。あとまたさせいわれても困る」

「今夜だけでええ。約束するけんの」

みよは都井のことばを信じて身を委せた。だが都井は約束を守らなかった。そして交渉は日と共に重なったという。

都井睦雄が岡山県農工銀行津山支店を初めて訪ねたのは、四月一日の午後三時ごろのことだった。

「なにかご用でしょうか」。勝手がわからぬ様子でもじもじしている都井に、窓口係の女子事務員が親切にたずねた。都井はほっとしたようにカウンターに歩み寄り、低い声で切り出した。

「わし、金を借りたいんですけん」

女子事務員はちょっとおどろいたという。借入申込みはたいがい地元役場の農事係などを通して行われるのが慣行となっており、個人でいきなり直接申し込むという例は珍しく、少なくとも彼女にとっては初めてのケースだったからである。彼女の取次ぎを聞いて、支店長もいくぶんおどろいたらしかったが、とにかく申込書を書かせるように指示した。都井は立ったままカウンターで、所定の年賦償還借入金申込書に、考えながら慎重にペンを走らせた。

一、借入金　六百円也　使用目的　畜牛購入

一、償還期限　十五カ年賦　昭和十二年十二月迄据置

「いつ借してもらえますかの」。書き終えた申込書を事務員に渡して都井は聞いた。

「抵当物件の鑑定とかいろいろ手続きがありますから、すぐというわけにはいかないと思いますけど」。気の早い人だなと思いながら、事務員は型通りに答えた。

「いつごろになりますじゃろか」

「さあ……はっきりとは申し上げられません」

「なるたけ早くしてつかあさい」

都井は事務員にばかていねいに頭を下げて出ていった。事務員は少々変った客という印象を受けたという。調査と鑑定はその月の十四日に、同銀行本店の書記古崎信雄によって行われた。調査の結果、本人の能力は完全であり、性行及び信用状態は中位、そし

て償還力の確否は「農業収入を以て償還し得るものと認む」と判定された。しかし本店における貸付稟議《りんぎ》の結果、都井の申込金額は二百円減額され、四百円が貸付けられることになった。抵当は三反歩の全田地である。契約によると、昭和十二年七月までは据置で、この間は利息だけを支払い、これ以後昭和二十七年七月までの十五年間に、元利金をなし崩しに年賦で償還する方式で、年賦金は三十九円七十六銭、これを二分して一月と七月の二回に支払うことになった。

「おおきに助かりましたけん。これでさっそく牛を買って働きますじゃ。ご恩は一生忘れませんけんのう」

その月の二十六日に、津山支店の窓口で四百円の現金を受けとった都井は、蒼い顔を笑顔で崩して女子事務員に礼をいった。この借入金はもちろん畜牛を購入するためではなく、といって一部で推測するように凶行の準備資金でもなかった。彼はこれを結核の治療費に充てるつもりだった。

医学博士であり、探偵作家であり、そして自身結核患者であった小酒井不木が、その体験と最新の医学知識によって書いた『闘病術』は、昭和初期における最良の結核啓蒙書の一冊とされているが、その中で療養費についてわかり易く説いている。

結核に罹って恐れることは、時とすると病気そのものの心配より、療養費の問題であることがある。中には「金がないから私は治らぬ」と、療養費の如何によって治、不治がきまる如く信じている人があるが、急性病ならいざ知らず結核の如き慢性病に至っては、如何に療養費が潤沢であろうとも、決して治癒すべきものではない。むしろ療養費が自由になるが故に療養の方針が一定せず、朝令暮改、浮草の如く療養地を変更したり、医師を替えたりして、ついには無駄な疲労と刺戟とによって、病気を悪化する例はしばしばある。

由来「肺病は金を食う」といわれ、ことさらに多額の療養費がなければ治癒せぬ如く思われてきたが、これは、

一、結核に対してはなんらの特効薬も無きことを知らず、上はドイツ何々会社製造にかかる新薬より、下はお稲荷さんのお水に至るまで、手当り次第にこれを購って服用し、無駄な費用をかけるため、

二、肺病と診察されたら、直に入院しなければならぬと思ったり、転地療養をしなければ治癒せぬものと誤解して、多額な療養費を消費するため、

三、肺病はなんでも贅沢な食物を食べなければならぬと思い、徒《いたずら》に高価な食物を摂るため、

などの結核の療法に対する無知と、古来いい慣された世俗の療養法を信じての結果である。

都井もまた当時の結核患者として、この例外ではなく、むしろ極端の部類だった。なによりも彼は万袋医院に通院しながら、万袋医師を信頼していなかった。だから自分なりに治療の方途を発見しようと試みた。寺井勲から『開放療法』を借りたのもその一例だが、効果が現われないとみるや、すぐにこれを投げ捨て、別な本に手を出した。こうして津山市の書店、古本屋、あるいは通信販売で購入した通俗療養指導書には、石神亨『通俗肺病問答』、岡崎桂一郎『通俗肺の養生及強壮法』、北里柴三郎『強肺深呼吸法』、竹中繁次郎『プレーメル氏最新式強肺の秘訣』、北里柴三郎『肺の健康法』、原栄『自然療法』、原栄『肺病予防療養教則』、遠藤繁清『通俗結核病論（予防及療養の指針）』、額田豊『病弱を転じて健康へ（結核の予防と最新療養法）』、岡田伊之助『最新研究肺病十大根治療法』、鳥潟豊『通俗肺病の予防と療法』、菊池林作、伊藤尚賢『肺病治療法五十種』、茂野吉之助『肺病に直面して』、有馬頼吉『結核の話』、原栄『肺病患者は如何に養生すべきか』、永井秀太『肺患者養生法秘訣』、茂野吉之助『結核征服』などがあり、都井はこれらすべてを読破していたようである。そしてこれらの本に紹介されている絆創膏療法、砂沈法、篦《へら》軽打法、懸垂法、マッサージ、水治療法、空気療法、日光浴療法、蒸気浴療法、灸点療法、静座療法などさまざまな方法を、一通りは試してみたらしい。

もちろん民間薬についても同様である。当時の民間薬としては、明治以来の蝮《まむし》の黒焼、縞蛇の黒焼などをはじめ、イボタの虫、ノミトリ粉、石油、すっぽんの生血、牛の生血、一ツ葉の実、ききょうの根、いちじく、へちまの水、たまねぎ、にんにくなどいろいろなものが、それぞれ特効ありと信じられており、都井はこのすべてとはいわぬまでも、手に入る限りのものは服用してみた形跡がある。あるとき万袋医院に来て腹痛を訴えるので、万袋医師が問いただしてみると、屠場で分けてもらった牛の血を飲んだという。またあるとき猛烈な嘔吐と下痢をしたので、祖母が青くなって万袋医師の往診を求めると、石油を飲んだ結果だった。都井がもっとも金を使ったのは、通信販売による結核治療薬だったようである。ペニシリンやストマイの発見されない時代であるから、結核に対する特効薬はありえないのだが、それがまた業者のつけめであって、新聞雑誌の広告を使ってさまざまな新薬、特効薬を派手に宣伝している。この時代に主流を占めたのはいわゆる「御礼広告」であって、その薬によって全快した患者のお礼の手紙を、れいれいしく掲載するものだった。

溺るる者は藁をもつかむとか、世にも恐ろしい不治の疾病とのみ信じていました肺病の私は、苦しい病魔の毒手に永い間翻弄《ほんろう》されました。神も仏もそして凡《すべ》てのものを呪っていました私にも人並以上に生の愛着はありました。若いホープに燃ゆる女の身空ですもの、どうにかして生きたい。その心はやがてあらゆる薬という薬の凡てを服薬しましたけれども、それらの凡てに裏切られ、ただあきらめ得ぬ生への執着に身悶えつつ、死の神の招きを待つのみでした。そのときつかみ得た救いの神の御主は、光明薬品本舗の結核秘薬でした。不思議にも服用三十日にして陰惨な気が晴れ、二ケ月にして喀血《かっけつ》が止み盗汗《ねあせ》去り、百二十日目には確実に全治し、現在の希望多き更生の身となりました。かく死の淵から回春の峰へ登り得た喜悦を同病のみなさまにお知らせしてお礼に代え升《ます》。

（非凡閣発行『実話雑誌』昭和十二年七月号広告）

こうした薬は医師にいわせると、すべて栄養剤と健胃・消化剤をベースにしたもので、結核に対するなんらの特効もない。そしてこれらの手紙には患者の住所氏名が明記されているが、ほとんどが架空かまたは金を払って使わせてもらっているものである。残されていた都井のノートに、この種の広告の切抜きがおびただしく貼りつけられているのを見ると、彼が熱心にこうした広告を比較研究していたことがわかる。そしてこの中の何種かを取り寄せて、服用していたのも事実だった。この種の売薬はえらく高価である。たとえば大阪の某社が発売していた鹿子丸、獣胆丸、猿胆丸は、いずれも二カ月分で八十円、割引特価で六十四円となっている。昭和九年の物価調査によると、当時の月収は工員で三十円から五十円、一般事務員が四十円から六十円、大学卒で百円というところだから、まさに目をむく値段である。にもかかわらず患者たちは藁をもつかむ心理から、金を工面して買い求めた。都井もまたこうした患者の一人で、祖母いねが近所の人に話したところによると、次々に買い漁ったらしい。広告及び薬価がたいがい二カ月単位になっているところから、一種類を二カ月服用してみて効果が現われないと、すぐに別の薬に切りかえるので、都井宅には次々と新たな売薬業者からの薬が郵送され、小包を届ける郵便配達夫が祖母に「また薬を変えたけんの」というほどだった。祖母はかわいい孫を業病から救うために、都井のいうなりに金を出していたが、ついにわずかな蓄えも底をつき、このままでは暮していけなくなると訴えた。

　これが借金の直接の理由だが、都井にはもう一つ目的があった。まとまった金ができたら、結核療養所に入ろうと考えていたのである。その証拠に都井は東京府豊多摩郡野方村の東京市療養所をはじめ、全国各地の療養所に手紙を出して、入所の手続を問い合わせたり、入所案内などのパンフレットを取り寄せている。しかし東京市療養所などの結核予防法によって設置された公立のものはいずこも定員オーバーの状態ですぐには入所できないとあって、私立でもやむをえないと考えたらしく、そのために大金を必要としたのだった。都井のメモに記されているのは、日本赤十字社の大阪支部療養所をはじめ兵庫、愛知、岐阜の各療養所、及び名古屋の済生会療養所、東京のガーデンホーム、神奈川県の白十字舎療養所であり、なかでも済生会が都井の希望らしかった。しかしこれは計画だけで、結局実行には至らなかった。姉みな子の話によれば、都井が療養所入りすれば祖母一人が残されることになるし、自宅療法で十分ではないのかと、祖母と姉で説得したためだという。中学進学を断念したときと同様に、都井はこのときも二、三日考えてからあきらめることにしたといい、二人をほっとさせた。

もっとも都井が断念したのは、祖母と姉に説得されたためだけではなかったように思える。彼としてはせっかく交渉の生じた寺井マツ子、岡本みよとの関係を、療養所入りで断ち切ることのほうが、より堪え難かったのではなかろうか。いずれにしても都井は、四百円という大金を握って、自宅療養を続けることになったわけである。これ以後の都井の生活ぶりを、近所の人たちは「贅沢」と評している。例の通信販売の売薬のほかに、栄養をつけるためにバターやミルク、さらにはバナナなどの果物などを、金にまかせてどんどん買い込み、自分で食べるだけでなく、彼のお話を聞きに集まる子供たちに惜しげもなく分け与えたという。子供たちの中にもそれが目当てで集まる者もあり、都井もまた子供たちを集めるために、それらの物をばらまいたともいえよう。これはなにも子供たちに対してだけではなかった。寺井マツ子と岡本みよに対しては、それ以上の品物を会う都度に与えており、マツ子に反物一反と五円贈ったのは、その一部に過ぎないようである。

五月になって徴兵適齢届の受付が始まったが、意外にも都井は初日に届け出ている。受付事務の担当者は西加茂村役場書記兵事係の西川昇だったが、都井は西川に面接したさい、開口一番こう切り出した。

「西川さん、わしは肺病ですけん。よろしくおたのみ申しますがの」

　このとき西川は二重の意味でおどろいた。ひとつは、西川は都井と同じ部落であるばかりでなく、道路をへだてて都井宅の西隣に住んでいるが、その日まで都井が結核とは知らなかったことだ。もうひとつは、結核患者などということはだれしも隠したがることであり、まして徴兵適齢届に病気を記入する者はいない。にもかかわらず堂々と自分から結核を宣言したのは、西川の長い兵事係生活で初めてのことであった。もちろん都井が孤独癖の変り者であると、人の噂で耳にしてはいたものの、まともに話し合うのは初めてであり、西川はこのとき都井の変人たるゆえんを実感したという。

　二十二日に津山市で行われた徴兵検査の結果、都井は予想通り結核で丙種合格となった。甲種と乙種はほんとうの意味で合格だが、丙種は実質的な不合格である。このとき同時に検査を受けた同じ村の青年の話によると、軍医から結核と宣告された瞬間、都井は泣き出しそうな顔で、

「軍医どの、ほんまに結核ですけんの？　もういっぺんよく診てつかあさい」

「きさまは日本帝国陸軍の軍医を疑うのか。きさまが結核であることはまちがいない。しっかり療養せい。そんなからだで帝国陸軍の兵隊がつとまるか」。軍医は大声でどなりつけた。都井は服を着ながらポロポロ涙を流し、その青年に訴えるようにいった。

「わしはやっぱり結核じゃった。田舎のヤブ医者の診立てちがいで、ほんまは結核やない思うとったんじゃが、やっぱり結核じゃったけん。肺病じゃったけん……」

徴兵検査後間もない五月二十五日、都井は久しぶりに帰郷した内山寿と共に津山市へ行き、津山市材木町の貸座敷業鈴本島方に登楼して、市丸という源氏名の娼妓を相手に遊んだ。代金は一円、都井は「苫田郡加茂村、商業、都井幸美、当二十三年」と詐称した。市丸は大正四年生まれで都井より二つ歳上だったが、自分と同い年か年長に見えたという。一度関係がすんでも都井は帰ろうとせず、もう一度させといった。市丸がお金さえ払ってくれればかまわないと答えると、都井は承知した。しかし都井はまだ自分の男性が回復しないので、市丸に口を使って回復を早めるように要求した。市丸がそんなことはできないと断わると、阿部定はやったんだからできないはずはない、女はほんとうはそれが好きなんだというので、阿部定は阿部定あたしはあたし、あんな変態女と一緒にしてくれるなといってやると、金はたっぷり払うからやってくれと、なおもしつこく要求した。市丸は金を弾んでくれるなら要求に応じてやらぬでもないと思ったところ、連れの男が外から帰ろうと声をかけたので、都井はあわてて帰っていったという。

六月初めの夕方、道路をはさんで都井宅の西隣に住む西川秀司の妻とめ（42）が、近所から自宅へ戻るとき、都井が自宅の石段の下に立っていた。

「そんなとこでなにしとるんじゃ」。とめが声をかけると、都井はうれしそうに、

「ちょうどええとこに来てくれた。頼みがあるけん」

「頼みとはなんじゃ」

「タンスを動かすんじゃが、手え貸してつかあさい」

「おばやんがいるじゃろが」

「用足しに出かけて戻らん。ちょっとでええから手え貸してつかあさい」

「しょうむないけんの」

とめは都井について石段を登り、家の中に入った。

「どないに動かすんじゃ」。とめがタンスの前に立って聞くと、

「そんなことせんでええ。それよりもわしにさせえ」。都井はそういいながら、背後からとめを抱きすくめた。

「なにするんじゃ」。とめは平手で都井の頬を殴りつけた。

「わしは知っとるけんの」都井は殴られた頬をさすりながらニヤリとして「あんた、寺井倉一にさせとるじゃろうが。わしにもさせ。あんなじんつぁまより、わしのほうがええけんの」

「そげんことだれがいうたんじゃ」。とめは色をなして問いただした。

「だれでもええがの」

「そうはいかん。うちは寺井のじんつぁまとはなんの関係もないけん。身に覚えのない

ことといわれては黙っておられんわい。さあ、だれがいうたんじゃ。うちが話をつけてやる。さあ、いうてみい」

「部落の噂じゃ。だれから聞いたちゅうわけでもない」

「それはおかしかろ。お前にそれを話した者がいるはずじゃ。その者の名をいうてみい」。とめの追及は論理的だった。都井はことばに詰まり黙りこんだ。

「それみい、いえんじゃろが。いえんのはお前が嘘をついとるからじゃ。お前は勝手ないいがかりをつけて、うちを犯そうとしたんじゃ」

「――」

「お前はえらい悪党じゃの」。黙りこんでいる都井に向って、とめはいいつのった。「お前は肺病で徴兵をハネられたんやないか。それやったら一日も早く病気を治して、お国のためにご奉公するんが若いもんのつとめやないか。それもせえへんで、肺病やいうてのらくらしくさっているんくせして、女に手え出すちゅうのはなんじゃい。それにうちは亭主持ちじゃぞい。人のかみさんに手え出すちゅうのんは、とんでもないこっちゃ。お前がそないに恥知らずとは知らんかった。こら強姦やからな。お前のおばやんに話して、駐在所にも知らせにゃいけん。このままほっといたらなにやらかすか恐ろしけんの」

「それはやめてくれ。おばやんや駐在に知らせるんだけは堪えてつかあさい」。都井は大いに狼狽し、どうしていいかわからぬふうだったが、突然畳に正座して両手をついた。「どうか勘忍してつかあさい。堪えてつかあさい。この通りですけん……」。都井は涙を流しながら、畳に額をこすりつけた。とめはこれを部落中に告げた。

この事件が都井の遺書の次のくだりと照応すると、警察当局では見ている。

自棄的気分も手伝いふとした事から西川とめの奴に大きな恥辱を受けたのだった。病気の為心の弱りしところにかような恥辱を受け心にとりかえしのつかぬ痛手を受けたのであった。それは僕も悪かった。だから僕はあやまった。両手をついて涙をだして。けれどかやつは僕を憎んだ。事々に僕につらくあたった。僕のあらゆる事について事実のない事まで造り出してののしった。

僕はそれが為世間の笑われ者になった。僕の信用と言うかはた徳と言うかとにかく人に敬せられていた点はことごとく消滅した。顔をよごされてしまった。僕はそれがため此の世に生きて行くべき希望を次第に失う様になった。病気はよくなくどちらかと言えば悪くなるくらいで、どうもはか〴〵しくなく昔から言う通りやはり不治の病ではないかと思う様になり、西川の奴はつめたい目をむけ、かげにて人にあうごとに悪口を言うため、それが耳に入るたびに心を痛め、日夜もん〳〵とすること一年、其の間絶望し死んでしまおうかと思った事も度々あった。

けれど年老いた祖母の事を思い先祖からの家の事を思う度に強く〳〵そして正しく生きて行かねばならぬと思いなおして居た。けれど病気は悪くなるばかりとても治らぬ様な気分になり世間の人の肺病者に対する嫌厭白眼視、とくに西川とめと言う女のつらくあたること、僕は遂にこの世に生くべき望み若人の持つすべての希望をすてた。〔中略〕そうして悲しみのうちに芽生えて来たのはかやつに対する呪いであった。これ程迄にかくまでに、僕を苦しめにくむべき奴にさげすむかの女にどうせ治らぬ此の身なら、いっそ身をすてて思いしらせてやろう。かやつは以前はつらかったのだが、今は何不自由なく活《くら》して居るからおごりたかぶり僕等如き病める弱きものまでにくみさげすむのだろう。にくめべにくめ、よし必ず復讎をしてかやつを此の社会から消してしまおうと思うようになった。

岡山県知事の報告（ということは警察の調査）によると、とめは「淫奔なる性を有し、とかくの風評あり」とされ、塩田検事は「とめは西川方に再婚し来りたるものなるが、性極めて淫奔かつ多弁にして、かつて同女が犯人に対し年頃だから虫がついたのかも知れぬと水を向けたるにより、情交を迫りたるに却《かえっ》て拒絶せられ、その後も同様情交を求めて拒絶に会い、かつ口喧《くちやかま》しく部落内に言触らされたるにより、最も深き恨を抱きたるものの如し」と報告している。しかしこの報告は鵜《う》呑《の》みにできないだろう。とめが部落民に告げた内容も事実に反する。自分だけいい子になるために、都井と情交のあったことを伏せて悪口のみをいい触らしたフシがある。都井は凶行の直前に、自分と関係のあった女たちについて、部落民に「ぶっ殺してやる」としばしば放言したが、このときとめとの性的交渉についても、具体的に明言しているのである。これによると、とめは初め自分から誘って関係し、その後何回か情交を重ねたが、都井の行状が目にあまり評判が悪くなると、いち早く関係を絶ち、自分も挑まれたがはねつけたと弁解して回ったのが真相らしい。したがって西川とめとなんの理由でいさかいが生じ、なぜ手をついてまで詫びたのか、ほんとうのところはわからない。

このもめごとからほぼ一ヵ月後に、蘆溝橋《ろこうきょう》事件が勃発した。『加茂町史』の「太平洋戦争とくらし」の項にはこう記録されている。

昭和十二年（一九三七）七月七日、中国北京郊外蘆溝橋において、日本軍は中国抗日民族統一戦線を率いる蔣介石軍に攻撃を開始した。この事件はいわゆる蘆溝橋事件といわれ、日中全面戦争の口火となるものであった。近衛内閣は戦争拡大のため軍隊を北京と天津周辺に集結させ、総攻撃を開始してこの年十二月には南京を占領した。この後戦火は中国全土に広がり、ここに昭和六年の満州事変から数えて、十五年の長期にわたる日中戦争に発展したのであった。この日中戦争（日華事変）にあたり、近衛首相は七月十五日の地方長官（知事）会議において、次のような訓示を与えた。
〔中略〕諸君は今次派兵の大義名分を広く各方面に徹底せしめ、中央地方を通じ官民の協力を一層促進して、真に挙国一致の実を挙げる様努力せらるると共に、一方国民に対しては飽くまで大国民たるの襟度《きんど》を持し、静平慎重以て時局に対処せしむる様配意せられんことを希望致す次第であります。

この訓示を受けて七月二十二日に開催された岡山県市町村長会議では、指示事項として①神社祈願の励行②動員準備の万全を期すこと③出征軍人の歓送・慰問④軍事扶助の四項目をあげ、近衛内閣の戦争政策遂行に全面的に従うことを指示している。〔中略〕

徴兵検査によって甲種合格となった者はただちに兵役に服したが、戦火の拡大とともに現役兵士のみならず、予備・後備兵にまで召集令状が発令され戦地動員となったが、残った人びとは銃後の国民として軍需工場に徴用されたり、あるいは大政翼賛運動の中で、神社祈願や軍人歓送に狩り出された。加茂町愛国婦人会では、金刀比羅神社や軒戸神社に参詣し、戦勝を祈願することが日課であった。特に戦いの神を祀る八幡神社は崇敬され、遠くは奥津神社や梶並村にまで出かけた。

これに対して都井はどういう態度をとったか。津山警察署長の事件後の報告によると、「昨年七月以来日支事変に付《つき》て部落よりの出征兵士の歓送及び武運長久祈願等に一度も参加したることなく、近隣にして今次の被害者寺井孝四郎（86）より注意を受けたる事実あり。狩猟と称して外出し得る程度の健康を保持したるに拘《かかわ》らず、日支事変に全く関心を有せざりし」とある。また役場兵事係の西川昇は「出征者の見送りに出ぬことは病気であるという理由で、同人はまた青年団の交際等にも決して顔を出さなかったが、当時同人は顔色肉付共によく、かつ自転車で相当重い荷物を持って、一里や二里の道なら平気で用を足していたことなどからして、同人が見送りに出ないのは病気のためでなく、全くその変質的性格の故だと思っていた」と述べている。

都井は出征兵士の見送りには出なかったが、部落内の女たちのところへは、まめに顔を出していた。蘆溝橋事件の勃発した二日後に、岸田勝之の母つきよ（49）を訪ねている。寺井マツ子の供述によれば、

「岸田つきよが昨夜も睦雄が来て、自分の道具を突っ張って、関係を付けてくれといって困ったと、昨年七月十日ごろの一番草取りのころ婦人たちが草取りをした時に、多勢の前でいっておるのを私も聞きました。十円札の手の切れるようなものを押し付けて、これで関係してくれというたが、そんなことをするのなら、この金を祖母さんのところへ持っていって、話をするぞというたら帰ったという話も聞きました」ということである。西川とめの場合と同様に、岸田つきよも都井の要求を拒否したと公言している。しかしのちにこれに対抗して、都井が放言したところに信を置けば、岸田つきよもまた都

井と関係を結んでいる。岸田宅は戸主勝之が海軍志願兵として呉海兵団に入団中であり、家族は未亡人の母つきよ、長女みさ（18）、次男吉男（13）、三男守（10）の四人だった。都井は長女みさを狙って夜這いに入ろうとしたところ、母のつきよに見つかってしまった。そこで十円札を出して、これでみさとさせてくれと頼んだが、ばかなことをいうなと拒否された。都井はそれならばあんたでもいいわいと、つきよに乗り替える気になると、それも断わられた。そこで寺井倉一にはさせとるくせになんじゃというと、つきよはちょっとおどろいたが、早く帰ってくれと押し出そうとした。そこでこんなになっていて納まりがつかんと自分のものを引っぱり出してみせると、つきよは土間にゴザをしいて都井を受け入れ、終ってから十円札を受けとったというのだ。そして以来数度の交渉を持ったという。次に都井が狙ったのは、寺井好二の母トヨ（44）である。トヨもやはり未亡人で、寺井倉一と不倫の関係にあり、これをタネに易々と関係を結ぶことに成功した。もちろんトヨにも代償として金品を与えている。しかしトヨも他の女たちと同様、都井に情交を迫られたことは認めたが、その都度撃退したと吹聴している。もちろんこの間、寺井マツ子と岡本みよとの関係も継続していた。

七月の終りごろに、都井は津山市二階町の片山銃砲店から二連装の猟銃を七十五円で購入した。そして猟期に入るのを待ちかねて、十月二十七日に津山警察署に出頭して、乙種狩猟免許を受けた。このとき係官の質問に対して、免許取得の目的・理由などについて、大要次のように説明している。

一、私は結核患者なので労働を禁じられているが、散歩などの軽い運動は療養上不可欠である。

一、しかし国家非常のときにぶらぶらと単に散歩するのも申しわけなく、また体裁も悪いので、兎など小動物を仕止めて、自給自足の足しにすると共に、毛皮を軍装品の原料として当局に献納したい。

一、私は丙種合格だが、健康が回復したあかつきには、直ちに入隊する覚悟でおり、そのとき一人でも多く敵兵を倒せるように、射撃の腕を練磨しておきたい。

係官は「病身でありながら殊勝な心掛けである。大いに頑張るように」と激励して免許を下付した。都井の遺書によると、この猟銃を購入したことが凶行準備の第一着手であり、司法当局も同様に解釈しているが、これは大いに疑問である。この時点では、都井の胸にある種の憎悪は芽生えていたかもしれぬが、それはまだ憎しみの段階に留まり、まだ殺意にまで凝縮していなかったのではなかろうか。この段階で銃を購入した真の理由は、第一に銃を所持することによって、西川とめたちに無言の圧力をかけて、彼女たちの悪宣伝の口を封じること、第二に金品でもなびかぬ若い娘たちを、銃で脅して自由にすることの二点ではないかと考えるのが、自然のように思える。その証拠に遺書では「殺人に必要な道具を準備」するのに「ようやくして大部分の品をととのえた。之までととのえるにも色々と苦心した。人に知られてはいけない、親族や祖母、姉等に知られてはいけない。そうして極力ひ密を守った」と書いているが、実際は遺書とはうらはらに、これ見よがしに銃を携帯して部落内を歩き回り、関係のある女たちばかりでなく、その夫や寺井倉一たちにまで、こんど猟銃を買ったと見せて歩いているのだ。これは女たち本人のみならず、関係者に対する明らかな牽制策といえよう。

都井はこれによってエロスの夢の実現を企てたのかもしれないが、彼の狙いは裏目に出た。銃をかついで闊歩《かっぽ》する彼の姿は、肺病や好色乱倫以上の畏怖を女たちにもたらし、かえって女たちから疎まれる事態を生じた。都井は寺井マツ子について、遺書にはこう書いている。

病気になる以前は親しくして、僕も親族が少いからお互に助け合って行こうと言っていたが、病気に僕がなってからは心がわりしてつらくあたるばかりだ。はらがたってたまらなかったがじっとこらえていた。あれほど深くしていた女でさえ、病気になったと言ったらすぐ心がわりがする。僕は人の心のつめたさをつく〴〵味わった。けれど之も病気なるが故にこの様なのだろう。病気さえ治ったら、あの女くらい見かえすぐらいになってやると思っていたが、病気は治るどころか悪くなるばかりに思えた。医師の診断も悪い。そうする中に一年たったある日マツ子がやってきた。僕は何時もにらみ合っていずに、少し笑顔で話してもよいがなと言ってやった。するとマツ子の奴は笑顔どころかにらみつけた上鼻笑いをし、さんざん僕の悪口を言った。故に自分もはらをたて、そう言うなら殺してやるぞとおどし気分で言った。ところがかやつは殺せるものなら殺して見ろ、お前等如き肺病患者に殺される者がおらんと言ってかえっていった。此の時の僕の怒り心中にえくりかえるとは此のことだろう。おのれと思って庭先に飛出したが、いかんせん弱っている僕は後が追えない。彼奴は逃げかえってしまった。僕は悲憤の涙にくれてしばし顔があがらなかった。そうして泣いたあげく、それ程迄に人をばかにするなら、ようし必ず殺してやろうと深く決心した。けれどその当時は僕は病床から少しもはなれることが出来ぬ位弱っていたから、きゃつが見くびったのも無理はなかった。一丁も歩けなかった僕だった。

寺井マツ子と関係を結んだのは、すでに都井が肺尖カタルの診断を受け、万袋医院に通院を始めて四、五カ月経ってからであり、マツ子はついでの折に何度か薬をもらってきてやったこともあり、都井が結核であることを知っていた。他の女たちも結核を承知で情交関係に入っている。だから結核と知って冷淡になったというのは事実に反する。

ついでにいえば「病床から少しもはなれることが出来ぬ位弱っていた」とか「一丁も歩けなかった」というのも、少なからずオーバーで芝居がかっている。これは万袋医師の診断、近所の人の証言、遺体解剖の結果によっても明らかである。結局のところ司法当局のいう「婦女に挑み情交を迫り、応ぜざれば之を恨み、応ずるも関係を続けざれば憤激し」て、猟銃片手に脅しをかける狂的な態度に、女たちがおびえおののいて離反、逃避したといえよう。したがって「行動漸次露骨となり、隣人の嘲笑日に加わりて、極度に嫌悪するに至り、其の頃より自制の精神を欠き、自からの非行を正当なる行動かの如く思惟し、自己の意に反するものを仇敵視」（岡山県知事報告書）するに至る。

二十二歳（昭和十三年）　阿部定に負けんような、どえらいことを

松の内が過ぎて間もないある日、同村槍原の金貸業岡本音五郎は、前ぶれもなしに都井睦雄の訪問を受けた。

「金を貸してつかあさい」。都井は初対面の岡本に、いきなりこう切り出したという。

岡本は慎重にたずねた。

「わしは商売じゃから、頼まれれば貸さんでもないが、いったいなんぼ要るんじゃ」

「千円ですけん」

「千円じゃと？」岡本は目をむいた。「そりゃ大金じゃな。担保はあるのんか」

「家屋敷と田畑を抵当に入れますけん」

「そないな大金をなんに使うんじゃ」

岡本は怪しんでたずねた。都井とは別の部落に住んでいて初対面とはいえ、加茂駅などで顔を見たことがあり、またその行状についてもいくばくかの噂を聞いていたからである。

「わしに対する悪口を、岡本さんも聞いておりますじゃろ?」。都井はうかがうように岡本を見た。

「そりゃ聞かんでもないけん」。全く知らないというのもかえっておかしいだろうと岡本は思った。

「あれは嘘ですけん。わしは誤解されとるですけん。せやけんどこのままでは村にいづらいですよって、村を出よう考えたです」

「村を出てどこへ行くんじゃ」

「わしは結核療養所に入りますけん。おばやんはその近くに家を借りて住ませますじゃ。おばやんももう年じゃから働けんし、千円あれば二人して食うていくには、当分困らんじゃろ思います。そのうちわしが元気になれば、働いておばやんの面倒見ますけんの」。都井はそういって、持参した療養所のパンフレットを見せ、入所費用などを比較説明した。

「そうか、それなら貸さんこともないがの」

岡本は抵当物件を詳細に調査した上で、二月の半ばに六百円を貸し付けた。家屋敷は一番抵当とすることができたが、田畑はすでに岡山県農工銀行が抵当権を設定しており、二番抵当になったからである。この金を手にしたときが、凶行の準備に着手した第一歩とみるべきだろう。「財産をかけて復讎をしてやろう」と遺書に記した、背水の陣による殺人計画の起点にちがいない。

二月二十三日正午ごろ、都井は神戸市湊東区楠町二丁目の高橋銃砲店を訪れ、中古猟銃を下に出して新品を購入したいと相談した。ちょうど主人が食事中で店員が応対したが、中古品の下取り価格がむずかしいので、すぐに主人に取り次いだ。都井が持参したのは、津山市の片山銃砲店で購入したもので、主人はこれに八十円の値をつけた。都井が購入を希望した新品の十二番口径五連発ブローニング猟銃は、定価が百九十円だったから、追金百十円を支払わねばならない。

「持ち合わせが足らんですけん、出直してきますよって取っといてもらえんじゃろか」

「いいですよ」。主人は愛想よく応じた。

都井が再訪を約して立ち去ったので、主人は食卓に戻った。するとそこへ都井が戻ってきたのである。そして低姿勢で切り出した。

「わし少しからだが悪いですけん、すぐまた来るいうの無理かもしれんよって、送ってもらうわけにはいかんですじゃろか」

「そういうことでしたら、代金引換小包で送りましょうか」

「それじゃ送ってつかあさい」

都井は持ってきた中古猟銃と六十円を置き、くれぐれもよろしくと頼んで帰った。高橋銃砲店では即日発送したので、品物は二十八日に加茂町郵便局に届き、都井は五十円を支払ってこれを受けとった。そして屋根裏の居室（秘密室）にこもって、弾倉を改造して九連発式に作りかえ、さらに火薬、薬莢を買い入れて、猛獣用実砲（ダムダム弾）を製造した。この時期から都井は、銃を持って部落内を徘徊したり、銃を携帯して夜這いに行くのをピタリとやめている。夜這いそのものは続けたが、銃を人目にさらすことを避けたのであった。

都井はこの改造猟銃を持ってこっそりと山に登り、射撃の練習を開始したのである。同じ部落に住む雑業の岸田順一（53）は、二月末ごろから三月にかけて、ほとんど連日のように銃声を聞いている。岸田の家は貝尾部落の南のはずれにあり、高田村との村界に接し、その向う側は山塊が重なっている。どうやら銃声はそっちの方から聞こえるようであった。

「猟師にしてはえらく撃ちめぐけんの」。岸田の細君がいぶかしげにいった。

「猟師ではなかろ。おおかた津山中学の演習じゃろが」

蘆溝橋事件が勃発してから、中等学校における軍事教練は一段と強化され、陸軍省通達によって最上級生は実弾を使用する射撃訓練が課され、津山中学でも近郊の山野へ出かけて、何回か演習を行なっていた。岸田は一度その演習を見たことがあった。

「そうじゃ、演習じゃけん」。細君はうなずき、安心したような顔になった。

しかしこのあと岸田は、それが津山中学の演習でないことを知る。たきぎとりの帰途に、不審な射撃跡を発見したのである。警察はこう記録している。

一、場所＝苫田郡西加茂村大字行重字槍原一の四三〇番地
二、射撃の目標となりたるもの＝松の木（約三十年生立木）
三、発見人〔略〕
四、被疑者が射撃をなしたりとなす理由＝該松の木は犯罪地貝尾部落より南に約二十町の山道を登り、苫田郡高田村界に接したる山頂に位置しおるものなるが、該松の木より約五間くらいはなれた場所は、山道に沿いて約二坪くらいの間平坦となり、射撃場所としては好適の場所なるを以て、この平坦なる地形を利用し、前方の松の木を的として射撃しいたるものと認む。弾丸は一、二発散弾を用いたりと認むるのほかは、すべて猛獣用実弾の如く思料され、命中部位には多数の鉛の破片食いこみおれり。命中弾数は四十五発くらいと思料され、発射弾の半数が命中したりと仮定して、約九十発くらいを発射したと認めらる。

（岡山県警察部への津山警察署長報告書）

同じころ都井は、岡本みよとの情交現場を夫の岡本和夫に見つかり、紛争を起こした。

昭和十三年三月初めごろのある夜、突然和夫が襖《ふすま》を開いたところ、表の間に睦雄とみよの二人がいた。睦雄は驚いてそのマント、靴、帽子等を残して戸外に飛出した。和夫は怒ってみよを里に帰らせた。この噂が高くなり、近親の寺井元一と岸田順一の二人が仲裁に入ることになったが、この両名がまず睦雄に対してさような事実の有無を訊ねたところ、睦雄は初めは「そんな覚えはない。貸金の催促に行ったに過ぎぬ。さようなことをいうのなれば証拠を出せ」と逆捩《さかねじ》的態度に出たが、二人が「歴《れっき》たる証拠があるという話だがな」といったところ、ようやくその醜交の事実を認めて改悛《かいしゅん》を誓ったので、元一がみよを和夫方に連れ戻り、同人に対し極力謝した上、自ら酒を買って和解の印とした。　（塩田検事「津山事件の展望」）

都井は一人で詫びに行くのが気がひけたのか、あるいは証人にする意味でか、このとき二人の男を伴って岡本宅を訪ねている。一人は猟銃に関して知り合った加茂町大字小中原の炭焼兼猟師今田勇一（30）と、今田の知人で農業の高川八郎兵衛（45）である。このとき都井は酒だけでなく、大きな肉の包みを提げてきた。岡本は大いに喜び、みよに酒盛りの仕度をさせ、その肉でスキ焼きをして、一同和やかに飲みかつ食べた。初め都井はその肉をブタ肉と称していたが、みんなが豚肉の味とはちがうというので、実はウサギで、この日のために三日がかりで自分が仕止めたのだと述べた。これを聞いて岡本はさらに喜び、歌まで出る賑やかな宴会となった。

帰路、都井は今田に、見せたいものがあるから家に寄れというので、都井の自宅へついていったところ、

「さっきの肉はうまかったか」。都井がうす笑いを浮かべて聞く。

「まあまあの味じゃったの」。正直のところ今田はうまいとは思わなかった。

「なんの肉じゃ思うかい」

「ウサギと聞いたけん」

「あれは犬じゃ」

「ほんまか」

「お前が食うたのはコロの肉じゃ」

コロとは都井の飼っていた犬の名で、白と黒のまだらな毛並の中型の雑種だった。小学生のころ、生まれたばかりの仔犬を学校の友だちからもらって育てたもので、すでにかなりの老犬になっていた。

「コロはもう年じゃけんの。どうせほっといてもそう永生きはせんじゃろ」

都井は今田を裏庭へ連れて行き、埋めてあったコロの死体を掘り出して見せた。

「睦雄、お前も食ったじゃろが」。今田はゲエゲエ吐きながらいった。

「わしは食わん。食うたふりしただけじゃけん」

都井の眼は暗い喜びに輝いて見えたという。

睦雄はその後も相変らず岡本方に夜遊びに行った様子で、和夫も怒り再び岸田順一等に対し、「毎日毎日夜遊びに来るので困る。何とか処置してくれ」と苦情を申し込んだので、順一らがその非行を責めて説諭したところ、睦雄はしらばくれて、「行った覚えはない。行かないのに拘らず行ったというのなれば、ぶち殺してやる」と放言したので、その後和夫は妻の身辺より離れず、睦雄に対して極力みよを匿していた。

（「津山事件の展望」）

みよがこんな状況になると、必然的に他の女たちとの情交に向うが、中でも都井が異常な執着を示したのが寺井マツ子だった。寺井マツ子とは遺書にあるようなトラブルを起こしたものの（マツ子は否定）、すぐにヨリを戻しており、もっともひんぱんに情交を求めた。そして夫の弘が入浴中に関係していたところを発見されると、家にとって返し、猟銃を持ってきて脅した。これは九連発に改造したブローニングとは別の猟銃で、のちの警察の調べでも入手の日時、相手方ともに不明のものである。この時から都井は以前と同様に、大っぴらに銃を持って夜這いに出かけ、相手の女性が拒否したり、隠れたり、あるいは女の夫や母親たちが立ちふさがったりすると「ぶち殺してやる」と放言するようになった。

　三月七日夜、寺井元一方で寝仕度をしていると、都井の祖母いねが青い顔をしてやってきて、孫と喧嘩をしたので泊めてくれぬかと頼んだ。初めてのことなので元一はいぶかしく思ったが、よほど大喧嘩でもしたのだろうと思い、乞われるままに一泊させた。しかし一夜明けてもいねは帰ろうとせず、都井もまた迎えにも来ない。いねは終日おびえた様子でいたが、夕方になると今夜も泊めてくれと切り出した。

「そりゃ泊めるのはかまわんが、二日も帰らんかったら睦雄とて心配するじゃろが。帰りづらいんじゃったら、わしが話をつけてやるけんの」

元一が親切心でこういうと、いねはいっそうおびえた表情になり、

「睦雄のそばにはこわくておられんがの」

「どうしてじゃ」

「わしは睦雄に殺される」

「ひどく乱暴するんか」

「薬じゃ、睦雄はわしを毒で殺す気じゃけん」

「孫がおばやんを毒殺するわけがあるかいな。なんぼ喧嘩したからいうて、そないなことするわけありゃせん。あほなこというたらいけん」元一は笑った。するといねはむきになって、

「ほんまじゃ。睦雄はわしに毒を飲ませようとしたじゃけん」

いねの話によると、十日ばかり前の夜に、都井は年寄りの健康のためにいいからといって、小瓶入りの白い粉末を飲むようにすすめた。万袋医師からもらってきたというので、いねは好意に感謝して飲もうとしたが、ひどい臭気が鼻についたので服用を中止した。それから一日置きくらいに、都井は服用を繰り返しすすめたが、いねはとても飲めたものではないと頑として断わった。すると七日の夕食のときに、都井がこっそりいねの味噌汁にその薬を混入しているのを見かけ、恐ろしくなって家をとび出してきたという。そこで寺井元一は都井を訪ね、その事実の有無をたしかめたところ、

「なにばかなこというちょるけん。わしはおばやんのためを思うて、いい、わかもとを飲ませようとしたんじゃ。なんぼもうろくしたかて、えらいかんちがいしとるけんの」。都井は笑いながら、自分が常用している「わかもと」を見せた。

元一はそれをもって返し、いねに示すと、いねは大きくかぶりを振り、

「なんぼわしがもうろくしたかて、わかもとならよう知っとる。睦雄がわしに飲ませようとしたのはちがう薬じゃ。睦雄は気が狂うて、わしを殺そうとしとるけん。恐ろしゅうて家には帰られんがの」

そこで止むなく寺井元一は、部落唯一の有識者と見られる役場書記の西川昇に相談に行った。これが三月十二日のことである。するとそこへマツ子の夫寺井弘がやってきて、

都井とマツ子の関係を打ち明けて助言を求めた。このときの寺井弘の話によると、都井は「もし自分が大事件を起こしたなら、地元の者が半鐘を打って集まるかも知れぬから、半鐘をはずし降ろして置く必要がある。警官、消防組員等が出てきても、自分は第一陣地、第二陣地というように計画をしておいて、来る者は射殺してしまうから、自分は自決するまでは捕えられることはない」と、得々として述べ立てたということである（これはのちに今田巡査も証言している）。話を聞いた西川昇はこれは捨てておけないとみて、同村を臨時に受持っている加茂町駐在所の今田武司巡査のところへ関係者と同道して実情を訴え、なんらかの適当な処置を採って部落の不安を除かれたいと歎願した。かくて警察当局の手入れとなるのだが、塩田検事は次のように記録している。

今田巡査は直ちにこの顚末を、所轄の津山警察署司法主任・警部補北村好に報告し、事情の切迫を告げて、即時検挙の上相当の処置を執る必要ある旨意見を具申し、同警部補はさらにこれを津山警察署長山本徳一に報告したので、署長の指揮により即時同署外勤監督・警部補臼井一男及び中島敏夫、黒住栄治の二巡査（中島は前に同村に勤務、黒住は銃砲火薬係）を派遣して、至急その実情を調査せしむることとなった。

臼井警部補らは同日午後現場に出張、駐在所に於て一応前記三名より事情を聴取したうえ、睦雄の宅に赴いた。彼はちょうど自宅に居合わせたので、まず本人に当ったところ、態度極めて従順であって、狂人らしき言動は全く認められず、「暴れ廻ったこともなければ、馬鹿なことをする考えも持っていない」と極めてすなおに答え、ついで祖母いねもまた「一度他家へ泊りに行ったことはあるが、それは睦雄が大変腹を立てたからであって、毒薬らしいものを睦雄より飲まされたようなことはない。あれはわかもとである。かわいい孫が祖母にそんなことをするわけがない」と述べるような始末で、彼に不穏の計画あるものとは到底考えられなかった。

しかしその承諾を得て家宅捜索をしたところ、天井裏の彼の居室（秘密室）に於て

一、日本刀　一振
一、短刀　一口
一、猛獣用実包　八十一発
一、散弾実包　三百十一発
一、雷管付薬莢　百十一個
一、雷管　百二十六個
一、火薬　五十匁
一、鉛弾　五十匁
一、猟銃　三挺

を発見し、さらに身体検査の結果匕首一口を携帯していたので、その事情につき答弁

を求めたところ、「実包等多量にあるのは、すでに猟期終末に近いさいではあるが、次年度は支那事変の関係で価格が暴騰する見込みなので、買溜めしたものであり、匕首は山仕事に出る必要上持っているのだ」と巧みに弁解をした。

しかし同警部補は、これらを全部任意提出せしめて領置することとし、なお狩猟免状の提出も命じた。彼は免状については、「健康のための狩猟なる故提出は免ぜられたい」と懇願していたが、結局これが提出をも承諾したので、同様領置することとした。

さらに同日夕方ごろ、睦雄を加茂町巡査駐在所に出頭せしめて、臼井警部補より懇々と将来を説諭した。彼は終始従順で恐れ入った態度をとり、将来再びこのような誤解の種となる行動をとらないことを堅く誓ったので、親戚で近所に住む寺井勲を呼び出し、同人に身柄を引渡して帰宅を許した。日本刀、匕首、短刀は署に持帰ったが、猟銃その他は村役場に保管を托して帰署した。その後この猟銃のうち一挺は今田巡査の斡旋により、百三十五円を以て同村消防組部長平井某に売却せられ、その代金は睦雄が受けとった。

このことがあってから今田巡査は、前後六回くらい睦雄方に情況調査に赴き、その都度彼に面接して熱心に説諭し、彼に闘病の意気の必要なることを力説すると共に、他方同村の万袋医師に相談して、彼の病気治療に格別の配慮を乞い、あるいはまた鉄道職員になることを勧告して、その就職に奔走するなど、彼の心境を変化せしめることに極力努力した。最後に彼が苗代の種蒔すら行っていないのを見て、早くやるように注意したところ、彼はさっそく着手するつもりだと答えた。この間に寺井元一など近親の者たちも、極力過去の不心得を責めて、正道に甦生《こうせい》すべきことを説き聞かせた。彼はいずれの説諭に対しても、従順恐縮の態度をとりなんらの反抗もせず、涙を流さんばかりにその好意に感謝して、正道を歩むことを誓うのであった。（「津山事件の展望」）

これに関連して、今田巡査は後年つぎのように語っている。

その頃私は彼〔都井〕から重大な計画を聞き出していた。それによると、彼には第一計画から第四計画まであったらしい。第一計画では駐在巡査である私の一家を殺して事件を外部の連絡と遮断する。第二計画では目指す村の人々を殺す。第三計画で遅れた通報にあわてて駆けつけた警官隊をみな殺しにするというのである。
当時の津山警察署は総員八、九十名くらいで、それが二台のトラックに分乗して現地へ急行する。睦雄はあらかじめ現場へ通じる急な坂道のカーブに障害物を置き、そのすぐ前に設置した複数の銃座から、急停止であわてて降りてきた警官隊を一人一人狙い撃ちをする。こうすれば二台のトラックに分乗してきた八十名の警官全員を全滅させることが出来るといっていた。

更に第四計画は、全滅した警官隊に代って消防隊が動き出すであろうから、彼は保存食糧を持って山に立籠《たてこも》り、動員される消防組千余名に対して徹底的に抵抗するというのだった。

この話は今〔昭和四十二年〕まで私は誰にも打ち明けたことがなく、ここで初めて三十年ぶりに打ち明けるのである。都井睦雄という男は、このようなとてつもない残忍な計画をつくることのできる頭脳の持主であった。私はこの話を聞いて、彼のとんでもない妄想を打ち消すため全力を傾けてその更生指導に当った。しかし、睦雄は私にその秘密計画を洩らしたことで既に実行不可能になったといい、その諦めを私の前に見せた。実は、私を安心させ、かげでは着々と犯行の機を狙っていたのだ。

（松本清張『ミステリーの系譜』所載「闇に駆ける猟銃」中央公論社）

それは都井も遺書のなかで認めている。

警察署に知れてはすべてが水のあわとなるから、なるべく早く決行すべきだと考えて居たやさき、ふとしたことから祖母のおそれるところとなり、姉は一宮の方に嫁《い》っとるので少しも知らなかったが、祖母が気附いたらしい。親族にはかったのだろう、一同の密告を受け其のすじの手入れをくらい、すべてのものをあげられてしまった。その時の僕の失意落たん実際何とも言えない。火薬は勿論のこと雷管一つも無いように、散弾の類まで全部とられてしまった。僕は泣いた。かほどまで苦心して準備をし今一歩で目的に向えるものをと。

けれども考えようではこの一度手入れを受けた事もよかったのかも知れん。その後は世間の人はどうか知らんが、祖母を始め親族の者は安心したようである。僕はまたすぐ活動をかいしした。加茂駐在所にて説諭を受けてかえると、そのあくる朝すぐ今田勇一氏を訪れ、金四円の礼にてマーヅ火薬一ケ、雷管付ケース百ケをば津山片山銃砲店より買ってきてもらった。

今田勇一は都井と共に岡本和夫宅へ行き、ウサギと偽って飼犬コロの肉を食わされた男である。このお人良しはまたしても騙されたいきさつを、こう陳述している。（このため刑事訴追を受けた）

本年三月十三日ごろの午前六時か七時ごろでありましたが、かねてから知り合いでありました都井睦雄が参りまして、「狩猟免許鑑札を落したから、きみの鑑札で火薬を買ってきてくれ。ここに拾円あるから、これで雷管付ケース百個と、無煙火薬百匁を買ってきてくれ。金が残ったらきみがとってくれ」というので私はそれを承知して、その日すぐ自転車で津山市の片山銃砲店へ行き、都井から頼まれた火薬と雷管付ケースを買いました。その価格は無煙火薬一罐が金弐円、雷管付ケース百本が金参円七十銭でありましたので、それを買い、残りの金で私用に、黒の磨き火薬百匁金壱円二十銭と、雷管百本金三十銭を買いました。

私は都井も狩猟免許者でありまして、同人が鑑札を落したので、買ってきてくれと頼まれて買ってきてやりましたが、このようなことをすると違反になるということは知りませぬし、それに日当にもなるので、買ってきてやったのであります。しかし考えてみますのに、私の狩猟免許証で買った火薬や雷管付ケース等は、私の使用するものに限られており、それを私が勝手に都井に譲り渡したことになるので、まことに不都合でありました。

その翌日の晩、小中原の平井秀夫という散髪屋に於て、都井睦雄は警察に火薬や鉄砲を取り上げられたそうな、それは都井が火薬をたくさん買ってきているので危ないからと、都井のお婆さんが願って出たそうな、というような話も聞きましたので、私は都井に騙されたと思いました。

その後都井に会うたとき、「都井君、火薬のことで一杯かけたな（騙したな）」というと同人は、「みんな警察署に取り上げられたから心配ない」というのでありました。

（「今田勇一に対する銃砲火薬類取締法違反事件公訴記録」）

都井は今田に頼んだばかりでなく、三月中旬に自分で津山市の平岡火薬店から、ポンプ式詰替器、ケース保護器、口巻器各一個を、合計六円八十銭で購入した。しかしなぜか一週間とたたないうちに返却している。

四月五日、東加茂村大字桑原に歯科の出張診療所を開設している医師伊藤光蔵（51）は、一人の初診の患者を治療した。二、三日前から左の歯が痛み出したというので、診察すると左上顎小臼歯がかなり腐蝕しているので、応急手当をほどこしてから、当分通院するようにと告げた。この患者が都井睦雄だった。都井は翌日二回目の治療にやってきたが、治療がすむと遠慮がちに、

「つかぬことをおたずねしますけん、先生は刀剣をたくさん秘蔵されとると聞いとりますけんど、ほんまですじゃろか」

「ああ、持っとるよ」

伊藤医師は気さくに答えた。彼は十年ばかり前から刀剣に趣味を持ち、この地方ではひとかどの収集家として知られ、昭和十二年の正月に自分が会長になって、加茂町に刀剣愛好会を設立していた。

「実は先生におたのみしたいことがありますけん」

「どんなことだね」

「実はわしの従兄が岡山の連隊におりますけん。いままで伍長ですじゃったが、こんど軍曹に昇進して軍刀を吊ることになりましたけん。わし昇進祝いに軍刀を贈りたい思っとります。それで先生にてごろな刀を、一本わけてもらえませんじゃろか」

朴訥《ぼくとつ》な口調で頼む都井に、伊藤医師は好感を持った。一振という刀の数え方も知らぬ青年が、従兄に軍刀を贈ろうとする心根に、一種の感動をすら覚えたという。

「わたしは刀剣が好きで、楽しむために集めとる。売りものじゃない。しかし軍人さんの昇進祝いとあっては、銃後の国民の一人として、断わるわけにもいかんじゃろ。よかろう。譲ってあげよう。いつでもいいから自宅のほうに来たまえ」

「おおきにすまんこってす。さっそく従兄に知らせてやりますけん」

都井は大喜びでそうそうに帰っていった。それから三、四日ののちの夕刻、伊藤医師が智頭《ちず》町にある自宅に帰るため、加茂駅で午後六時十二分発鳥取行の列車を待っていると、雨の中を番傘をさして青年学校の訓練服を着た男がやってきた。近づいたのをみると都井だった。都井は折目正しく挨拶をしてから、

「先生、これからお供してええですけんの？」

伊藤医師はその日は格別の予定もなかったので、そのまま自宅に都井を同道し、選んでおいた三振の日本刀を見せ、いろいろと説明してやった。都井は話に耳をかたむけながら、三振の日本刀を熱心に見くらべていたが、

「先生、これ譲ってもらいますけん」

都井が選んだのは、刃渡り一尺九寸の加州（加賀）新刀だった。新刀とはいえ少なくとも二百年から三百年前のもので、刀剣銘鑑などには七、八十円のカタログ値がついている。

「ちょっと焼きが甘いところがあるが、実戦用としてはむしろいいかも知れんな」

伊藤医師は都井の選択を虚心に賞めた。

「代金はなんぼですけんの」

「そうだな」伊藤医師はちょっと考えてから「軍人さんの昇進祝いということじゃから、三十円にまけてやろうかの」

「おおきにすまんです」

都井は訓練服のポケットから一円札の分厚い札束をとり出し、三十円を数えて払った。そして刀を持参の風呂敷にぐるぐる巻きにして、あたかも伊藤医師の気が変るのをおそれるかのように、あわただしく辞去した。都井が思いがけない大金を持っていたのに、伊藤医師は軽くないおどろきを覚えたが、それが疑惑に発展することはなかった。しかし間もなくとんでもない衝撃を受けるはめになる。

殺人事件の突発当日、私は東加茂村の診療所におりましたが、朝十時ごろ西加茂の駐在所に呼び出され、例の刀で睦雄が三十何人切殺したと、巡査から告げられびっくり仰天し、新聞をもらって見たところ、鉄砲を使ったと書いてありました。しかし巡査は刀が凶器であるというので、私はすっかり責任感に打たれ、すぐさま東加茂尋常小学校長のところへ行って、自分の責任はどうなるだろうか、また親兄弟を殺され孤児になった者があるが、これを私が養育しようかなど相談したところ、校長先生は、きみが情を知ってしたことではないのだから、心配せずに当分静観せよ、となだめてくれたので、やっと人心地がついたような次第でありました。（梅田検事聴取書）

四月の半ばごろ、大阪の木賃宿「浪花新館」にいた内山寿は、突然都井睦雄から電話をもらった。

「またやってきたけんの」

「いまどこから電話しとるんや」

「心斎橋ホテルじゃ」

それは大阪南区にあり、大阪では一流ホテルに数えられている。

「なんでそんなとこから電話しよるねん」

「泊っとるけんの」

「ほんまか」

「ほんまじゃ」。内山はちょっとおどろいた。

「なんでそないなとこに泊ったん」

「いっぺん泊ってみたかったんじゃ」

「ぎょうさんゼニとられるでえ」

「ゼニならあるけん。心配いらん」。都井の声は落ちついていた。

「むだなゼニ使わんときいな。そのゼニで高級淫売抱いたほうがええ」

「頼みがあるけんの」

「わかっとるがな。女やろ」

「それもあるけんど」都井は含み笑いをして、「その前にもっと大事な用があるんじゃ」

「なんやねん」

「こっちゃに来てもらえんかの」

「よっしゃ。すぐ行くさかい待っとりいな」

内山が心斎橋ホテルへ行くと、都井は上等のシングルの部屋に泊っており、ルームサービスで酒や料理を運ばせて待っていた。

「どないしたんや。こないに贅沢してええのんか」。賤娼街を根城にしている内山は、場ちがいな雰囲気に圧倒されて、少なからず気がかりになった。

「心配せんでええ。実はこれまでおばやんが管理しとった財産が、全部わしの名儀になったけん、好きなことができるんじゃ」

「さよか、ほな大丈夫やな。おめでとさん」。二人は祝杯をあげ、飲みかつ食べた。

「ところでさっきいうた頼みなんじゃが」。飲みながら都井が切り出した。

「なんや。もったいぶらずに、早よいうてみい」

「匕首《あいくち》がほしいんじゃ」

「匕首やて？」内田はいぶかしんだ。「そないなものどうするんや」

「わしが欲しいんじゃない。人に頼まれたんじゃ」

「やくざか。匕首はやくざぐらいしか使わへんさかいな」

「やくざやない。医者じゃ」

「医者がなんで匕首いるねん」

「伊藤という歯医者じゃ。加茂町の刀剣愛好会の会長でな。立派な日本刀はおおかた集めてしもたんで、こんどは匕首を探しとるけん。わしがお前のこと話したら、そないな人ならやくざに知り合いがあるじゃろから、匕首を頼んでほしいいわれたんじゃ」

「そらなんぼでも知っとるやくざはいる。けんど売ってくれるかどうかわからへん。匕首はやくざの商売道具やさかいな」

「なんとか探してくれんかの」

「ほな探してみるけんど、すぐにというわけにはいかへんでぇ」

「なるたけ早く頼むけんの。その代り礼はする」

「まかしときィな」

内山はうけ合った。そのあと今日は女はどうするとたずねると、都井は今日は金があるから、いつもの賤娼でなく高級淫売がほしいといった。ホテルに泊ったのもそのためだという。そこで内山はいった。

「高級淫売やったら住吉アパートがええ」

「なんでじゃ」

「住吉アパートはお前の好きなお定が住んでたとこや。お定はここで高級淫売しとったさかい、いまもそのころの仲間がいるはずや」

これは嘘ではなかった。阿部定の供述調書にはこうある。

丹波の篠山《ささやま》を逃げて神戸に住まってからは、吉井信子と名乗って二週間ばかり、カフエーの女給をしておりましたが、前借のこともあるし小遣いにも困りましたから、何とかして金が欲しいと思い、その店に来た客に「月百円の収入がある商売はないか」と聞いたところ、その客が「よい商売がある。遊んでいて気が向いてから商売を始めろ」といいました。その男は高等淫売の客引をしている人だったのです。

だいたい見当はついていましたから、いまさら堅気になっても追いつきませんから、私もその気になってその家へ行き、二月ばかりブラブラ静養しながら高等淫売を始めました。ところがその主人は私の稼ぎ高から、いままでの費用を取りなお頭をはねるので、仕打がヒドイから三月くらいののち商売を止め、昭和七年二十八歳のとき、今度は大阪に移って同じ商売をしましたが、間もなく淫売を止め、一年ばかり妾をしていました。その間相手は三人代りましたが、毎月百円から五、六十円の手当をもらっていました。

この時から情事に快感が湧き、一人寝は淋しくてなりませんでした。妾では旦那の来るのが月に五度くらいなので、淫売当時の好きな客二人ばかりとも時々関係しておりました。そして金もたやすく入ったし、暇もあったものですから遊蕩的になり、暇に任せて麻雀したり、宝塚へ遊びに行ったり、道頓堀へ出掛けたりして浮かれておりました。賭博の事で警察に検挙されたのはこの頃のことです。

そこで謹慎する気になり、小遣いも四百円ありましたから妾を止め、一人で大阪の住吉アパートを借り、本などを読んで一月半くらい静かに生活していましたが、どうしても男に遠ざかると気がイライラするので、当時医者に診察してもらったことがありました。ところが医者は「別に異常はない。さようなことは人間として当然あることだから、独身より真面目な夫婦生活をするがよい。またむずかしい精神修養の本を読んで気分を転換しなさい」といわれました。

そのうちまた遊びに出かけて麻雀などを始め、好きな男ができましたが、二十八歳の秋頃大阪で横浜の知人に会って、両親が私を心配していることを聞き急に帰りたくなって、冬まで三月ばかり田舎の両親のもとに帰り、この時生まれて初めて孝行をしました。親には「大阪で良い人に世話になっている」と嘘をいって安心させ、両親の肩を揉むやら、新聞を読んでやるやら、食物の料理をしてやるやら、出来るだけ親孝行をしたので、親は喜んで「もう満足だから死んでもいい」とまでいってくれました。

するとそのころ田舎へ、篠山から三人も私を探しに来たので、親もとにいられなくなり、また大阪に帰りアパートに住まっておりましたが、昭和八年一月、二十九歳のとき突然母が死んだという電報でしたが、ちょうど麻雀に行って留守だったため、三通も電報をもらってしまい遅れたので金だけ送っておき、荷物をまとめ大阪を引き払って、母の初七日のときに田舎に帰り墓参しました。（第三回訊問調書）

この供述にもとづいて、所轄の住吉警察署では住吉アパートを手入れし、密淫売容疑で何人かの高級淫売婦を検挙したが、その後相変らずこのアパートには、高級娼婦たちが住んで商売をしていた。

都井が内山の案内で住吉アパートを訪ねたとき、阿部定と同じ時期に住んでいた女は一人もいなかったが、都井は阿部定が住んでいた部屋を借りている女を抱いて、少なからず満足した様子だったという。このとき相手をした女は、京都生まれの追川春代こと名沢光子（28）で、事件の二年後に密淫売で検挙されたとき、このときのことを進んで刑事に話している。

この日私は客がなく、夕方近くまで昼寝をしたり、雑誌を読んだりしておりました。それで早めに夕飯をすまして、活動を見に行こうと思い着物を着替えていると、私の客引きをしてくれている高山銀造が、二人のお客さんを連れてきました。一人は高山の知り合いの内山とかいう人で、もう一人はからだの大きいわりに青い顔をした男で、私には名前を申しませんでしたが、その人のことを内山がムツオと呼んでおりました。

高山が私の部屋を前に阿部定が借りていたことを話すと、ムツオという人はすぐに私を相手に決め、内山という人は三号室の幸枝さんのところへ行きました。高山は私を廊下に連れ出して、ムツオという男はなんだか阿部定に狂っているようなところがあり、お前を相手に選んだのもそのためだから、あるいはずいぶんと変態的な要求をするかもしれないが、がまんしてやってくれといいました。私はもともとムツオという人は気が進まなかったので、そんなことをいわれてなおさら断りたくなったのですが、なにしろその日の口開けの客だし、金はぎょうさん持っているらしく、特別料金も出すからというとなので、私はその客と情交を承知したわけです。

私は長襦袢姿で床入りしたのですが、ムツオは布団をとり払い、私に裸になってくれといいました。四月なので決して寒くはありませんでしたが、私は初め一応風邪気味だからと断り、ほんとに特別料金をくれるなら、いうことを聞かぬでもないといってやりました。そうしますとムツオは、ポケットから大きな財布をとり出して、私の枕元に置きましたので、見ると札束でふくらんでおりました。一円札よりも十円札のほうが多いようなので、私はその人がほんとうにお金を持っていることを知り、安心してなんでもいうことを聞いてやろうという気になりました。

それから二人して裸になり、ひと晩中要求されるままにいろいろなことをしましたが、ムツオはこの部屋でお定はこんなふうにしたのかな、などといいながら私にあれこれと注文をつけました。その人が私としたことは、別にそれほど変態的なことでもなく、好き合った男と女ならだれでもすることだろうと思いますが、それでも私はその客がなんとなく普通でないような気がしました。

私は岡山県で起こった事件を新聞で見たとき、犯人の名前が睦雄ということと、新聞に出た写真がそのときの客にそっくりなので、あのときのムツオがこの犯人だと思いました。そのとき初めてわかったわけであります。

（住吉署「住吉アパートに於ける密淫売事件検挙一件記録」）

内山は高山銀造を通じて、やくざから匕首を五円で手に入れ、九円で都井に売った。

都井は少なくとも二本ほしいのだが、一本でも仕方がないといって、内山に十円札を出して、一円は手数料だといった。このときが内山が都井に会った最後だという。しかし都井はこのあとまた大阪に来て、内山とは接触せずに市内の銃砲店を回り、銃と火薬類を入手した。

四月二十四日大阪市西区京町通り五丁目栗谷商店へ、年齢二十四、五歳くらいの黒詰襟洋服を着、中折帽を冠りたる男来り、店員に対し人から頼まれて来たのだが、アイデアルの実弾百発売ってくれ、害獣を駆除するのに使用するのだ、と申し込みたるも、相場の開きにてその日は買わずして帰り、さらにその翌日（二十五日）再び同店を訪れ、アイデアル実弾百発（十二円）、ケース保管器一個（一円）を買求め、店員の問いに対し、西山正雄なりと自称して立去りたる事実あり。店員の言によれば、その男は言葉の訛りが大阪附近の者にあらずとのことにして、以上を綜合考察するに、都井睦雄が偽名せるものと認めらる。

四月二十五日午後二時半ごろ、大阪市東区内本町三丁目三十六番地鷲見銃砲火薬店に、岡山県勝田郡勝加茂村大字楢、西山正雄と自称する丈五尺一寸くらい、丸顔、目やや細き、頭髪五分刈、黒詰襟服を着したる男来店し、中古ブローニング十二番口径五連発猟銃一挺（百六十円）、及びポンプ式詰替器一個、銃サック一挺分、銃手入用の油一罐を買い求め立ち去り、その晩南区心斎橋ホテルに宿泊したる事実あり。

五月一日、自称西山正雄は右銃を持参し再び鷲見方に至り、銃の調子が悪いから交換してくれと称し、別の中古ブローニング十二番口径五連発猟銃（百四十五円）と交換して立去りたる事実あり。勝間田署の調査の結果西山正雄なる該当者なく、人相その他より都井睦雄が偽名したるものと認めらる。

五月十二、三日ごろ都井睦雄は、兵庫県神戸市湊東区楠町二丁目高橋銃砲店に至り、補増弾倉の調子が悪いから修理してくれとて、補増弾倉（同器は二月九日同店にて買求めたるもの）の修理をなさしめ、立去りたる事実あり。


（岡山県警察部小坂田俊太警部補の事実調査復命書）


この銃を九連発に改造したものを軸にして、ほぼこの時期に凶器はそろったとみてよかろう。伊藤歯科医師から購入した日本刀一振、内山から買った匕首一口、それに購入先不明のもう一口の匕首（遺書には二口とも神戸で買ったとあり、内山のことは伏せてある。今田のことを明記したのと対照的である）。このほか事件後の家宅捜索で、日本刀の刀身だけのもの二振が発見されているが、入手先は不明である。

五月十五日の夕刻、役場書記の西川昇が帰宅すると、妻の道子がひそめた声でいった。

「睦雄がえらいことをやらかすそうですけん」

「えらいことってなんじゃ」

「実はいましがた、西川のとめさんから聞いたですけん」

妻の話によると、西川とめは寺井マツ子に、都井睦雄がえらいことをやるそうで、このまま村にいては危ないから、京都の方へでも一緒に逃げようと誘われたが、とめは殺されるほど憎まれているはずはない、といってマツ子の誘いを断わった。しかし用心したほうがよかろうと、道子に告げたというのだ。

「えらいことちゅうのはなんじゃ」。西川昇は妻に聞き返した。

「恨んどる女たちを殺すちゅうことですじゃろ」

「そら睦雄の口癖じゃ。いまに始まったことじゃありゃせん。警察が鉄砲取り上げてしもたからに、もうなんもでけんはずじゃ。しょうむない噂を気にすることありゃせん」

西川は妻を安心させるようにさとした。事実この時点では彼は楽観的であった。都井の放言には食傷気味だったからである。

凶行の四、五日前に西川昇が役場で執務中、寺井マツ子がやってきて、戸籍謄本と身分証明書を頼んだ。兵事係と戸籍係を兼務していた西川は、すぐに作って渡した。するとマツ子は西川を裏庭に連れ出して、

「西川さん、ひとつ頼みがありますけん」

「なんじゃの」

「このことを誰にも話さんといてつかあさい」

「このことってなんかの」。西川はわざと聞き返した。

「戸籍謄本と身分証明書をもらったことですけん」

西川は笑い出した。

「こんなこと誰にいうたかて、なんの益もありゃせんから、頼まれんかて話すつもりはないがの」

「おおきに」。マツ子はほっとした面持ちになった。

「せやけど、なんのためにこないな物がいるんかい」

マツ子はうつむいて黙った。

「おマツさん、あんた睦雄のことで、村を出て行く気じゃろが？」

マツ子はびっくりして顔を上げたが、なにもいわずに西川を見返した。

「あんたが睦雄をこわがる気持はわからんでもないけんど、なにもそこまですることはありゃせんじゃろ。わしの見るところ、睦雄は口ばかりの男じゃ。なにもできやせん。警察が鉄砲取り上げてから、よけい口が達者になっただけとちがうかの」

西川はマツ子から詳しい事情を聞きたいと思ったのだが、女の職員が呼びに来たので、話はそこで中絶してしまった。翌日西川は妻から、寺井マツ子一家が荷物をまとめ、部落から姿を消したことを聞いた。

五月十八日、都井睦雄は二通の遺書をしたためた。一通は「自分が此の度死するに望《ママ》み一筆書置きます」で始まる「書置」と上書きしたものであり、もう一通は「非常時局下の国民として……」の書き出しの姉宛のものである。この日と十九日にわたって、ノートや本やメモや切抜などを、自宅の庭で燃やしている都井の姿を、近所の人たちが見ている。

五月二十日、都井が自転車に乗って、山の中や畑の中の細い道を何回となく村役場の方へ往復しているのを、少なからぬ村人が目撃した。役場の隣には駐在所と消防組の詰所があるところから、部落民が急を知らせる時間を計測したものとみられる。同日午後五時ごろ、同村字石山部落の内山寛一（24）が自宅の畑で作業中、近くの変圧器付電柱に黒い服を着た男が登って、なにか作業しているのを目撃した。この時は電工とばかり思っていたが、のちに都井睦雄に酷似していたことに気づく。この夜貝尾部落一帯が停電したので、寺井元一が都井宅へ電燈を借りに行った。都井はロウソクをかざしてのっそりと出てきた。

「どうしたんじゃ」

「停電しちょるけん、電柱に登って調べてみるんじゃ。お前の自転車のナショナルランプを貸してくれんか」

「ええとも、遠慮のう使うてくれ」

都井は土間に降り、自転車からランプをはずして元一に渡した。寺井元一はランプを持ち、自宅近くの電柱に登って原因を調べたが、しろうとの悲しさでさっぱりわからない。元一が修理を断念して電柱から降りてくると、見物人の中に都井がいたので、

「睦雄、お前頭がええから直してくれぬか」

都井はゆるくかぶりを振り、ものうそうに答えた。

「わしは慣れとらんから出来やせん」

そして元一からナショナルランプを返してもらい、のっそりと自宅へ戻って行ったという。事件後、加茂水力電気株式会社の技師が調べたところによると、「大字行重の八号柱に、同柱に取付けられた足場釘を伝い、地上約四、五メートルのところに登り、変圧器二次側ケッチホルダアより低圧茶台碍子に至る間の導線二条を切断、また同様にして字貝尾の六号柱の導線を切断」して、他部落には全く関係なく貝尾部落だけを停電させたもので、しろうとにはできない手口とされた。

凶行がどのようにして開始されたか、わけても自宅で祖母いねの首をはねたいきさつは、一人も目撃者がなく真相は誰も知らない。現場の状況から辛うじて推測されるだけである。岡山測候所の天候調査書によると、五月二十一日は南からの軟風が吹く曇り空で、午前零時ごろ小雨が降ったがすぐにやみ、ときどき雲間から月が顔を見せたが、春とはいえうすら寒い夜だったという。都井は自宅六畳中の間の炬燵に、祖母と向い合っ

た位置で寝ていた。都井が東枕、祖母が西枕で、姉が嫁いでのち、ずっとこうしていた。都井が起き出した時刻は、犯行の時間経過から逆算して、午前一時ごろと思われる。都井は祖母が目を覚まさないように気を配りながら、足音を忍ばせて屋根裏部屋に登ると、茶箱の底に隠しておいた用意の品物をとり出した。

まず身ごしらえである。もっとも活動しやすいように、黒セルの詰襟洋服（学生服）を着て、両足にゲートルを巻いた。これは青年学校で軍事教練用に買わされたもので、一、二度しか使用しない新品同様の品だった。そして地下足袋をはく。それから頭に鉢巻きをまきつけ、きりりとしばりつけた。これは鉢巻きというよりも照明装置で、二本の小型懐中電燈を手拭にとりつけ、頭の両側から前方を目玉のように照射する。照明装置はこれだけではない。自転車用のナショナル箱型前照燈を、紐で首から胸に吊り下げ、さらに別の紐で胴に固定した。薬莢入り雑嚢を左肩から右脇にかけ、日本刀一振と匕首二口を左腰にさして紐でくくり、この上をさらに革のベルトでしっかりと締めた。ポケットに弾薬実包約百発を入れる。これで行動的な身ごしらえは完了した。そして九連発に改造したブローニング猟銃を持って、屋根裏部屋から降りる。銃を壁に立てかけて土間に降り、かねて砥《と》ぎすましておいた薪割り用の斧を手にすると、そっと六畳中の間にとって返した。三個の照明燈の光の中に、炬燵で熟睡している祖母の寝姿が浮き上る。

都井はいっときその寝顔を凝視する。おばやん、勘忍してつかあさい。都井は心の中

犯人の都井睦雄(撮影日時不詳)

凶行時の都井の恰好の再現。黒詰襟の服に、足にはゲートルと地下足袋。頭には二本の懐中電燈をつけ、首から自転車用前照燈を下げ、薬莢入り雑嚢を肩からかけ、日本刀一振と匕首二口を腰に差している。

で詫びながら両手で持った斧を大きく振り上げると、祖母の首をめがけて力いっぱい振りおろした。首は一撃で切断され、鮮血をほとばしらせて一尺五寸もふっとび、障子のそばにころがって、左の横顔を上にして静止した。首と胴体の切断面から血が吹き出して夜具と畳に広がっていく。そうした光景を尻目に、都井は血まみれの斧を片手にもう一方の手に銃を持って、裏口から出た。そして役目を果した斧を裏口北側の壁に立てかけた。

都井の家は道路から一間ほどの高さに石垣が積まれた上に建っている。だからこの石垣に斜に石段がつけられ、正面に対して横向きに上下して出入りする。裏口から出た都井は正面に回らず、石垣からひらりととび降りると、北側の細い道（私道）を走って、北隣の岸田勝之の家へ向った。戸主勝之は呉海兵団に入団中で、現在住んでいるのは勝之の母で未亡人のつきよ（50）、勝之の妹で長女のみさ（19）、勝之の弟で次男の吉男（14）、三男の守（11）の四人である。「母つきよと娘みさに対して、都井はしばしば情交を迫ったが拒絶され、その事実を部落内にいいふらされ、軽蔑され」たので恨んだと塩田検事はみるが、警察報告では「母つきよは都井と物質により情交関係ありたるも、近時これを拒絶し、しかもその事実を隣人に悪口したるを憤慨」したとされる。同家は常に戸締りをせず、この夜もカギはかけていなかったから、都井はやすやすと屋内に侵入した。何度となく夜這いに通ったのなら、間取りはもちろんどこにだれが寝ているかを、都井はわが家のように熟知していたはずだ。三つの電燈をきらめかせて六畳間に忍びこむと、つきよ、吉男、守の三人が眠っていた。三人とも熟睡している。

　都井は猟銃を足もとに置き、伊藤医師から譲り受けた刃渡一尺九寸の日本刀をぎらと引き抜く。そしてまず横向きに寝ているつきよの首の右側に、恨みをこめて日本刀を突き立てた（右頸部刺創）。頸動脈が切れておびただしい血がほとばしった。苦悶するつきよの左の胸に切りつけ（左前胸部切創）、ついで右肩のうしろから突き刺し（右肩胛間部刺創）、最後に口の中にズブリと刃先を突き立てた（口唇部刺創）。わきに寝ていた吉男が、目をこすりながら半身を起こしかけた。その首めがけて真正面から刃先を突き出す。十四歳の少年は血を吹き出して、のけぞり倒れる。十一歳の守もはっきりと目を覚ましていたが、なにがなんだかわからない。三つの電燈を光らせた都井の姿は、三つの目を持つ怪物に見えたことだろう。当然泣き叫んだにちがいない。そのためかどうか、都井はこの子にめったやたらに斬りつけている。左頸部切創、左頬部切創などをはじめ、上半身に八つの切創を加えて殺した。長女のみさは不在だった。泊りがけで寺井千吉方へ養蚕の手伝いに行っていたためだが、もちろん都井はこのことを知っており、彼女は寺井方で殺すつもりだった。

　つきよたち母子三人を殺した都井は、日本刀の血のりを布団で拭い鞘《さや》に納め、九連発猟銃を手にして岸田家を出た。そして目と鼻の先の西川秀司方へ走った。西川方は戸主

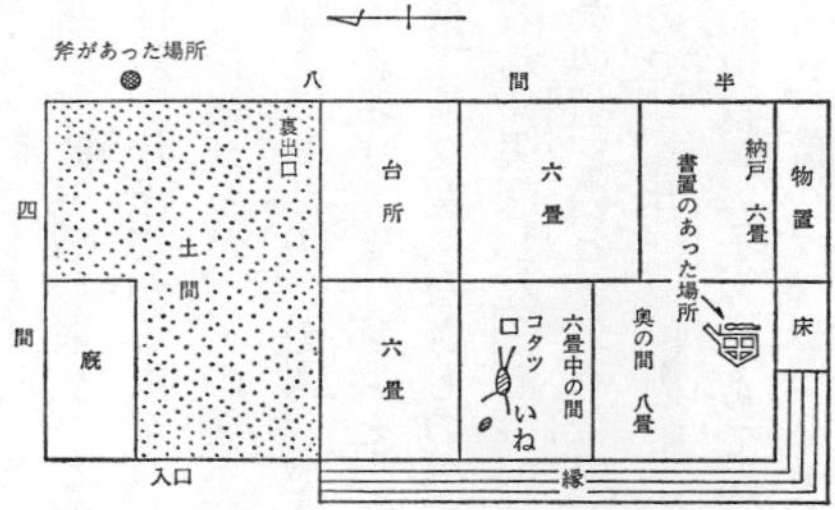

被疑者 都井睦雄方

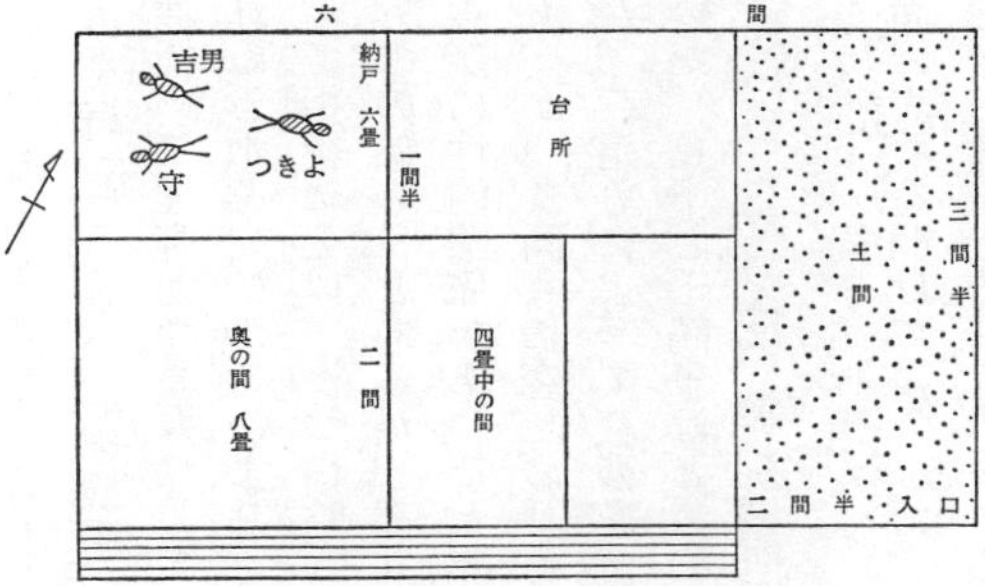

岸田勝之方
木造茅葺平屋建居宅

の秀司(50)、妻とめ(43)、長女で同郡東加茂村桑原、農業、只友登美夫と結婚している良子(22)、それにとめの妹で同郡高田村岡頼一(出征中)の妻千鶴子(22)の四人がいた。この西川家に対して、都井は二重の恨みを持っていた。塩田検事によると、「妻とめは西川方に再婚し来りたるものなるが、性極めて淫奔かつ多弁にして、かつて同女が犯人に対し年頃だから虫がついたのかもしれぬと水を向けたるにより、情交を迫りたるに却て拒絶せられ、その後も同様情交を求めて拒絶に会い、かつ口喧しく部落内に言触らされたるにより、最も深き恨を抱きたるものの如し」とあるが、都井の放言や近隣の証言を綜合すると、都井ととめの間には明らかに性的関係があったと認められる。また良子は「情交関係なきものの如しといえども、かつて同女に恋しおりたるに、他家に嫁ぎたるため失恋したるものの如し」とあるが、夜這いによって交渉を持ったことはまちがいない。このときとめは風邪で寝込んでいた。良子と千鶴子はとめの見舞いに来ていたもので、都井は遺書の中に「今日決行を思いついたのは、僕と以前関係のあった〔中略〕西川良子も来たからである」と書いている。

西川宅も戸締りはなかったから、都井は正面の表戸を開けて侵入した。とっつきの四畳の部屋に、とめが一人で寝ていた。都井はとめの臍部上方一寸のところに、ほとんど銃口を密着させて引金を引いた。猛獣用のダムダム弾だから、鶏卵大の穴があいて、内臓がどろりと溢れた。もちろん即死である。隣の中の間(四畳)には主人の西川秀司、

西川秀司方
木造茅葺平屋建居宅

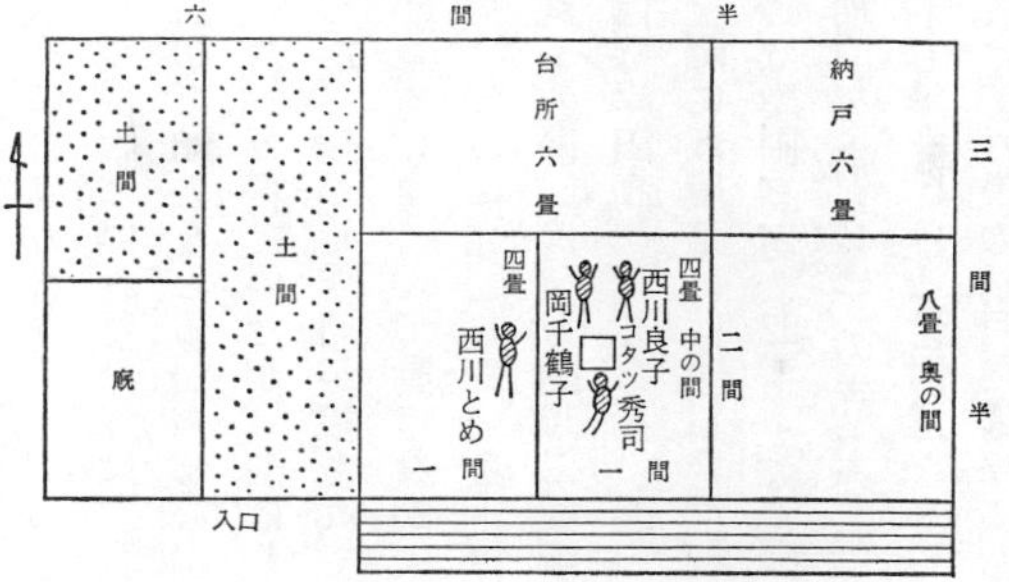

岸田高司方
木造草葺平屋建居宅

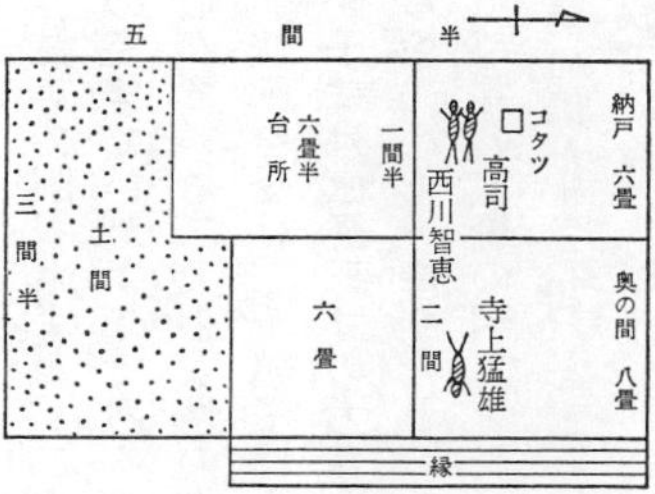

岸田たま、重傷で万袋病院入院中

良子と岡千鶴子が炬燵に入って眠っていた。秀司はがっしりした体格の農夫だったが、突然の銃声にねぼけまなこで立ち上ったところを、躍りこんだ都井に狙撃され、炬燵に向ってうつ伏せに倒れた。弾は左乳下三寸のところに二銭銅貨大の穴をあけ、途中で上方に屈折して頭のうしろからとび出した。貫通銃創である。良子は千鶴子と並んで、秀司に向い合って寝ていたが、やはりとめが殺された銃声で眼をさまし、二人とも上半身を起こした。しかし秀司が殺されても、そのままの姿勢でいたようである。なにがなんだかわからず、すくんで動けなかったのだろう。並んでいる二人の女性の胸に向けて、都井はたて続けに発射した。良子は左肩と首に貫通銃創を受け、千鶴子は心臓を射抜かれた。良子の傷口は父と同じ二銭銅貨大だが、千鶴子には直径三寸の大きな穴をあけた。

三軒目は岸田高司方である。西川宅からだらだら坂の小道を降りたところに岸田家がある。玄関には農家には珍しい銅板の標札があり、都井の電燈の明りを受けて鈍く光った。ここは岸田高司（22）とその妻智恵（20）、高司の母たま（70）、手伝いに来ている高司の甥（たまの外孫）の寺上猛雄（18）の四人家族である。

岸田宅も鍵をかける習慣はなかった。都井は表戸を開けて侵入すると、板の間の台所を通り抜けて六畳の納戸に躍りこんだ。高司と智恵の若夫婦が一つ布団に就寝していたが、都井は二人に起き上る暇も与えず、高司、智恵の順に射殺した。高司は心臓部に智恵は上腹部に、それぞれ二銭銅貨大の貫通銃創を受けた。智恵は妊娠六カ月で、弾は胎児を外れはしたが、母体と同時に死んでいた。

隣室の表八畳の間には、たまと寺上猛雄が寝ており、二人とも銃声に目を覚ましたところへ、都井が入ってきた。

「わ、われはなんじゃ」。十八歳の猛雄が気丈にどなりつけた。

「睦雄じゃ」。都井は胸のナショナルランプを上に向けて、自分の顔を照らして見せた。

そのときなにかを口走りながら、都井に向って行った猛雄の姿を、辛うじて生き残ったたまが覚えている。都井の反応はすばやかった。とびかかってくる猛雄の顔を、銃床で思いきり殴りつけると、猛雄はのけぞって転倒した。下顎骨が微塵に砕け、畳上に骨片などが散乱した。都井はすばやくその上にまたがり、胸を銃口でおさえつけるようにして発射した。

猛雄を殺した都井は、うずくまってふるえているたまの前に仁王立ちとなり、落着いた声をゆっくりと押し出した。

「お前んとこには、もともとなんの恨みも持っとらんじゃったが、西川の娘を嫁にもろたから、殺さにゃいけんようなった」

高司の妻智恵は、西川とめの次女である。坊主憎けりゃ袈裟までの論理なのだ。

「頼むけん、こらえてつかあさい」

七十歳のたまはふるえながら、都井の足もとにひれ伏して哀願した。

「ばばやん、顔を上げなされ」

都井は銃口でたまの顔をすくい上げ、顔を上げたところを胸に向けてぶっ放した。たまはふっとんでころがったが、手当の結果助かった。全治五週間の重傷だった。たった一人生き残ったたまは、「若い者が死んでわしが生き残るとは、神も仏もありゃせんがのう」と運命の皮肉を嘆いたが、三人の最後の模様については、あまり多くを語りたがらず、事件後それほど長生きしなかった。

次は寺井政一宅である。一家は戸主政一（60）、長男貞一（19）、その内妻三木節子（22）、四女ゆり子（22）、五女とき（15）、六女はな（12）で、都井が憎しみをたぎらせたのはゆり子だった。都井は夜這いで関係を結んだものの、ゆり子は都井をそでにして、一月九日に同部落の丹羽卯一のもとに嫁いだ。すると都井は自分との関係を放言して回ったばかりでなく、ゆり子が夫と寝ている部屋に夜這いをかけたりしたので、丹羽卯一も困り果て、三月二十日に離縁した。そこで都井はよりを戻そうとはかったが、ゆり子は五月五日に上加茂村大字物見の上村岩男と再婚してしまった。そして今回は弟の結婚式のために里帰りしていたのである。都井は遺書の中で、前記の西川良子と並べて、ゆり子が実家に帰ってきたことを、凶行の直接的動機と記している。

寺井政一方も戸締りがなかった。都井は表入口の戸を開けて乗りこんだが、このとき一家は全員が目覚めており、土間に続く台所にとび出した政一と鉢合わせした。都井は

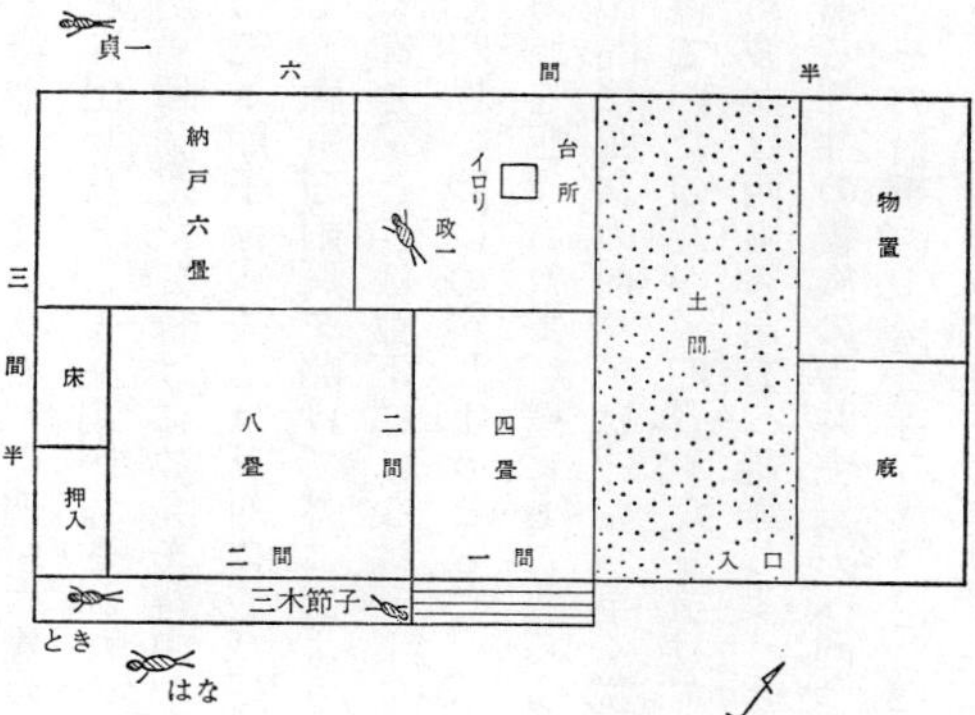

寺井政一方
木造茅葺平屋建居宅

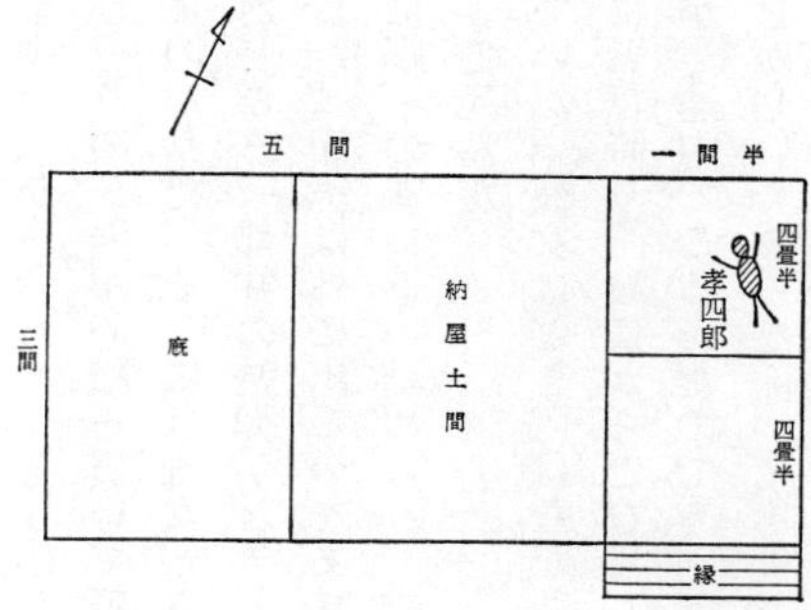

寺井茂吉方
木造瓦葺平屋建納屋（離座敷）

腰だめにした猟銃で、政一の右前胸部をぶち抜き即死させた。長男貞一は十五日に三木節子と結婚したばかりで、奥納戸六畳の間で新婚の夢を結んでいたが、銃声に目を覚まして起き出したところ父親が殺されたので、夢中で窓からおもてにとび出した。しかしとび出す瞬間、たて続けに数発を背中から浴び、その一発が心臓を貫いて軒下に倒れた。新妻の三木節子は、夫とは反対に表八畳の間にのがれた。そこには五女ときと六女はながいて、廊下の雨戸を開けて外に出ようとしたところ、都井の銃弾がときとはなの背中と胸を貫き、ときは廊下にはなは軒下に昏倒した。節子は外に出るのをあきらめ、廊下伝いに四畳の間にのがれようとしたが、都井に廊下の隅に追い詰められ、立ちすくんだところ胸を狙撃されて、壁にもたれるようにして死んだ。

この間に四女のゆり子は、いち早く脱出していた。彼女はとき、はなたちと表八畳の間に寝ていたのだが、四畳を走り抜けて土間にとび降り、裏口からとび出したのだった。はじめ彼女は西川秀司方へ避難しようとしたが、途中でころんだので方向転換して、横手にある都井の親族の寺井虎三方へ向った。しかしいくら戸を叩いても開けてくれない。するとその横手の本屋（寺井茂吉方）の戸が開き、呼んでくれたため、地獄に仏の思いで走りこんだという。都井はゆり子が逃げたのに気づくと、すぐにおもてにとび出した。そしてゆり子が寺井茂吉方に逃げ込んだのを見て、すぐさま駆けつけた。同家は戸主茂吉（45）、妻伸子（41）、次男進二（17）、四女由起子（21）、茂吉の父孝四郎（86）の五人家族で、離れの隠居所にいる孝四郎を除いた四人が、銃声に目を覚まして様子をうかがっているとき、たまたま寺井ゆり子の助けを求める声を聞いて、いそいで家の中に引き入れたのだった。これが同家にとって悲劇のきっかけとなった。というのは四女由起子は都井と関係がなく、都井の凶行計画にも同家は含まれていなかったが、ゆり子を助けたために思わぬそば杖を食う破目になったからである。

辛くも生き残った寺井ゆり子の証言によると、彼女が逃げ込んだ表戸を閉めるか閉めないうちに都井がやってきて、その戸を開けようとした。だが茂吉と由起子がしっかりとおさえていたので、都井は乱暴に戸をゆさぶったり、銃底で叩きながら、「開けろ、開けぬと撃ちめぐぞ〔撃ちまくるぞ〕」などと怒鳴り立てた。これを聞いて隠居部屋に寝ていた父孝四郎が起きだし、雨戸を開けた。そして怒鳴り立てている都井に向って、なにごとか叫んだ。すると都井は振り向きざま、孝四郎の胸を狙って二連射したから、八十六歳の老人はひとたまりもなく昏倒した。前胸部の左右に直径一寸八分の穴があき、左側の傷口から内臓が露出した。茂吉はこのままでは全員が殺されると判断し、次男進二に寺井元一方へ急を知らせ、助けを求めるように命じた。そこで進二は横入口からとび出し、裏の竹藪へ走りこんだが、その姿を都井に見られてしまった。都井はすぐにあとを追いかけたが、竹藪は広く竹の葉が密生しており、進二は追跡に気づくなり藪の中に身を伏せ、じっと息を殺したので、都井の眼をくらますことができた。都井は「逃げると撃つぞ」と大声で叫びながら追いかけたが、なぜか発砲はしなかった。そして進二を見失うと裏口の前にきて、さも進二を捕まえたような口ぶりで、「こら、進二、白状せよ」「白状せぬと撃つぞ」と、大声で二回怒鳴り立てた。「かくいうと親たちが子供かわいさに、内より戸を開けて命乞いに出てくるだろう、と考えたものと思われる」と塩田検事は推測している。

この声を聞いて家の中に残った家族たちは動転した。

「あんた、進二が捕まったけん」。細君は全身をわななかせて、泣きながら茂吉にとりすがった。

「うちのためにとんだことになったですけん。すまんことです。堪えてつかあさい」。寺井ゆり子もそういって泣きじゃくる。

「あんた、進二が撃たれるけん、助けないけんよ。どないしたらええんじゃ」。細君は子供の身を気づかって、半ば狂乱の状態だった。

ここまでは都井の思惑通りだった。そして家族全員がパニックに陥れば、都井の思うつぼだったにちがいない。しかし茂吉はその手にはのらなかった。

「とにかくわしが様子を見てみるけん、じっとしておれ」

茂吉は女たちにそういっておいて、こっそりと裏口の戸に近寄り、板戸の隙間から外を覗いてみた。戸のすぐそばのところに都井が銃を構えて立ちはだかっているが、進二のいる様子はない。それは都井自身が身に付けている三つの光源によって、皮肉にも確かめられたのだった。

「心配いらん」茂吉は細君のところに戻ってささやいた。「進二は捕まっとらん。都井はわしらをおびき出す気で、一杯かけようとしとるんじゃ」

ちょうどそのとき、再び都井がわめきだした。

「どないしても開けんなら、斧を持ってきて打ち割るぞ」

都井は怒号しながら、銃床で裏戸をはげしく叩いたが、頑丈な戸はびくともしない。ついにしびれをきらしたのか、都井は戸の外から家の中へ向けて、連続二回発砲した。その弾は裏口の戸、内庭の格子戸、下駄箱、大戸棚と四重に貫通して、二発目が表戸をおさえていた由起子の右大腿部に命中した。由起子が呻いて倒れたが、近寄るとまた弾が飛んできそうなので、茂吉たち三人は身を伏せて息をひそめていた。すると足音がして都井の立ち去る気配がしたので、茂吉がまた恐る恐る裏戸の隙間から覗いてみると、都井の姿は見えなかった。しかし茂吉は慎重だった。

「いったんは往《い》んだようじゃが、いつまた戻って来んとも限らんけん。この隙に安全なとこに隠れるんじゃ」

「安全なとこなどありゃせんじゃろが」。細君がゆり子と二人で由起子を介抱しながら、おびえきった声で聞き返した。四重貫通の威力をまざまざと見ているから、恐怖はなおさらであった。

「床下じゃ。床下に隠れるんじゃ」

茂吉はゆり子に手伝わせて、タタミを一枚揚げた。そして床板をはずして四人が潜り、息を詰めて騒ぎの治まるのを待った。由起子の大腿部盲管銃創は、出血ははなはだしかったが二週間で全治した。

襲撃を免かれた西川昇も、このころに目を覚まし、のちにこう供述している。

凶行当夜をあとから考えると、六、七軒目を犯人が襲った時だと思われるが、自分は娘の悲鳴によって目をさました。その時やはりあとでわかったのだが、寺井政一方で子供の泣く声が、ちょっとのあいだ聞こえていた。その他は竹の棒で戸でも叩くような、パンパンという音が聞こえただけで、声を出す者もなく、全部落は水を打ったように静かだった。犯人が池沢末男の家を襲った頃からだと思うが、ようやく騒々しくなりはじめた。自分は目がさめたとき第六感で、これは都井がなにか始めたなと感じたので、全く無気味な恐怖の内に夜を明かした。（守谷検事聴取書）

寺井茂吉方に押し入ることができないと知った都井は、寺井ゆり子の追及を断念して、寺井好二方へ向った。寺井政一方の南東のちょっとした高台にある。家族は戸主好二

寺井好二方

木造茅葺平屋建居宅

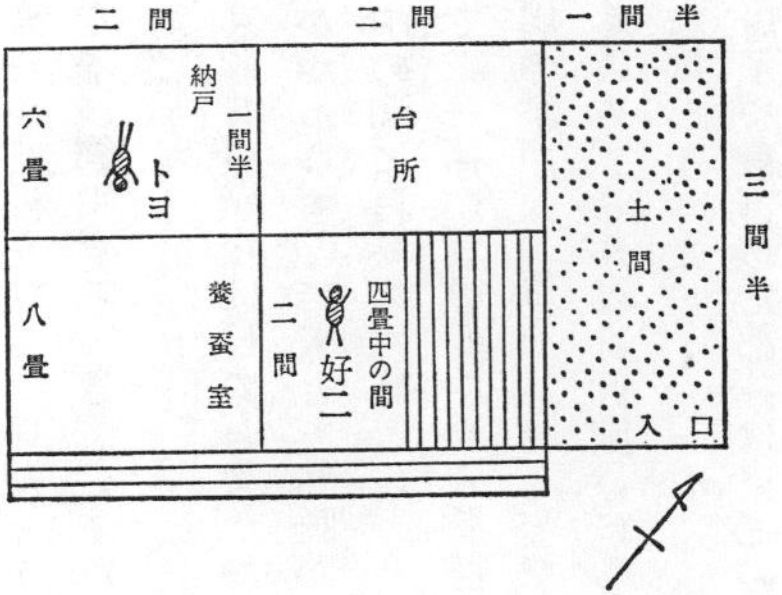

寺井千吉方

枌葺《そぎぶき》二階建納屋

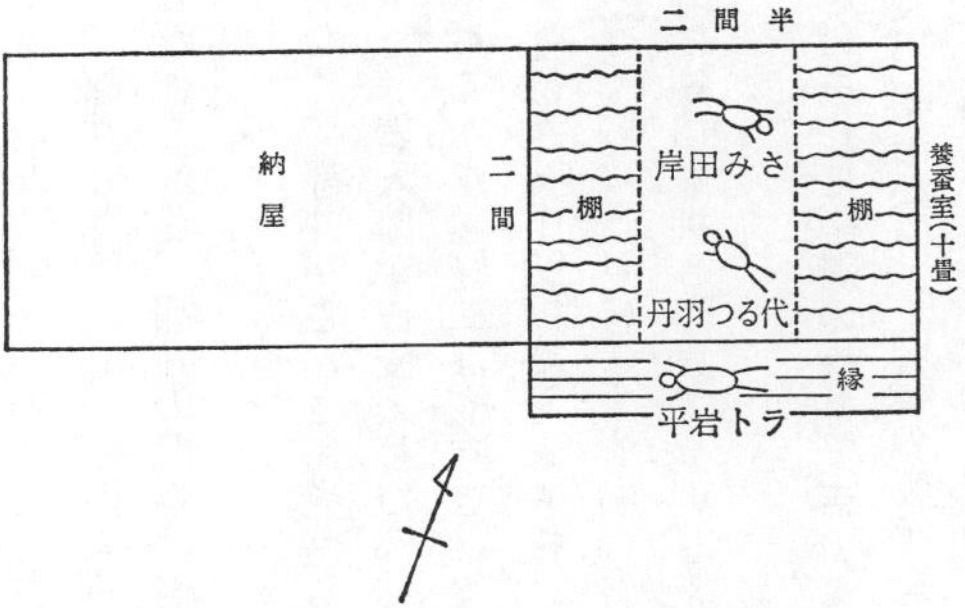

(21)と母トヨ(45)の二人暮しで、都井の狙いはトヨにあった。都井は金品によってトヨと情交を重ねたが、のちに拒絶された。しかしトヨは、前から関係のあった寺井倉一とは相変らず交渉を続けていた。そればかりではない。都井と関係のあった西川良子、寺井ゆり子が結婚するとき、いずれも媒酌を買ってでたことから、都井の恨みは倍加されていた。

この家でも戸締りはしていなかった。そればかりでなく、都井がさんざん発砲したあとにもかかわらず、二人とも熟睡から覚めていなかった。表入口から侵入した都井は、四畳の中の間に寝ていた好二に、布団の上から二発撃ちこんだ。好二は横向きになっていたので、一弾が右の背中から胸腔を貫通し、もう一弾は左腕中関節部をぶち抜いた。ついで奥の納戸(六畳)へ躍りこみ、やはり横向きに寝ていたトヨに、まず右の背中に一発撃ちこみ、こんどは仰向けにしてから、胸部上端に銃口を押しつけて発射した。当然貫通銃創となった。

寺井母子を殺害した都井は自宅のほうへ引き返した。そして南隣の寺井千吉方を襲った。寺井千吉方は戸主の千吉(85)、妻チヨ(80)、長男朝市(64)、内縁の妻平岩トラ(65)、孫の勲(41)、妻きい(38)の三代の夫婦のほか、養蚕手伝いのために、岸田つきよの長女みさ(19)、丹羽イトの長女つる代(21)が泊り込んでおり、合計八人家族にふくれあがっていた。寺井一家は都井に恨まれる筋合いはなかった。しかし岸田みさと丹羽つる代の泊り込んでいたことが、思わぬ災禍を招くことになった。塩田検事によると、「つる代は病弱にして、同病相憐れむ心理より同女に恋し、情交を求めて拒絶せられたりとの風評あり」、「しばしばみさに情交を求めて拒絶せられて、恨むに至りしものと思われる」とされているが、都井は夜這いをかけて成功したと放言しており、少なくともどちらか一人と交渉のあったことはたしからしい。

同家では別棟の養蚕室にいた丹羽つる代、岸田みさ、平岩トラの三人を除いて、母屋に住む全員が眼を覚ましていた。そして炬燵のある表六畳の間に集まり、恐怖におののきながら、いったいどうしたものかと相談の結果、孫の勲夫婦は二階に隠れ、千吉の妻チヨは床下にもぐりこみ、千吉はそのまま炬燵にとどまり、息子の朝市はそれまで寝ていた奥納戸（六畳）に戻って、布団の中にもぐりこんだ。都井は狙う二人が養蚕室にいるのを、事前調査で熟知していたから、母屋をあと回しにして養蚕室へ直行した。そして戸締りのない廊下の雨戸を開けて侵入した。養蚕室は十畳で、廊下に向って両側にいわゆるカイコ棚があり、中央の四畳ほどの板の間に、岸田みさたち三人の女性が、横に布団を並べて就寝していた。都井は躍りこむなり、つる代とみさに向けて乱射した。つる代は腹部に三発、胸に一発を浴び、みさは左前頸部と左肩胛骨部にそれぞれ一弾ずつを受けて倒れた。平岩トラは「堪えてくれ、こらえてつかあさい」と、懸命に嘆願しながら廊下のほうへあとずさりした。しかし都井は許さなかった。たてつづけに四発連射したから、トラは左右の大腿部に各一弾、左脇腹に二弾を浴び、腸管を露出させて即死した。

三人を惨殺して養蚕室をとび出した都井は、母屋にとって帰すと、縁側の雨戸を開けて押し入った。都井は大声で「いるかア」「鉄砲はあるんかア」と怒鳴りながら表六畳の間に踏み込み、炬燵に坐りこんでいた千吉を三つの照明で捕えた。千吉は都井を見上げたが、格別の反応を示さずに凝然と端座したままなので、都井はそんな老人の姿を小面憎く思ったものか、「年寄でも結構撃つぞ。本家のじいさん〔寺井孝四郎のこと〕も殺《や》ったけんの。どないしてやろか」といいながら、銃口を千吉の首にあてた。

「こわくなかったことはないが、どうされようがかまわんという気じゃったから、わしはそのままじっとしとったけん。それで睦雄もこんな老いぼれをやっても、なんの益もない思うたんじゃろ。すぐに往《い》んでしもうたじゃ」

千吉老人は事件後こう語っている。

都井は銃口を首にあてたまままちょっと考えてから、

「お前はわしの悪口をいわんじゃったから、堪えてやるけんの。せやけんど、わしが死んだらまた悪口をいうことじゃろな」

このとき都井がちょっと笑った、と千吉老人は述べている。孫の勲夫婦は二階に身をひそめ、息を殺しながら千吉と都井のやりとりを聞いていたのだが、都井がいつ二階へ上ってくるかと、夫婦抱き合って戦々兢々、生きた心地がなかったという。

都井は表六畳から奥納戸に踏みこんだ。ここには朝市が布団にもぐっていた。朝市は都井と千吉のやりとりを聞いて、これは助かるかもしれないと思い、ふるえながらも眠ったふりをしていた。都井は三つの光で朝市を照らすと、いきなり枕をけとばした。朝市がびっくりして起き上ろうとすると、その胸を銃口で押し戻し、

「若い者〔勲夫婦〕は逃げたな。動くと撃つぞ。おとなしくせえ」

朝市は横たわったまま、恐怖におののきながら、

「決して動かん。動かんから助けてくれ」

都井を見上げて両手を合わせ、必死で哀願した。

「それほどまでに命が惜しいんか」

都井は銃口で朝市の肩を小突きながら、からかうようにいった。朝市はよけいなことはいわぬほうがいいと思い、手を合わせたまま何度も子供のように大きくうなずいた。

「よし、助けてやるけん」

都井はそういって納戸を出て、侵入した廊下のほうへ戻り、土間のところに自転車があるのを見つけると、「これなら逃げたとて心配ありゃせん」と安心したようにつぶやいたという。

勲がすでに警察へ急訴に向ったとしても徒歩ではそう早くはたどりつけないだろうか

ら、警官隊が来るにしてもまだ時間がかかるだろう、と推理したことばに思える。

都井は千吉宅を出ると、南の軒下を伝って裏に回り、少し東へ上って丹羽卯一方へ向った。丹羽方は戸主卯一(28)、妹つる代、母イト(47)の三人暮しだが、つる代はすでに千吉方で射ち果していたから、狙うのは卯一とイトの二人だった。都井はイトと情交があったが最近冷たくされ、卯一は一時期寺井ゆり子を妻にしていたことによる。この丹羽方にも別棟の養蚕室があったから、都井は母家を尻目に養蚕室へ走りこんだ。ここでは養蚕室に泊り込む習慣はなかったが、たまたま母イトが保温用の炉の火の具合を見にきていた。

「ぎゃあ」。とびこんできた異形の都井を見て、イトは恐怖の絶叫をほとばしらせた。

「娘はもう殺《や》った。こんどはお前じゃ」

立ちすくむイトに向って、都井は腰だめで連射した。イトは腰から下肢一帯に銃弾を浴びて、ほとんど原形をとどめぬまでに粉砕された(万袋医師により輸血が行なわれたが、約六時間後に死亡)。卯一は母屋に寝ており、母の絶叫と銃声で目を覚まし、いち早く脱出して難を免かれた(このあと加茂町駐在所へ急訴したことは、すでに第一部に書いた)。

イトを殺したあと、都井は母家に踏みこんで、家の中を探しまわったらしく、いくつもの地下足袋の跡が廊下に残っていた。卯一の逃亡を知った都井は、次の目標である池沢末男方へ向った。丹羽方から池沢方へは、田んぼの中の畦道をたどって津山へ抜ける

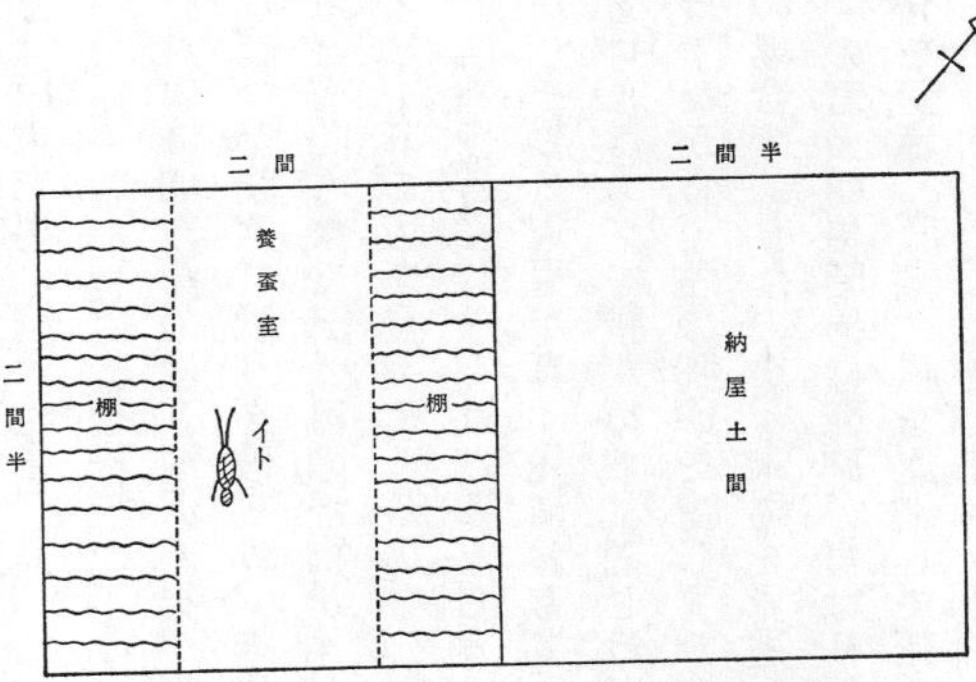

丹羽卯一方
木造茅葺平屋建納屋

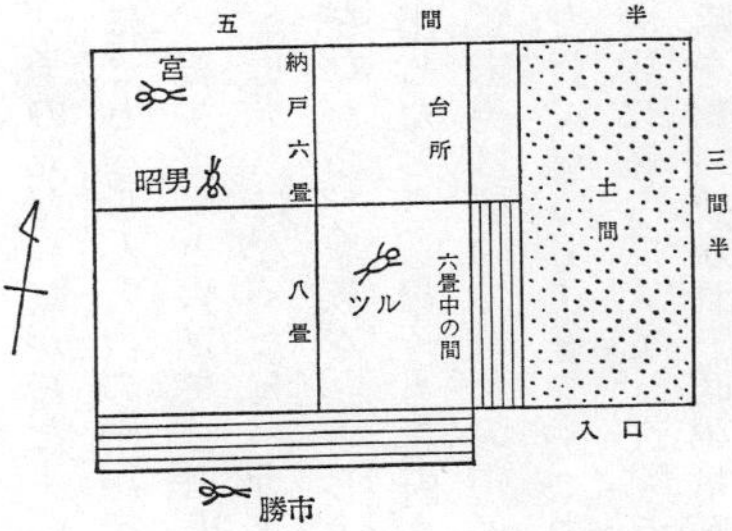

池沢末男方
木造茅葺二階建居宅

県道に出、そこから小川にかかった土橋を渡って、細い坂道を登る。

池沢方は戸主末男(37)、妻宮(34)、二男彰(12)三男正三(9)、四男昭男(5)、父勝市(74)、母ツル(72)、長男肇(14)で、肇は伊勢神宮へ修学旅行中だった。都井が池沢方を対象に加えたのは、池沢末男が寺井マツ子の兄だったからだ。同家では丹羽方で鳴りひびいた銃声で眠りを破られ、末男がなにごとならんと表の雨戸を開けてうかがっていると、間もなく三つ目の怪物が「殺すぞ、殺すぞ」と大声で連呼しながら、ものすごいスピードで坂を登ってくるので、腰を抜かしそうになったという。末男は気をとり直して「逃げるんじゃ、逃げるんじゃ」と叫びながら、家族を誘導して裏へ回り雨戸を開けた。そして末男が真っ先におもてへとび出したとき、早くも都井が裏手に回りこんで、ブローニングを腰だめで乱射しはじめた。末男は夢中で竹藪の中に駆けこんではいつくばったから、左の膝頭を少しすりむいただけで辛うじて難を免かれた。都井は寺井進二の場合でこりたのか、末男を見逃して家の中に躍りこんだ。そして納戸六畳の間にいた妻の宮と四男昭男に発砲、宮は初弾で心臓を撃ち抜かれ、昭男は右胸、右腹、右腕と三発を受け、肝臓と腸を露出して死んだ。二人を倒した都井はいったん戸外にとび出し、軒下を回りこんで表入口から再び侵入、中の間(六畳)にいた母ツルの左肩胛骨部に貫通銃創を与えて倒し、父勝市の両腕を撃ち抜いたが、勝市は必死でおもてに逃れようとしたので、都井はめちゃくちゃに発砲、このため勝市は左肩胛骨部から胸を射抜かれたほか、全身に六発の銃弾を浴び、肺臓を露出して絶命した。二男、三男は見逃したのか、二人ともかすり傷一つ受けずに助かっている。

このころ西川昇は雨戸を細目に開けて、恐る恐るおもてを覗いて見た。なにも見えなかったが、池沢末男の家とおぼしきあたりから、「撃つぞ」という裂帛《れっぱく》の絶叫が聞こえたという。西川は戸締りを厳重にして家族を床下に匿まい、都井に襲われるのはもはや時間の問題と覚悟を決めていたが、理不尽に殺されるのだけは遺憾だから、もし都井が侵入してきた場合には、せめてなんの遺恨の殺傷沙汰ぞと問いたい、とおののく胸の中で考えていた。床下に隠れていた細君は、何時ごろかわからないが、都井が銃床で同家の黒板塀を叩く音を聞き、もうこれが最後だと神に祈った。騒ぎがしずまってから雨戸を繰ったところ、縁先に点々と血痕がしたたっており、改めてぞっとしたという。

池沢末男方の殺戮を終えた都井は、坂を下って小川のところに引き返し、こんどは寺井倉一方へ通じる約半町の急坂を、疲れも見せず黒い疾風のように駆け登った。寺井方は天狗寺山への登り口で、部落では高い位置にあった。勾配のきつい隘路《あいろ》、小石と雑草と路面のでこぼこ。すでに三十人近くを屠《ほふ》った都井が、二貫目もある重い猟銃を手に、この道を信じられぬスピードで駆け上ったのである。寺井方には戸主の倉一（61）、妻はま（56）、長男の優（28）がいた。倉一は部落切っての資産家であり、そして色好みでもあった。すでに六十の坂を越しているというのに、その財力にものをいわせて寺井マツ子、岡本みよなど複数の女たちと不倫な情交を重ねていたことは、部落内では隠れもない事実であった。都井の憎悪の的の一つとなるのは避けられない。息子の優は村の警防団の部長を勤めており、村の青少年の指導者の一人であった。青年会の集まりにも顔を出さず、出征兵士の見送りや神社参拝にも参加しない都井に、しばしば善意の忠告をしている。これもまた都井には屈折した投影をもたらしたことだろう。

都井は急坂を登り切り、「倉一いるかア」と怒鳴りながら表門から走りこんだ。この時倉一宅は全員起き出しており、妻はまがローソクを手に雨戸を開け、なにごとが起こったのかと、おもてを見渡しているところだった。坂の途中から都井の胸のナショナルランプは消え、頭につけた二つの懐中電燈だけだったから、はまの目には二つ目の怪物に見えた。

「二つ目が来るぞい」

はまが倉一と優に振り向いて叫んだ瞬間、都井のブローニングが轟然火を吹いた。はまはローソクを持った右手に一弾を受けたが、痛みをこらえていそいで雨戸を閉め、駆け寄った倉一と二人で必死で都井の侵入を防いだ。

「開けろ、開けんと撃つぞ」

都井はわめきながら、銃床で雨戸をどんどんと叩いた。それでも二人がしっかりとおさえていたので、都井は雨戸に向けて五発連射した。その中の一発がはまの右腕を射抜

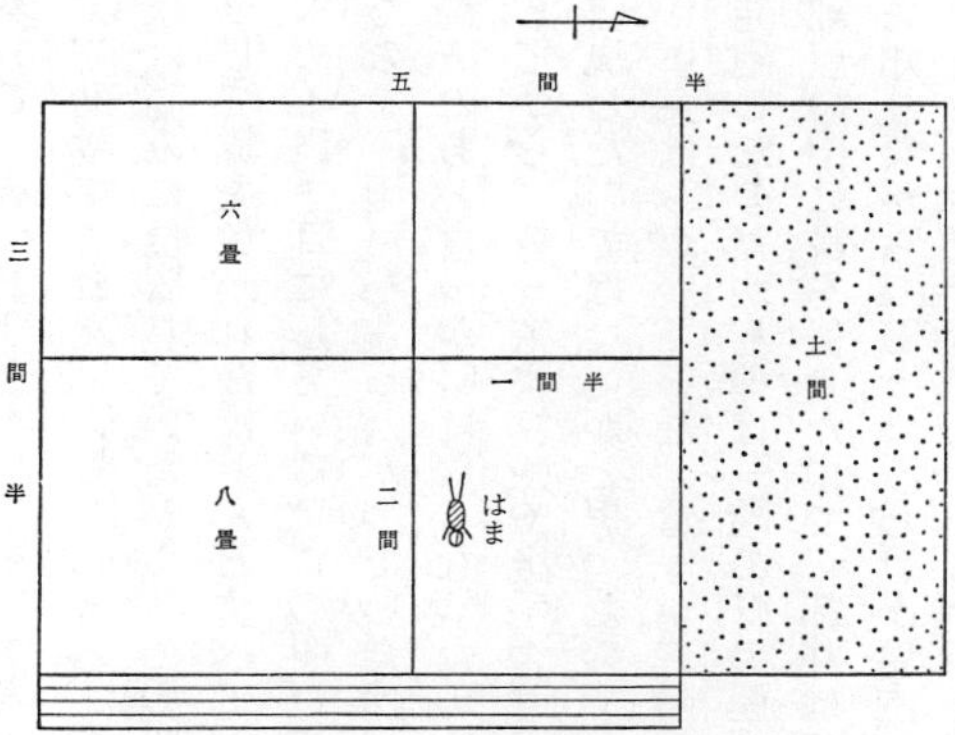

寺井倉一方
木造二階建茅葺居宅

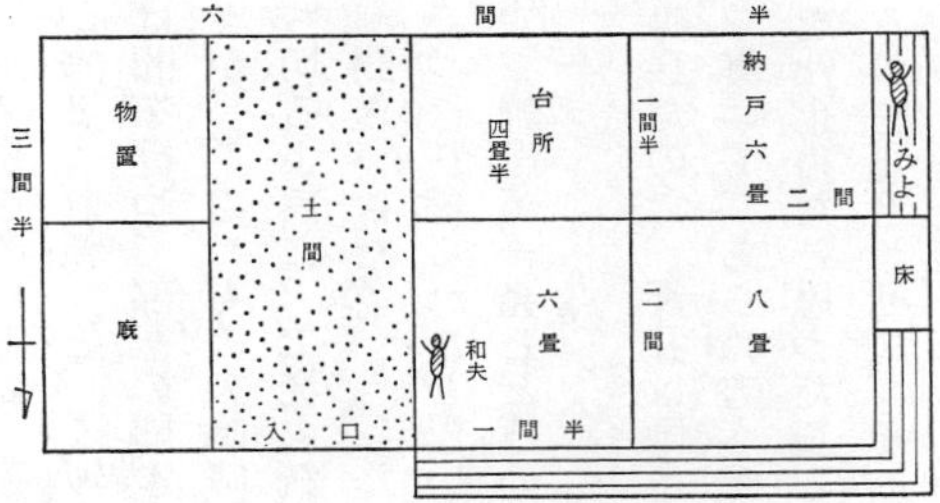

岡本和夫方
木造茅葺平屋建居宅

き、はまは悲鳴をほとばしらせて倒れた。それを見て倉一は、雨戸をおさえるのを放棄して、夢中で二階へ駆け上った。そして表側のガラス窓を開けると、声を限りに「助けてくれえ、助けてくれえ、人殺しじゃあ、だれか来てくれえ」と、くり返し絶叫した。倉一の家は高みに位置していたから、その叫びは闇を縫って部落の隅々にまでひびき渡り、辛うじて難を免かれたほとんどすべての人々が、このけものの咆哮にも似た倉一の助けを求める声を耳にしている。この叫びを断ち切るように、二発の銃声が連続してとどろいたのを、雨戸からうかがっていた西川昇が聞きつけた。

「この銃声のあと倉一が叫ばなくなったので、てっきり殺《や》られたと思いました。そのあと少ししてから、倉一宅よりやや上手よりの方で、銃声が一発とどろいたので、これは都井が自決したのではないかと思ったのでした」

しかし事実はちがっていた。倉一が二階で絶叫したので、都井は雨戸の前から二階へ向って発砲したのだが、弾は一階の軒の屋根瓦を貫いて、あらぬ方へそれた。倉一はあわてて部屋の中に身を伏せたので、都井は倉一を仕止めたと思ったらしい。まだ息子がいるのを知りながら、どういうわけか屋内に入るのを見合わせて、そのまま立ち去ったから、倉一と優は命拾いすることになった。はまは出血多量のため、十二時間後に息を引きとった。

都井は裏手の天狗寺山に駆け登り、そこから倉一宅へ向けて一弾を放った。これが西川の聞いた最後の銃声である。それから南の山腹を走り抜け、槍原《うつきばら》部落を横切って再び貝尾部落の西北端に出た。そして真福寺に抜ける小道を通って、坂元部落のはずれにある岡本和夫方を目ざした。これは雑草をかきわけてやっと通れる道で、平素人の通行するところではない。都井は夜這いに歩いたり、あるいは殺人を計画してから、この経路を研究していたにちがいない。深更の闇の底を迷いもせず、二十町に近い山腹のけもの道を駆け抜けたのだ。

岡本方は夫和夫(51)と妻みよ(32)の二人暮しだが、住まいはわりと大きい。都井はみよと何回となく交渉を重ね、これを阻止せんと和夫があれこれ腐心した。そして最近ではみよまでが冷たくなっていたから、二人とも殺意の対象になっていた。岡本宅は都井の夜這いを警戒していながら、表戸に戸締りをしていなかった。あるいは寺井倉一の夜這いのために、みよが錠をはずしておいたのかもしれない。いずれにしても都井は、すんなりと入口の戸を開けて入った。岡本夫婦は奥の納戸(六畳)に寝ていたが、いち早く和夫が目覚め、空気銃を持って表六畳の間に出てきた。この空気銃は都井を撃退するために、ごく最近津山市で買い求めたものだった。しかしその空気銃を構えるいとまもなく、和夫は左胸に三発、上腹部に一発被弾して倒れた。みよはこの隙にいそいで廊下に出て雨戸を開けようとしたが、左の背に二発、右腰に一発撃ちこまれて即死した。

これで襲撃は終った。午前三時頃のことである。岡本方をあとにして、都井は山道を北へ向って走った。そして間もなく岡本方から四町ばかり離れた、楢井部落の武元市松(66)方に現われた。武元はこう供述している。

一、五月二十一日午前三時ごろ、私方六畳の間で寝ていると、「今晩は、今晩は」と呼ぶ声がしたので、電報配達が来たのだろうと思って返事をすると、間もなく自分が寝ている部屋へ、若い二十一、二歳の男が、腰に刀を差し鉄砲を持って入ってきた。自分はこの姿を見て、強盗が来たのだと感じた。

二、その男の顔は見覚えがなかったが、まず最初「おじいさん、怯えなさんな」というたのをよく覚えている。ついで自分に「おじいさん、急ぐんじゃ、紙と鉛筆をもらいたい。警察の自動車がこの下まで、自分を追うて来ておる」というので、私が紙を探していると、その部屋に寝ていた私の孫に、「アッチャン、君とこはここじゃな。おじいさんでは間に合わぬ。鉛筆と雑記帖を出してくれ」といった。孫が書きかけの雑記帖を出すと、その男は雑記帖の一部を破りとり、「なんぼ俺でも罪《とが》のない人は撃たぬ。心配しなさんな」というので、私は「これほどまでにしよるのに、撃ってもろうては困る」というと、「おじいさんとこへ来たら用を足してもらえると思った。俺がここで死んだらお宅の迷惑になるといけん。早くしてくれ」というて、自分がその男に事情を聞こうと思っても、その余裕を与えずたいへん急いで外へ出て行った。

三、その男が出て行くと、孫が「あれが都井じゃ」というたので、初めて同人が岡本和夫の女房と密通の噂があった、都井という男であることを知った。そのうちにあとからあとから人が来たので、私は都井が自分宅へ来て、紙と鉛筆を持って行った顚末を話し、その辺に自殺でもしているのではないかというたが、果して都井が山の上で自殺しているのが発見されたような次第である。　（伏見検事聴取書）

都井からアッチャンと呼びかけられた孫の敦夫は、都井のお話を聞きに集まった子供たちの一人であった。このとき小学五年生だったが、のちにこのときのことを語っている。

じいやんと寝ていたら、突然夜中に変な男が入ってきたのでおどろいた。恐ろしくてじいやんにしがみついてふるえていたから、詳しいことは覚えていない。しかし途中でその男が私のことをアッチャンといい、わしじゃがなと懐中電燈で自分の顔を照らしたので、恐る恐る見たら都井だったので、それからこわさが消えた。そして都井にいわれるままに、学校のカバンの中から鉛筆と雑記帖を出してやった。都井はありがとうといい、勉強してえらくなれよといって立ち去った。都井は私たち子供が好きで、私たちを集めてはキャラメルなどをくれたり、自分で書いた物語を読んでくれたりした。しかしこんな夜中に、紙と鉛筆をもらってどうするのかと思ったら、じいやんが遺書を書くつもりじゃろといった。私が遺書とはなんじゃと聞くと、えらいことやらかしたから死ぬ気じゃといった。そのほかのことは、あまり覚えていない。

武元方から紙と鉛筆を強奪した都井は、さらに闇黒の山道をひた走った。そして荒坂峠の急坂を越して、武元方から約十六町、貝尾部落から一里近く離れた仙の城山頂にたどりついた。一年後にここを視察した中垣清春検事が、「三十三名殺傷事件の現場を訪れて」の文中で、この一帯の情景を書いている。

五、六丁も歩いてやっと岡本方に着いた。同家は坂元部落から荒坂峠へ通う小径の路傍にあたっていた。屋敷はすっかり取払われていた。木蓮の赤い花が午後の油照りの中に、しおれて力がなかった。大きな柿の幹が僅かに緑陰を作る。裏手側は渓流となり、小学生が二人雑魚でもすくっているのか、草の間から経木織の夏帽子が二つ隠見していた。〔中略〕野バラがかすかに匂う。彼方の家で人影がチラリとしてまた消えた。水車が大きく水を切りつつ回転した。私と守谷検事は犯人の自殺した荒坂越に向った。坂路は小石を混じえた難嶮《なんけん》で、山襞《やまひだ》を流れた雨水のため幾重にも亀裂を生じ、登攀《とうはん》きわめて困難だった。数丁して、犯人が遺書をしたためるべく、雑記帖を奪った武元市松方にたどりついた。峠道からだいぶ入りこんでいるが、一応訪ねることにした。あいにく留守だった。前の田圃で黄と黒の羽根をもった軽快な鶺鴒《せきれい》が翼を休めていた。
さらに荒坂越の尾根へと迫る。道はますます狭くかつ嶮《けわ》しくなる。わたしたちの呼吸も荒くなる。三十余名を殺戮して、この峻嶮《しゅんけん》を踏破した犯人都井の脚力と膂力《りょりょく》に、驚嘆のほかなかった。暗い細い山道を、多数の人を殺傷し、ただ一人分け登るありし日の犯人の姿を想像して、いまさら四囲の情景を見なおした。深々とした夜の静寂《しじま》、冷然たる夜気、ひたひたと這い寄る木の精の呼吸、点滅する星屑、その中を全身返り血を浴びて悪鬼の如く、自らの冥路《よみじ》へ急いだ犯人の全霊を捉えたものは何であろうか。私は登りつめて、ここぞと思わしいところを探した。麓で教わった場所も、来て見るとすこぶる漠然としていた。積み重なった杉の病葉《わくらば》を踏みしめ、灌木の繁みを分けて、それらしきところへ出てみた。そこからは貝尾の部落は一望の下にあった。遥かに西加茂小学校も俯《ふ》瞰《かん》し得る。犯人の生地加茂町倉見も見えるとのことだが、わたしたちにはよくわからなかった。ここで犯人は悠々最後の遺書をものして、呪われた二十二年の生涯に永劫の別離を告げたのである。

（『津山事件報告書』）

都井がどのような手順で自殺したのか、だれ一人目撃者はいない。しかし死体や遺品の情況などから見て、こう想像することができよう。

都井はまず落ち葉の散りしいた地面にあぐらをかき、敦夫にもらった雑記帖の紙片を膝にあてて、やはりもらった鉛筆で遺書をつづった。明りは頭にとりつけた二本の懐中電燈である。

「愈々死するにあたり一筆書置申します」

雑記帖の罫いっぱいの大きな字で、わりにしっかりした筆跡で書き出した。すでに凶行前に二通の遺書を書いていたから、この世にいい遺したいことは、ほとんどそれに尽したはずであった。にもかかわらず彼は書いた。生来ものを書くことが好きだった彼にとっては、やはり最後のしめくくりとして、なにかしたためずには死ねなかったのかもしれない。落ちついているつもりではあったろうが、文も乱れてきた。

決行するにはしたが、うつべきをうたずうたいでもよいものをうった、時のはずみで、ああ祖母にはすみませぬ、まことにすまぬ、二歳の時からの育ての祖母、祖母は殺してはいけないのだけれど、後に残る不びんを考えてついああした事を行った、楽に死ねる様にと思ったらあまりみじめなことをした、まことにすみません、涙、涙、ただすまぬ涙が出るばかり、姉さんにもすまぬ、はなはだすみません、ゆるして下さい、つまらぬ弟でした、この様なことをしたから（たとい自分のうらみからとは言いながら）決してはかをして下されなくてもよろしい、野にくされれば本望である、病気四年間の社会の冷胆《ママ》、圧迫にはまことに泣いた、親族が少く愛と言うものの僕の身にとって少いにも泣いた、社会もすこしみよりのないもの結核患者に同情すべきだ、実際弱いのにはこりた、今度は強い強い人に生れてこよう、実際僕も不幸な人生だった、今度は幸福に生れてこよう。

都井はちびた鉛筆をなめなめ書きついだ。

「もはや夜明も近づいた、死にましょう」

最後の一行を書き終ると遺書を地面に置き、電燈を付けた鉢巻きをとって、その上に重しとしてのせた。それから日本刀一振、匕首二口、自転車用ナショナル電燈、雑嚢などを、ひとつずつからだからはずして並べた。さらに地下足袋も脱いできちんとそろえて置いた。それからあぐらをかき、黒詰襟洋服のボタンをはずし、ブローニング九連発猟銃を手にとると、シャツの上から心臓部に銃口をあてた。両手で銃身をしっかりと握り、右足を伸ばして親指を引金にかける。銃声と同時にその手から銃は三尺ほど吹っとび、都井はのけぞって倒れた。即死だった。

死亡推定時刻は「同日午前五時ごろ」と只友一富医師は死体検案書に書いた。

内山寿の記憶によると、都井は阿部定について語り合ったとき、ほぼこんな意味のことを口にしたそうである。

「阿部定は好き勝手なことをやって、日本中の話題になった。わしがどうせ肺病で死ぬなら、阿部定に負けんような、どえらいことをやって死にたいもんじゃ」

もしこれが事実とするならば、都井の凶行の動機には、結核による絶望と部落民への憎悪のほかに、強烈な自己顕示欲があずかっていたにちがいない。西加茂村尋常小学校始まって以来の秀才と目された彼の意識は不条理な屈折の果てに、空前絶後の大量殺人というかたちにおいて、はじめて自己顕示の完成を遂げたのかもしれない。

この事件を最初にとりあげたのは横溝正史氏である。代表作の一つである『八つ墓村』の中に、主人公の父親・田治見要蔵の犯行として、「発端」の部分に次のように書いている。

それは春のおそい山村では、まだ炬燵《こたつ》のいる四月下旬のある夜のことだった。

村の人たちは突然、時ならぬ銃声と、ただならぬ悲鳴に眠りをさまされた。銃声は一発にとどまらず、間をおいて二発、三発とつづいた。悲鳴、叫声、救いを求める声はしだいに大きくなってきた。何事が起こったのかと表へ飛び出した人々は、そこに世にも異様な風体をした男を見た。

その男は詰襟《つめえり》の洋服を着て、脚に脚絆《きゃはん》をまき草鞋《わらじ》をはいて、白鉢巻きをしていた。そしてその鉢巻きには点《つ》けっぱなしにした棒型の懐中電燈二本、角のように結びつけ、胸にはこれまた点けっぱなしにしたナショナル懐中電燈を、まるで丑《うし》の刻参りの鏡のようにぶらさげ、洋服のうえから締めた兵児帯《へこ》には、日本刀をぶちこみ、片手に猟銃をかかえていた。村の人々はそれを見ると、だれでも腰を抜かさずにはいられなかった。いや腰を抜かさぬまでも、そのまえに男のかかえた猟銃が火をふいて、ひとたまりもなくその場に撃ち倒されてしまった。

これが要蔵だった。

かれはまず、そういう風体で、一刀のもとに妻のおきさを斬って捨て、そのまま狂気のように家を飛び出したらしい。さすがに二人の伯母や子どもたちには手をつけなかったが、その代わり、罪もない村の人たちを、当たるを幸いと、あるいは斬り捨て、あるいは猟銃で狙撃して回った。

後で調べてわかったところによると、ある家は表をたたいて訪れる声に、何気なく主人が、大戸をひらいたところをいきなり外からズドンと狙撃された。また、ある家では新婚の若夫婦の寝入りばなを、雨戸を一寸ほどこじあけて、そこから突っ込んだ銃口で、まず花婿を撃ち殺し、物音に驚いてとび起きた花嫁が壁際まで逃げていって、助けてくれと手を合わせているところを、ズドンと一発やったらしい。手を合わせたまま死んでいる若い嫁の姿勢が、駆けつけてきた係官の涙をしぼった。しかも、この花嫁のごときは、つい半月ほどまえ、十里ほど向こうの村から嫁入ってきたばかりで、要蔵とは縁も由縁《ゆかり》もない女であった。

こうして要蔵は一晩村じゅうを暴れまわったあげく、夜明けとともに山へ逃げこみ、ようやくにして恐怖の一夜は明けたのである。

翌日、急報によって近くの町々村々から、おびただしい警官や新聞記者が押し寄せてきたときには、八つ墓村は血みどろになっていた。あちらにもこちらにも血にまみれた死体がころがっていた。どの家からも瀕死《ひんし》のうめき声が洩《も》れた。まだ死にきれないで助けを呼んでいるもののもあった。

そのとき、要蔵によって重軽傷を負わされたものは数知れなかったが、即死したものは三十二人、実に酸鼻《さんび》を極めた事件で、世界犯罪史上類例がないといわれている。

（角川文庫版『八つ墓村』）

もとより〈八つ墓村〉は架空の村だが、この村が「鳥取県と岡山県の県境にある山中の一寒村」と説明されており、また大坪直行氏の解説の中に、「戦時中、戦後、岡山県に疎開していた横溝正史は、戦後、岡山県警の講演や、犯罪事件展示会などに招ばれて、この事件の真相を見聞きしてきたのであった。その時のショックを横溝正史は、『とにかく、これほどの事件があったとは知らなかった。あまりの惨虐な事件だけに、いつかこの事件を題材にしたものを書いてみようと思った』と言っている。この事件とは津山事件のことである」と記しているから、これが津山事件をモデルにしたことはまちがいない。

しかし『八つ墓村』はフィクションである。

正面切って、しかもノンフィクションで取り上げたのが松本清張氏である。犯罪実録物『ミステリーの系譜』シリーズの中で、「闇に駆ける猟銃」と題して詳細なドキュメントにまとめ、シリーズ中の白眉との定評を得ている。

しかしどういうわけか、津山事件については、ひとつの奇妙な伝説がつきまとっている。事件当時マスコミに発表されず、世間から秘匿され埋もれてきた事件だというのである。たとえば前記大坪直行氏によれば、「日華事変の最中のことなので、あまりにも惨虐なこの事件は公表されなかった」、「世界犯罪史上でも類例のない惨劇で、短時間にこれだけの人数を一人で殺傷した事件に、新聞報道はさし控えられた」（前掲解説）とされ、また中島河太郎氏も横溝正史全集（講談社版）の解説で、同様趣旨のことを書いている。だが、この発言は全くの誤りなのだ。

この誤解がなにによって生じたのか、わたし（筆者）にはつまびらかではないが、実際には事件当時ラジオをはじめ全国のマスコミがこぞって派手に報じており、日本中にセンセーションをまき起こしたことは、当時の新聞をひもどけばすぐにわかることである。

日本犯罪史上空前の惨劇は、犯人の自殺によって清算されたかたちとなったが、実はほとんど清算されなかったといえよう。

この事件の捜査を指揮した岡山地方裁判所の検事正国枝鎌三は、『津山事件報告書』の結びの中でこう述べている。

刑事訴訟の問題としては、犯人の自決により清算せられたとはいえ、これによって生ずべき各方面における幾多の問題は、犯人死亡のため未解決のまま残されることになった。犯人を生かして親しく告白を聴き、もしくはその身体を医学的に観察することができなくなったことは、貴重の鍵を失いたるもので、甚だ遺憾である。数通の遺書は全面的に肯定しがたき点もあるべし。また生存関係者の陳述にも同様信憑しがたき憾《うらみ》もあらん。

俗にいう、死人に口なし、である。生存関係者が犯人を悪くいうとも、自分に不利なことを口にするはずがない。まして女性たちは犯人と関係があり、それが動機の主たる部分を形成していると噂されているからには、彼女たちがすべて真実のみを陳述したとの保証はない。

こうした事情から生存関係者ばかりでなく、部落の人々は現在でもこの事件に触れるのを忌避する。津山事件は明らかに禁忌《タブー》なのであった。昭和五十年に刊行された『加茂町史』にも、千頁を越す大冊の中で僅かに次の記述しかないことが、この間の消息を物語っていよう。

戦争に非協力的な者は非国民呼ばわりされ、徴兵検査での甲種合格は成年男子の華であった。このような風潮の中で都井睦雄事件も発生したのであった。(傍点筆者)

従って津山事件は未解明のままに残された部分が多く、現在に至るもその真相は謎に包まれているといえよう。それがわたしにドキュメントへの意欲をかき立てた。

わたしが津山事件を知ったのは、新聞記者として別の事件を取材中のことだった。

別の事件というのは、昭和二十九年十月十日未明、茨城県鹿島郡徳宿村(現・鉾田町)に発生した一家九人毒殺放火事件で、犯人は白衣を着て医師を装って被害者宅を訪ね、長男の精神病は伝染するから、予防薬を飲まなければいけないと騙し、一家九人全員に同時に青酸加里を服用させて殺害、金品を奪ったのち証拠隠滅のために放火して逃走したのだった。

手口が帝銀事件にそっくりであり、しかも帝銀に次ぐ大量殺人ということで、マスコミはセンセーショナルに報道したが、わけても帝銀事件の犯人・平沢の弁護人は、帝銀と同一犯人の犯行ではないかとして、現地調査にとんできたものだった。

結局一カ月後に犯人が捕まったが、逮捕直後に仁丹ケースに仕込んだ青酸加里を飲んで自殺したので、詳しいことは謎として残された。

当時地元新聞の記者だったわたしは、上京して警視庁を訪ね、平沢を逮捕した居木井警部に長時間のインタビューを行ったのだが、このとき大量殺人の先例として、津山事件の存在を教えられたのだった。わたしはこれを記事にして送稿したが、本社でボツにされてしまった。

しかしわたしは個人的な興味から、折にふれてこの事件を調べ直していたところ、水戸の記者クラブで一緒だった中央各紙の友人たちが、先輩記者から聞いたり、もらったりした資料をポツポツ送ってくれ、その中にいくつかの未公表のデータがあったことから、わたしなりに津山事件を再構成してみる気になったのであった。

わたしは、本書によって事件の謎を完全に解明したなどと揚言するつもりはないし、そうした自負はわたしの貧困な力量が許すところではない。なにはともあれ四十余年後の現在、入手し得る限りのデータによって事件の全容を再構成することによって、わが国最大のこの大量殺人事件がさらに広く知られ、犯人をはじめこれにかかわった人と時代と風土に関して、いくばくかの新たな認識がもたらされるとすれば、それだけでわたしは満足するにちがいない。

なお事件の舞台となった西加茂村について、簡単に説明しておく。

吉井川の一支流である加茂川が、中国山脈の南斜面に沿って流れ落ちるところに、かなり広い谷底平野が拓け俗に加茂谷と呼ばれている。この加茂川流域に明治維新ごろ青柳、山下、河井、物見、知和、小中原、塔中、宇野、斉野谷、戸賀、黒木、倉見、原口、行重、楢井、百々《どうどう》、中原、成安、小淵、桑原、公郷、下津川の二十二カ村が散在していた。これが明治二十二年の町村制施行によって上加茂、加茂、東加茂、西加茂の四カ村に統合され、大正十三年に加茂村だけが町制を施いた。津山事件後間もない昭和十七年に、加茂町と東西の加茂村が合併して加茂町となったが、戦後の二十六年にもとの加茂町だけが分離して、新加茂町として独立したが、二十九年に加茂町と新加茂町に上加茂村が合併して、新たに加茂町が誕生した。

津山事件が発生したのは、西加茂村が独立して存在していた時代のことである。

解　説

永瀬隼介

事件ルポに携わるライターや編集者が集まると、よくこんなランキングが話題になる。曰《いわ》く、これまで最もショッキングだった殺人事件は何か？　悪趣味と嗤《わら》うなかれ。生身の人間の恐ろしさを身をもって味わってきた輩ばかりである。骨の髄、心の襞《ひだ》の奥まで、殺人事件への興味、好奇心が染み付いているのだ。

挙げられるのは己が取材した事件ばかりではない。子供時分に見聞きしたもの、生まれる前のものもある。帝銀事件、吉展ちゃん誘拐殺害、赤軍派粛清連続殺人、三菱銀行北畠支店籠城《ろうじょう》、幼女連続猟奇殺人、酒鬼薔薇《さかきばら》事件、池田小無差別児童殺傷……それほど時間を要せずに、両手に余る事件が並ぶ。己の取材体験談や、知られざる裏話が口角泡を飛ばす勢いで語られるなか、誰かがこう言う。

「しかし、あれには負けるよな。岡山の――」

途端に座が静まり返る。誰もが言葉を失い、顔を見合わせる。

「まあ、遥《はる》か昔の事件だからな」

場を繕《つくろ》う言葉に、そうそう、と同意の声が上がり、なんとも重苦しい空気が垂れ込める。七十年近く前に起きた事件でありながら、それを口の端《は》に載せた途端、忌まわしいタブーの数々と漆黒の闇《やみ》が迫り、口を噤《つぐ》ませてしまう。

昭和十三年五月、中国山地の人口百十人余りの集落を舞台に、一夜にして三十人が殺された事件は、そのスケール、爆発力、そして流された鮮血と臓物の量、すべて桁《けた》外れである。世界に目を移せば五十人、百人の犠牲者を出した大量殺人事件もあるが、長期に亙《わた》ったものばかりだ。一夜にして、それも二時間足らずの間にひとりで三十人を惨殺した事件は、世界でも空前絶後である。

本書『津山三十人殺し』は、この未曾有《みぞう》の大事件の全貌《ぜんぼう》に、当時の警察・検察資料、証言等から迫った、質量ともにヘヴィなルポルタージュである。

深夜、二十二歳の都井睦雄は愛する祖母の首を斧《おの》で叩き切り、それを狼煙《のろし》とばかりに、恨みをもつ村人を猟銃と日本刀で殺しまくり、自らも心臓を撃ち抜いて果ててしまう。

都井は遺書に村人への呪詛《じゅそ》の言葉を綴《つづ》った後、こう記す。

《僕が此の書物《かきもの》を残すのは自分が精神異常者ではなくて前持って覚悟の死であることを世の人に見てもらいたいためである》

ただひとりの肉親である姉宛《あて》の遺書では、殺人鬼らしからぬ配慮も見せる。

《ああ僕も死にたくはないけれど、家のことを思わぬではないけれど、このまま活して

いたらどうせ結核にやられるべきだろう。そうしたら、近隣の鬼の様な奴等は喜ぼうけれど僕はとてもうかばれぬ》

《どうか姉さんは病気を一日も早く治して強く強く此の世を生きて下さい、僕は地下にて姉さんの多幸なるべきを常に祈って居ます》

自己申告通り、と言うべきか、確かに精神に異常をきたした者の文章とは思えない。

この遺書の存在は、当時の関係者を相当悩ませたらしく、検事のひとりは犯行の動機についてこんな意見を開陳《かいちん》している。

《精神分裂症の前駆的異常性格にあるかはしばらく別の問題としても、青年特有の英雄主義《ヒーロイズム》が多分に織込まれていることはまちがいないと思う。この点に於て彼の十六歳の時に起こった五・一五事件、あるいは二十歳の時の出来事である二・二六事件等の影響必ずしも絶無とはいい得ない》

まあ牽強付会《けんきょうふかい》というか、とても納得できるものではない。この一文から読み取れるものがあるとしたら、想像を絶する事件を前にした混乱と戸惑いだけである。

もっとも、現代の異常犯罪に対する識者の意見も同じようなものだ。わたしも幾つかの大量殺人事件を取材したことがあるが、精神医学者、司法関係者の分析で、なるほど、と得心したものはただのひとつもなかった。

そもそも、モンスターと化した人間の心を理解する術《すべ》など、この世には無いと思う。

わたしは、複数の人間を惨殺した男の口からこんな言葉を聞いたことがある。「僕にも判《わか》らないんですよ。その場の勢いでやったというか――」。

本人にも判らない心の内を、他人が推し量り、都合のいいように結論づけるのは、単なる自己満足ではないか。そして、この手の判り易いノンフィクション作品が巷《ちまた》に氾濫《はんらん》しているのもまた事実である。

その点、著者は徹底している。己の推測は一切交えず、ただ事実のみを、叩《たた》きつけるように書き記す。見事である。

犯人・都井の生育歴の詳細は本書に譲るが、犯行のキーワードは三つある。両親との死別、結核、それにセックスだ。

幼い時分に両親を結核で失い、祖母にひきとられた都井は学業抜群であった。教師を目指して中学進学を希望するが、祖母の反対で諦《あきら》め、実業学校へ進むもあっさり中退。両親と同じ結核に罹患《りかん》したこともあり、徴兵もされず、自宅で小説家を夢想しつつ、気楽な、いまでいうニートの生活を送る。青年となった都井は性衝動の赴くまま、村の人妻、娘たちと関係を持ち、数々のトラブルを引き起こす。

祖母に甘やかされて育った都井が、当時、不治の病と恐れられた結核で自暴自棄になり、放埒《ほうらつ》な女性関係とトラブルで周囲から忌《い》み嫌われて凶行に及んだ、というきわめてオーソドックスな推理は識者の談話に任せて、著者は原始的ともいえる村のセックス事情をじっくりと描いていく。

夜這《よば》いの風習の残る村で、男と女は簡単にまぐわい、時に縁側でお茶を御馳走《ごちそう》になるような気楽さで冴えない中年男が人妻にのしかかる。関係が発覚してもあっけらかんとしたもので、男が夫に酒を御馳走し、頭を下げればおしまい。村の有力者は借金のカタに、複数の人妻と関係を持ち、平然としている。

ピンク色の淫風《いんぷう》が充満する村で思春期を過ごす都井のセックスへの興味は募るばかりで、十九歳のとき悪友に誘われ、娼窟《しょうくつ》で女を知った後は一瀉千里《いっしゃせんり》。夜、村を徘徊《はいかい》しては爛《ただ》れた男女関係を探り、それをネタに女たちを脅迫、「わしにもさせ、させてくれたらなんもいわん」「あんなじんつぁまより、わしのほうがええけんの」と迫る。

他にも十八歳の娘に夜這いを仕掛け、母親に見つかると、「それならばあんたでもいいわい」と乗り替える。結局、母親は土間にゴザを敷いて都井を受け入れ、コトが終わると十円札を受け取る。

著者は、事件当時タブーとされた、蛇の群れが絡《から》み合うような村のセックスを生々しく描くと同時に、昭和十一年（都井二十歳）五月の阿部定事件にも大きくページを割《さ》く。恋人吉蔵を絞殺し、その陰部を切り取って持ち去った猟奇事件に、都井は大いに興味をそそられる。反面、同じ年の二・二六事件にはまったく関心を示さなかった、との指摘は興味深い。

都井は多くの新聞雑誌を購入し、地下出版物となって出回った阿部定の自供調書を借り受け、一晩かけて筆記する。本書には、都井が筆記した部分、つまりもっともセンセーショナルな箇所が十一ページに亙って綴られている。

実は、わたしには著者がここまで阿部定事件にこだわる理由が見えなかった。が、都井が売春旅館を訪れ、そこで阿部定が働いていたと知るや異様に興奮してセックスに耽《ふけ》るくだりを読んで、うっすらと見えてきたものがある。

疑問は最後の最後、解き明かされる。著者は本書の最後八行に、生前の都井が漏らした忌まわしい言葉を記すのだ。そういうことか、と唸《うな》った。

本書のクライマックス、猟銃と日本刀で武装して深夜の村を襲い、村人を恐怖のどん底に陥《おとしい》れる襲撃場面は凄《すご》いの一言だ。著者は生存者の証言と現場検証を元に、殺戮《さつりく》の丑《うし》三つどきを、血の臭《にお》いが漂ってきそうな描写で再現してみせる。

あらかじめ電線に細工し停電状態にしたうえで、寝入った祖母の首を斧で叩き落とし、孤立した漆黒の村に躍り込む。狙うは、自分を裏切り、蔑《さげす》んだ人々の家だ。中には関係した女が嫁いだだけの、とばっちりを食ったとしか思えない家もある。

懐中電灯を二本、鬼の角《つの》のように頭にくくりつけた都井は、首から自転車用ランプを吊《つ》り下げ、日本刀一振りと短刀二本を腰に差し、猟銃を構えて闇を疾《はし》る。鮮血が飛び散り、黒い山々に悲鳴と絶叫が響き渡る。

いくらタフで残忍な殺人者でも、一度に二、三人を殺すと心身が消耗してぐったりしてしまうという。が、都井は三十人。しかも結核に侵された病身である。逃げ惑い、手を合わせて許しを請う人々を冷静に射殺し、斬《き》り殺していく様はとても人間業とは思えない。凡百の作家なら、結核で徴兵検査に撥《は》ねられた事実を踏まえて、「この村は男にとっての戦場だった」とでも書くのだろう。

もちろん、著者はそんなセンチメンタルな描写には眼《め》もくれず、ひたすら事実のみを書きつけていく。こんなシーンがある。

《「頼むけん、こらえてつかあさい」

七十歳のたまはふるえながら、都井の足もとにひれ伏して哀願した。

「ばばやん、顔を上げなされ」

都井は銃口でたまの顔をすくい上げ、顔を上げたところを胸に向けてぶっ放した》

どうだろう。都井の冷酷さ、怖さが、血に塗《まみ》れた映像を伴い、迫り来るではないか。

襲撃した家は全部で十二戸。懐中電灯と自転車用ランプの光を頼りに獣道《けものみち》を縫い、峻《しゅん》険《けん》な尾根道を駆けて日本刀を振るい、猟銃を撃ちまくる都井はひとの皮を脱ぎ捨てた怪物である。生き残った村人の証言を元に、著者はこう書く。

《なにごとならんと表の雨戸を開けてうかがっていると、間もなく三つ目の怪物が「殺すぞ、殺すぞ」と大声で連呼しながら、ものすごいスピードで坂を登ってくるので、腰

を抜かしそうになったという》

重い猟銃と日本刀で武装しながら、足許《あしもと》もおぼつかない険しい暗黒の山道を軽々と、飛ぶように駆け回り、幼児を含む三十人を殺戮（即死二十八人）した都井はどう考えても人間ではない。恐らく、黒い翼を生やした悪魔と化していたのだろう。

わたしは思う。本書は優れた事件ルポであると同時に、人間が本物の悪魔へと堕していく様を克明に記した、極めて稀《まれ》な記録である、と。

（平成十七年九月、作家）

この作品は一九八一年九月草思社より刊行され、加筆、修正の上、二〇〇一年十一月新潮ＯＨ！文庫に収録された。

津山三十人殺《つやまさんじゆうにんごろ》し

日本犯罪史上空前の惨劇

新潮文庫　つ - 20 - 1

平成十七年十一月一日発行
令和五年十二月十五日十刷

著者　筑《つく》波《ば》昭《あきら》

発行者　佐藤隆信

発行所　株式会社新潮社

郵便番号　一六二―八七一一
東京都新宿区矢来町七一
電話　編集部(〇三)三二六六―五四四〇
　　　読者係(〇三)三二六六―五一一一
https://www.shinchosha.co.jp

価格はカバーに表示してあります。

乱丁・落丁本は、ご面倒ですが小社読者係宛ご送付ください。送料小社負担にてお取替えいたします。

印刷・株式会社光邦　製本・株式会社大進堂

ISBN978-4-10-121841-0 C0195